Muehlbach, Lu

Napoleon und der Wiener Kongress

3. Band

Muehlbach, Luise

Napoleon und der Wiener Kongress

3. Band

Inktank publishing, 2018

www.inktank-publishing.com

ISBN/EAN: 9783750103672

Mundt, Klara (Müller)

Napoleon

und

der Wiener Congreß.

Von

L. Mühlbach.

Dritter Band.

Berlin, 1859.

Verlag von Otto Janke.

Inhalt des dritten Bandes.

	Seite
Fünftes Buch: Diplomaten und Intriganten.	
I. Der Anfang des Jahres 1815	3
II. Wie man Geschichte macht	25
III. Fouché	35
IV. Intriguen	57
V. Die Anklage	80
VI. Die Doppelzüngigkeit	98
VII. Der Ballabend des Fürsten Metternich	110
VIII. Die Fürstin Bagration	132
IX. Der Mordversuch	158
Sechstes Buch. Napoleons Rückkehr von Elba.	
I. Die Hiobspost	191
II. Marie Louise	218
III. Das unterbrochene Fest	242
IV. Die Siegesbotschaft	259
V. Herzog Franz	283
VI. Die Flucht	298
VII. Die Rache	314
VIII. Der Abschied	335

Google

Fünftes Buch.

———

Diplomaten und Intriguanten.

———

I.

Der Anfang des Jahres 1815.

Ein neues Jahr war angebrochen, das Jahr 1815 hatte seinen Vorgänger zu Grabe getragen, und man hatte in Wien diese Grablegung des Jahres 1814, diese Auferstehung des Jahres 1815 mit gleich glänzenden und rauschenden Festen gefeiert.

Der Congreß hielt noch immer Vormittags seine Sitzungen, in denen er — nicht über das Glück der Völker, aber über die Grenzen und Besitzungen der Fürsten debattirte und sprach, aber nicht weiter kam, der Congreß feierte noch immer Abends seine Bälle, seine Routs, seine Maskeraden, er führte Theaterstücke auf, stellte lebende Bilder und machte seine Bonmots und seine kleinen Sinngedichte. Er konnte mit vollkommener Gewissensruhe zurückschauen auf das Jahr 1814,

1*

9

denn er hatte in den drei Monaten der Conferenzen Niemanden unglücklich gemacht, gar kein Blut, sondern nur viel Tinte vergossen, hatte alle Streitigkeiten, alle Uneinigkeiten mit hinüber genommen in's Jahr 1815, und alle die brennenden und offenen Fragen des verflossenen Jahres brennend und offen gelassen für das kommende Jahr.

Sachsen war noch immer der Zankapfel, um den man sich stritt, das von Preußen, mit Hülfe Rußlands, begehrt ward, das von Frankreich, von Baiern, Würtemberg und Weimar verweigert ward, während Oesterreich sich bald auf die Seite Preußens, bald auf die Seite Sachsens stellte.

Polen war noch immer nicht dem Kaiser Alexander zugesprochen, denn alle Diplomaten des Congresses erzitterten über den Plan des großmüthigen und schwärmerischen Kaisers von Rußland, der das Königreich Polen glücklich machen, ihm eine freie Verfassung geben und Rußlands Macht dadurch bis an die Grenzen Deutschlands hinanschieben wollte.

Ueber die Zukunft Neapels war immer noch nichts entschieden, und trotz des Widerspruchs der Bourbonen war Joachim Murat noch immer König von Neapel. Eines nur hatte der Congreß im Jahr 1814 zu Stande

gebracht. Er hatte die alte freie Stadt und Republik
Genua dem König von Sardinien geschenkt und sie
seinem Königreich einverleibt. Freilich waren die Ge=
nuesen entsetzt und trauervoll über diese Schenkung,
freilich hallte ein Schrei des Zorns, des Jammers und
der Empörung durch das ganze genuesische Gebiet hin,
freilich erhoben sie ihre Stimme laut und mächtig aus
dem Congreß, um ganz Europa zu sagen, daß dies eine
schmachvolle Verletzung der Völkerrechte sei, aber was
kümmerte dieses Wehegeschrei des Volkes den hohen
Congreß, der damit beschäftigt war, die Ländergebiete
der Fürsten zu vergrößern und ihnen zu helfen, sich
möglichst zu arrondiren.

Wohl sandte Genua seine Abgesandten nach Wien,
wohl kamen die ersten und angesehensten genuesischen
Nobili nach Wien, um beim Congreß Protest einzulegen
gegen dies willkürliche Verschenken einer Republik, welche
noch ihrer Kraft, ihrer Selbstständigkeit sich bewußt
war. Fürst Metternich bewilligte freundlich und zu=
vorkommend, wie immer, den hohen Abgesandten Ge=
nua's eine Audienz, er hörte mit seinem verbindlichsten
Lächeln der Rede des Grafen Brignole zu, welcher aus
der Geschichte nachwies, daß die Republik Genua ebenso
alt, ebenso berechtigt sei wie die meisten der europäi-

fchen Königreiche, daß fie ebenfo gut, wie diefe, das Recht ihrer Souverainetät beanfpruchen dürfe.

Aber als Graf Brignole feine lange gelehrte Rede beendet hatte, verneigte fich Metternich und antwortete mit vollkommener Ruhe, es fei leider nichts mehr zu ändern. Der Entfchluß des Congreffes fei einmal ge= faßt und er fei unwiderruflich. Genua fei dem König von Sardinien zugefprochen, und das würde der Hoheit und Würde des Congreffes nicht angemeffen fein, wenn er feinen Befchluß wieder umftieße, bloß weil die Ge= nuefen mit demfelben nicht zufrieden feien. *)

Und halb mit Lächeln, halb mit Gewalt compli= mentirte Metternich die genuefifchen Abgefandten aus feinem Salon hinaus, in welchem diefe dem armen Freiftaat Genua feine Grabrede gehalten hatten, und in welchem am Abend die Diplomaten des Congreffes und die Fürften, Ariftokraten und Diplomaten mit den fchönen Damen lebende Bilder ftellten und National= tänze aufführten.

Der Congreß jubelte und tanzte immerfort, er tanzte im beginnenden Jahre 1815 fo forglos und vergnügt, wie er im verfloffenen Jahre 1814 getanzt hatte. Einmal

---

*) Comte de la Garde. II. 114.

doch, in den letzten Tagen des Januar, am Todestage des unglücklichen Königs Ludwigs des Sechszehnten von Frankreich, verstummten die Festklänge und man nahm eine ernsthafte, düstere Maske vor.

Der Minister Talleyrand, der so oft schon in seinem Hôtel dem Congreß, den Fürsten und der hohen Aristokratie glänzende Feste gegeben, der Minister der Republik, der Minister des Kaiserreichs und jetzt des Königreichs Frankreich, hatte auch heute den einundzwanzigsten Januar das ganze vornehme Wien zu einem Fest geladen. Nur fand dies Fest nicht in seinem Hôtel, sondern in dem Dom von St. Stephan statt, nur kam man zu demselben nicht im Schmuck der Brillanten, Blumen und köstlichen Kleiderstoffe, sondern man kam in schwarzen Trauergewändern, die Herren mit wallenden Trauerschleifen an den Hüten, die Damen das Antlitz verhüllt von schwarzen Schleiern. Und schwarz verhangen war auch der Dom von St. Stephan, Trauerklänge durchhallten die düstern Kirchenräume und auf allen Gesichtern, besonders aber auf dem Antlitz Talleyrands, malte sich eine tiefe, düstere Trauer. Jedermann wollte seiner Pflicht Genüge thun und zu der ernsten Feier des Tages auch seinem Gesicht das angemessene Costüm geben, aber im Innern war Jeder

mann heimlich empört über die unglückliche Idee des
französischen Gesandten, den Gang der Bälle, Maske=
raden, Carouſſels und Jagden durch ein so düſteres
Fest zu unterbrechen, fand man es höchſt unangemeſſen,
daß Talleyrand, inmitten dieſer Fürſtenherrlichkeit, an
den Tod eines Königs erinnerte, deſſen ſchmachvolles
und entſetzliches Ende als eine unheilbare Wunde der
Fürſtenautorität erſchien.

Aber am andern Tage entſchädigte man ſich für das
düſtere Fest des einundzwanzigſten Januar! Am andern
Tage gab der Kaiſer von Oeſterreich ſeinen Gäſten,
wie den Diplomaten und der hohen Ariſtokratie ein
neues, ein glänzendes Fest. Zur Erholung von der
Trauerfeierlichkeit fand an demſelben Abend ein Ball
in den Reboutenſälen, bei welchem alle Fürſten er=
ſchienen, und am Tage darauf eine Schlittenfahrt ſtatt.
Mehr denn vierhundert mit Gold, Seide und Sammet
drapirter Schlitten führten die auserleſene Geſellſchaft,
die Damen in der reichſten, prachtvollſten Wintertoilette,
hinaus nach Schönbrunn. Dort, auf dem blitzenden
Eis des Teiches, vergnügte man ſich mit Schlittſchuh=
laufen, fuhren die Cavaliere auf prächtigen, goldſtar=
renden Handſchlitten die Damen, führte man Ballets
und Nationaltänze auf. Dann fand im Schloß von

Schönbrunn ein glänzendes Diner statt, nach welchem man sich alsdann in den Schauspielsaal begab, um der Aufführung der Oper Cendrillon beizuwohnen, nachdem diese beendet, bei Fackelbeleuchtung die Rückfahrt nach Wien wieder anzutreten, und der armen, vergessenen Kaiserin Marie Louise, welche sich in die beiden einzigen, für sie reservirten Zimmer zurückgezogen hatte, zu gestatten, wieder von ihrer Wohnung Besitz zu nehmen.

Indessen einen Todesfall hatte der Congreß in den letzten Monaten des Jahres 1814 doch verschuldet. Der Fürst von Ligne war gestorben, und sehr wider seinen Willen hatte er eine glänzende Abwechselung in die Reihe der Festlichkeiten gebracht, hatte er dem Congreß, dem von den verschiedenartigsten Festen ermatteten Wien ein neues Fest gegeben: das Leichenbegängniß eines österreichischen Feldmarschalls.

Es war dies in der That ein sehr seltenes, sehr prachtvolles Fest, und man würde es vielleicht nicht so rasch vergessen haben, wenn nicht am Abend dieses Tages die „Truppe der Kaiserin," das heißt, die jungen Damen und Cavaliere, welche unter Anordnung der Kaiserin Ludovica lebende Bilder stellten und Theatervorstellungen gaben, einige reizende französische Lustspiele aufgeführt, wenn nicht am nächsten Tage ein glän-

zendes Ballfest beim Fürsten Razumowsky stattgefun=
den hätte.

Der Congreß hatte den armen achtzigjährigen Fürsten
Ligne getödtet mit seinen Festen und seinen Bällen,
aber das behinderte den Congreß nicht, ohne Gewissens=
bisse und ohne Reue weiter zu tanzen über dem Grabe
des Fürsten Ligne, mit dem man den letzten Ver=
treter der Grazie, des Geistes, des Esprit und der
Hofgeschichte des achtzehnten Jahrhunderts begraben
hatte!

Aber mitten unter all diesen Festen, diesen glänzenden
Zerstreuungen schürzten die Hände der Diplomaten
immer doch weiter an ihren Netzen, verfolgten sie
heimlich und in der Stille ihre Ziele und Pläne, und
unter den Festgewändern und Blumen verbarg man ge=
schickt und bequem die diplomatischen Schlangenkünste,
welche Throne zu stürzen, und Throne zu erheben,
Republiken zu vernichten, und Völker und Kronen zu
verschenken trachteten.

Während Jedermann glaubte, daß der Congreß nur
sich amüsirte, nur Feste beging, hatten die Conferenzen
ungestört ihren Fortgang, stritt, zankte und veruneinigte
man sich mehr und mehr.

Niemand war damit zufriedener, Niemand triumphirte

in der Stille mehr über diesen allgemeinen politischen
Haber, als der Vater aller Diplomaten, als Talleyrand.
Wenn alle diese, vorher so eng gegen Frankreich verbündeten Mächte sich jetzt nach und nach zu entzweien
begannen, so konnte Frankreich nur dabei gewinnen.
Wenn man sich nicht darüber einigen konnte, wem man
die frühern Eroberungen Frankreichs jetzt zuerkennen
wollte, so mußten sie doch jedenfalls so lange bei
Frankreich verbleiben, und man konnte sie vielleicht für
dasselbe erhalten.

Der große Diplomat war daher eifrig bemüht, die
Zwistigkeiten des Congresses immer in Bewegung zu
erhalten, ihnen immer neue Nahrung zuzuführen, und
Dank seinen Bemühungen hatten sich jetzt schon alle
auf dem Congreß vertretenen Mächte entzweit.

Daran dachte Talleyrand, als er, eben von einer
Congreßsitzung heimkehrend, mit langsamen Schritten,
die Hände auf dem Rücken gefaltet, in seinem Cabinet
auf und ab ging; er überlegte die heutige Sitzung, die
vielen Kämpfe und Wirrnisse, welche sich an dem diplomatischen Horizont aufthürmten, und ein leises, sar-
kastisches Lächeln flog über sein Antlitz hin.

Ungeschickte Diplomaten sind sie Alle, sagte er leise
vor sich hin, denken nur an die nächste Stunde, haben

keinen weitschauenden Blick, und meinen genug gethan zu haben, wenn sie dem Chaos ein Fetzchen Land, ein paar Tausend Seelen entrissen haben. Sehen nicht, daß sie auf einem Vulkan tanzen, und daß dieser Congreß den Völkern eine Warnung sein wird für künftige Zeiten. Sie werden nicht wieder mit so enthusiastischer Bereitwilligkeit hinaus ziehen in den Krieg für die sogenannte Freiheit, sondern vorher ein wenig überlegen, was sie von dem Krieg haben, und welchen Lohn man ihnen für ihr vergossenes Blut und ihre zerschossenen Glieder geben wird. Ach, ach, sie sind arme Sünder, und wissen nicht, was sie thun, sie glauben, daß sie Alle nur im Princip der Monarchie handeln, und arbeiten wider ihren Willen der Demokratie und den einstigen Republiken in die Hände. Man muß immer genau wissen, was man will, und was man erreichen kann, und in der Gegenwart muß man immer die Zukunft im Auge behalten. Das wissen diese kleinen, ungeübten Diplomaten nicht, und deshalb —

Ein leises Klopfen an der Thür unterbrach ihn in seinem Selbstgespräch. Der eintretende Kammerdiener meldete: der Herr Baron von Sahla wünsche Se. Durchlaucht zu sprechen.

Sahla, sagte Talleyrand sinnend, ich meine, ich

hätte biesen Namen schon irgendwo sonst gehört. Ja,
— jetzt entsinne ich mich, rief er bann lebhaft. Lassen
Sie diesen Herrn eintreten!

Der Kammerbiener öffnete die Thür, und bie
bleiche, ernste Gestalt bes Calatravaritters erschien auf
ber Schwelle.

Talleyrand winkte ihm näher zu treten, und seine
kleinen, blitzenden Augen hafteten mit einem tiefen
forschenben Blick auf bem schwermuthsvollen Angesicht
Herrn von Sahla.

Ich glaube, mein Herr, sagte er, ich habe schon
früher einmal die Ehre gehabt, Sie zu sehen, und wenn
meine Erinnerungen mich nicht trügen, auch Sie zu
sprechen, und zwar unter ziemlich ernsten und eigen=
thümlichen Umständen.

Ihre Erinnerungen trügen Sie nicht, Herr Fürst
von Benevent, sagte Sahla ruhig. Wir haben uns
schon einmal gesehen und gesprochen, und bie Umstände
waren ziemlich eigenthümlicher Art, denn man hatte
mich beschulbigt, daß ich einen Mordversuch auf bas
Leben bes Mannes, ben Sie bamals Ihren Kaiser
Napoleon nannten, beabsichtigt habe.

Ich habe mich also nicht getäuscht, rief Talleyrand,
bei Ihrem Namen tauchten biese alten Erinnerungen

in mir auf. Es war zu Paris, nicht wahr? Man
beschuldigte Sie, daß Sie den Kaiser beim Heraus=
gehen aus dem Theater hätten erschießen wollen, ist
es nicht so?

Ja, es ist so, man beschuldigte mich dessen, man
konnte mir aber nichts beweisen, sagte Herr von Sahla
ruhig. Sie selber, Herr Fürst von Talleyrand, leiteten
mein Verhör, und Sie erklärten mich für unschuldig,
weil man mich nicht überführen konnte.

Und sicher waren Sie auch unschuldig, mein Herr,
rief Talleyrand lächelnd. Sicher beabsichtigten Sie
nicht eine so grausenvolle That, einen Mord!

Im Gegentheil, ich beabsichtigte ihn, sagte der Ca=
latravaritter gelassen, ich hatte den festen Entschluß ge=
faßt, Bonaparte, diesen Dämon der Hölle, von der
Erde zu schaffen, und Deutschland, der ganzen Welt,
und vor allen Dingen meinem geliebten Vaterland,
dem Königreich Sachsen, den Frieden wiederzugeben.
Sie nennen das eine grausenvolle That, wenn sie aber
gelungen, würden sie dieselbe vielleicht eine Heldenthat
genannt haben! Ich wollte Napoleon allerdings bei der
Abfahrt aus dem Theater tödten, ich hielt das gespannte
Taschenpistol schon unter meinem Kleide verborgen bereit;
der Wagen fuhr unter der bedeckten Halle hervor, ich

wollte das Pistol herausziehen, aber neben Bonaparte erblickte ich den Bruder des Königs von Sachsen, meines geliebten Herrn. Das rettete Bonaparte, denn ich konnte den Prinzen treffen, statt seiner! Dieser Gedanke machte mich schaudern, ich ließ die Hand mit dem Pistol sinken, verließ hastig das Gedränge, und warf mein Pistol in den nahen Fluß. Das hatte man gesehen, deshalb verhaftete und verdächtigte man mich. Mein König, der jetzt durch Bonaparte so unglücklich geworden, mein König rettete ihn damals vor dem sicherm Tode.

Sie scheinen Ihren König sehr zu lieben? fragte Talleyrand lächelnd.

Ja, ich liebe ihn, rief Sahla glühend, und diese Liebe ist es, die mich herführt. Ich komme Sie zu beschwören, daß Sie Sich meines unglücklichen Vaterlandes erbarmen, daß Sie Ihre mächtige, einflußreiche Stimme noch eindringlicher, noch stärker, wie es bis jetzt geschehen, für Sachsen erheben möchten. Ich komme Ihnen im Namen meines Königs zu danken für das, was Sie bisher gethan, Sie zu beschwören, ihm zu seinem Recht, zu seiner Hülfe Ihren Beistand zu leihen.

Sie kommen wirklich im Auftrag Ihres Königs? fragte Talleyrand zweifelnd.

Ja, ich komme von ihm, rief Sahla, ich habe ihn zu Preßburg in seinem Elend gesehen, ich habe, vor ihm auf den Knieen liegend, mit ihm geweint über das Unglück Sachsens, welches man wie eine elende Waare verschenken, verschleudern will, ich komme jetzt im Namen meines Königs zu Ihnen, um Sie zu beschwören, diesen Seelenhandel nicht zu dulden, nicht zuzugeben, daß der Congreß, indem er moralische Reden über den Sclavenhandel hält, zugleich selber mit Völkern handelt, wie mit Sclaven, die ihm zum Verkauf übergeben worden!

Es ist sehr freundlich, daß Ihr König in seinem Unglück an mich gedacht hat, sagte Talleyrand achselzuckend, aber ich fürchte, daß meine Stimme nicht stark genug ist, um Diejenigen zu übertönen, welche wider ihn schreien. Ich habe Anfangs laut genug für Sachsen gesprochen, aber man hat mich übertönt, und jetzt, da ich gesehen, daß ich mit meinen Protestationen nichts erreiche, jetzt, da ich allein stehe, da auch England Sachsen fallen läßt, und es den Wünschen Preußens opfert, jetzt werde auch ich verstummen müssen, und geschehen lassen, was nicht mehr zu ändern ist. Sachsen wird an Preußen fallen, denn Preußen beansprucht das eroberte Sachsen als Entschädigung für seine Opfer und seine Kriegs=

thaten. Die übrigen Mächte, welche Preußen keine andere Entschädigung zu bieten haben, fügen sich der Nothwendigkeit, und sind jetzt entschlossen, dem allgemeinen Weltfrieden Sachsen zum Opfer zu bringen; und um einen neuen Krieg zu vermeiden, auf dem Preußen, Rußland auf der einen, Frankreich, Oesterreich und England auf der andern Seite stehen würden, um Europa neue Qualen, neues Blutvergießen zu ersparen, wird man sich darein fügen, Sachsen an Preußen, und Polen an Rußland zu geben.

Aber Sie, und Sie allein können uns retten, rief Herr von Sahla dringend, denn Sie sind Frankreich, Sie sind Spanien, Sie sind der Gedanke der Legitimität. Sprechen Sie im Namen dieser Legitimität und Europa wird Ihre Stimme hören, und Oesterreich wird nicht wagen, diesen Ruf zu überhören, es wird sich mit Ihnen verbünden wider Preußen, es wird Preußen und Rußland zwingen, ihre Beute fahren zu lassen, und Sachsen seinem König zurückzugeben.

Sie sind ein liebenswürdiger Schwärmer, sagte Talleyrand mit einem mitleidigen Lächeln, aber die Wirklichkeit entspricht selten den Schwärmereien. Bringen Sie Ihrem König meine ergebensten Grüße, sagen Sie ihm, daß Frankreich ihn bedauert, daß aber —

Vollenden Sie nicht, rief Sahla, seine Hand
feierlich ausstreckend und dem Fürsten mit einem
flammenden Blick in's Antlitz starrend. Sie halten
mich für einen Schwärmer, meinen König für einen
armen Bettler, den man nur beklagen, aber dem man
nicht helfen kann. Aber Sie irren, Herr Fürst
von Benevent, ich bin kein Schwärmer, denn ich sehe
mit hellem Auge in die Zukunft, und ich sehe, daß
Sachsen nicht untergeht, daß Frankreich es erhalten
wird! Und mein König ist kein Bettler, denn er wird
Denjenigen königlich bezahlen, der ihm sein Land, seinen
Thron errettet.

Bezahlen mit Versprechungen, sagte Talleyrand mit
leisem Spott.

Nein, bezahlen mit Millionen, rief Sahla, seine
düstern Augen mit einem triumphirenden Ausdruck auf
Talleyrand heftend. Er sah sehr wohl, wie Talleyrand
zusammenzuckte, wie eine plötzliche Röthe über sein
Antlitz hinfuhr, und ein stolzes Lächeln glitt über
Sahla's Angesicht hin. Ich werde ihn gewinnen,
sagte er leise zu sich selbst, ich werde Sachsen er=
retten.

Millionen, rief Talleyrand zweifelnd, wenn man
über Millionen zu verfügen hat, braucht man nicht zu

zittern für ein Königreich, denn mit Millionen kauft man es sich.

Das will mein König auch, sagte Sahla mit einem glücklichen Lächeln. Er hält brei Millionen Francs bereit, um sie Demjenigen zu geben, der ihm sein Königreich wiederbringt, der hier auf dem Congreß für ihn wirbt und wirkt, der ihm die Stimmen Oesterreichs, Englands und der kleinen deutschen Fürsten erobert, der nicht nachläßt in seinen Bemühungen, und Sachsen rettet, indem er es unter die Fahne der Legitimität, der bedroheten Fürstenwürde stellt. Wenn Frankreich fest und unerschütterlich bei seiner Forderung der Erhaltung Sachsens bleibt, so ist Sachsen gerettet! Oh, Heil über den, welcher Sachsen rettet, er wird mehr dadurch erwerben, als nur drei elende Millionen Francs, er wird den Segen und die Liebe von mehr als drei Millionen treuer Sachsenherzen gewinnen.

Drei Millionen, sagte Talleyrand, das faßt sich sehr leicht in Worte, in Begriffe, aber sie sind sehr schwer in Wirklichkeit zu setzen.

Nein, sie sind sehr leicht in Wirklichkeit zu setzen. Wollen Sie mir erlauben, Ihnen das zu beweisen?

Ich bitte Sie darum, sagte Talleyrand, leise sein Haupt neigend.

2*

Herr von Sahla zog fein Portefeuille hervor, und es öffnend nahm er aus demfelben mehrere zufammen= gefaltete Papiere.

Erlauben Sie mir diefelben zu befferer Anficht aus= einanderzulegen, fagte er, und ohne eine Antwort ab= zuwarten, begann er mit gefchäftiger Eilfertigkeit feine Papiere auf einem nahestehenden Tisch auszubreiten. Talleyrand hinkte leife und geräufchlos zu diefem Tisch hin, und fchaute dem Calatravaritter zu, der jetzt eines neben dem andern in fymmetrifcher Ordnung diefe kleinen, fchmalen, länglichten Streifen Papier hinlegte, auf denen fich allerlei Zahlen und Zeichen gefchrieben und gedruckt fanden.

Ew. Durchlaucht kennen diefe Papiere? fragte er, während feiner Befchäftigung zu Talleyrand empor= fehend.

Ja, fagte Talleyrand lächelnd, ich kenne fie fehr wohl. Es find Banknoten, und wie ich fehe, beläuft fich jede diefer Banknoten auf funfzigtaufend Francs.

Und fehen Sie auch, Durchlaucht, wie viel folcher Banknoten ich hier auf den Tisch gelegt habe?

Wie mir fcheint, find es deren zwanzig.

Sehr richtig, Fürst, und zwanzig Banknoten, jede zu funfzigtaufend Francs, das macht?

Ich glaube, das macht eine Million, sagte Talleyrand lächelnd.

Ja, das macht eine Million, sagte Herr von Sahla, sich emporrichtend. Ew. Durchlaucht sehen also, daß es nicht so gar schwer ist, Millionen in Wirklichkeit zu setzen, denn ich habe in weniger als einer Viertelstunde hier eine Million aufzählen können.

Aber, wenn ich nicht irre, sprachen Sie von drei Millionen Francs? Drei Millionen möchten doch schwieriger aufzuzählen sein.

Nicht im Mindesten, sagte Herr von Sahla, einige andere Papiere aus seinem Portefeuille nehmend. Erlauben Sie mir nur zuvor, Ihnen den Plan meines edlen und unglücklichen Königs auseinander zu setzen. Ich sagte Ihnen vorher, daß der König Demjenigen, welcher hier auf dem Congreß für ihn wirken und sprechen wolle, Demjenigen, welcher durch seinen Einfluß ihm seine Krone und sein Land erhalten würde, eine Belohnung von drei Millionen Francs geben wolle. Aber es versteht sich, daß die Klugheit hierbei einige Vorsichtsmaßregeln erheischt, und daß mein König nicht belohnen kann, ehe das Ziel erreicht ist, um das es sich handelt. Ew. Durchlaucht wissen vielleicht, wie es der König Ludwig der Sechszehnte in einem

ähnlichen Fall mit dem Grafen Mirabeau gehal=
ten hat?

Nein, mein Herr, ich gestehe zu meiner Beschämung,
daß ich das nicht weiß.

Graf Mirabeau versprach auch dem König Lud=
wig dem Sechszehnten durch seinen Einfluß und
seine Beredtsamkeit seinen Thron und seine Macht
zu erhalten. Der König bezahlte dafür Mirabeau's
Schulden, die sich auf mehr als zweimalhundert=
tausend Francs belaufen mochten, gab ihm eine monat=
liche Revenue von sechstausend Francs, und außerdem
einige Wechsel, im Gesammtbetrage von einer Million,
die der Graf Mirabeau, sobald das Ziel erreicht und
der König wieder in den Besitz seiner Macht gesetzt
sei, bei der königlichen Schatzkammer zu präsentiren
hatte, um das Geld zu empfangen. *)

Oh, da hat der arme König also Frankreich eine
Million gespart, sagte Talleyrand lächelnd, denn Mira=
beau starb, ohne seinen Zweck erreicht zu haben. Und
dieses Uebereinkommen zwischen Ludwig dem Sechszehn=
ten und Mirabeau will Ihr König nachahmen?

---

*) Siehe: Theodor Mundt. Graf Mirabeau. Th. IV.
S. 364.

Ja. Er giebt seinem Vertheidiger jetzt eine Million Francs, er giebt ihm außerdem Wechsel im Betrage von zwei Millionen Francs, Wechsel, welche indeß erst in einem Jahre fällig sind. Denn im Lauf eines Jahres muß doch jedenfalls Sachsen wieder hergestellt sein als eigenes selbstständiges Königreich, und ist es dies, so hat der Inhaber dieser Wechsel sie nur beim königlichen Schatzamt zu präsentiren, und sie werden ihm ausgezahlt werden. Ist es unsern Feinden gelungen, das Königreich Sachsen aus der Reihe der selbstständigen Staaten auszustreichen, so sind die Wechsel natürlich ungültig, da es alsdann keinen König von Sachsen mehr giebt. Sehen Sie, mein Herr Herzog, hier sind die Wechsel. Es sind deren zehn. Jeder Wechsel auf zweimalhunderttausend Francs. Sie tragen alle die Unterschrift: „Der König von Sachsen, für mich und meinen Nachfolger gültig."

Ich sehe, sagte Talleyrand, leise mit dem Kopf nickend, Sie haben mich wirklich überzeugt, mein Herr, daß es nicht so schwer ist, drei Millionen Francs in Wirklichkeit zu setzen.

Und werden Sie, Herr Herzog, mir jetzt auch dafür den Beweis liefern, daß es auch nicht so schwer ist, für diese drei Millionen Francs einen Vertheidiger für Sachsen, und die Rechte des Königs von Sachsen ausfindig zu machen? fragte Herr von Sahla, indem er die Wechsel zu den Banknoten auf den Tisch legte.

Talleyrand bemerkte das sehr wohl, aber er sagte kein Wort dazu, sondern wandte sich um, und ging langsam einige Male in seinem Cabinet auf und ab. Herr von Sahla schaute ihm nach mit blitzenden Augen, in athemloser Erwartung.

II.

Wie man Geschichte macht.

Mein Herr, sagte Talleyrand nach einiger Zeit, indem er vor Sahla stehen blieb, Ihr König hat sich durch Sie vertrauensvoll an mich gewandt und begehrt meinen Rath. Ich werde mit demselben Vertrauen antworten, denn das ehrwürdige Haupt des Königs Friedrich August ist doppelt geheiligt; geheiligt durch das Unglück und durch eine Krone. Ich beuge mich aber in Ehrfurcht vor ihm und weihe ihm meine lebhaftesten Sympathieen, und ich bin ihm vor allen Dingen die Wahrheit schuldig. Ich muß ihm daher gestehen, daß Frankreich sich lebhaft für das Schicksal des Königs von Sachsen interessirt, nicht sowohl aus persönlicher und verwandtschaftlicher Zuneigung des Königs Ludwigs von Frankreich zu seinem Oheim, dem König von Sachsen, sondern mehr noch, um einem heiligen, großen und unzerstörbaren Princip zu genügen. Dies ist das Princip der Legitimität! Frankreich will für sich selber nichts, es beansprucht nichts. Ich bin daher nur hier, um die politischen Principien aufrecht zu erhalten, und um zu verhindern, daß man kein Attentat auf dieselben unternehme. *) Preußen aber will ein Attentat auf unsere politischen Principien machen. Es will das Princip der Legitimität umstürzen, es will einen König, der durch göttliches und menschliches Recht Herr und Herrscher der Erbstaaten seines Hauses, des Königreichs Sachsen, ist, seines Thrones berauben, um sich durch diese sächsischen Lande bezahlt zu machen für seine Kriegsunkosten. Es entschuldigt sich damit, daß es den König von Sachsen einen Verräther an Deutschland nennt, weil er etwas länger und mit minderer Treulosigkeit der Bundesgenosse Frankreichs geblieben, als dies Preußen, Oesterreich und die andern deutschen Staaten gethan. Aber dafür, daß der König von Sachsen seinem Bundesgenossen treu geblieben, auch noch dann, als dieser schon im Unglück war, dafür darf man ihn nicht strafen, indem man ihn ganz willkürlich seines Eigenthums beraubt. Hat der König von Sachsen

*) Talleyrand's eigene Worte. Siehe: Carl von Nostitz. S. 133.

Strafe verdient, so überlasse man diese Strafe Gott und dem Volk, dessen Stimme man die Stimme Gottes nennt. Möge die öffentliche Meinung, möge sein Volk ihn richten, möge dieses, wenn es keinen Herrscher will, welcher die Interessen Deutschlands seiner persönlichen Zuneigung geopfert hat, möge es sich alsdann erheben und diesen Herrscher verjagen, oder möge es jetzt laut und feierlich vor dem hier versammelten Congreß, das heißt, vor Europa seine Stimme erheben und sich los= sagen von seinem König und sich freiwillig unter die Krone Preußens stellen. Dann hätte, nach dem Sprich= wort: vox populi, vox dei, Gott selber entschieden! Aber das Volk, die Stimme Gottes, hat sich in Sachsen für den König erklärt, das Volk hat an den hier ta= genden Congreß eine Deputation gesandt, welche feierlich erklärt hat, daß Sachsen nicht einer fremden Krone sich unterordnen, sondern daß es seinen angebornen König wiederhaben will. Demzufolge haben die Menschen nicht das Recht, einen König zu strafen, den die Stimme Gottes nicht verurtheilt hat. Das Princip der Legi= timität muß aufrecht erhalten werden, denn alle Throne Europa's würden bald schwanken und in Trümmer zer= fallen, wenn dies nicht geschähe! Frankreich, welches keine Eroberungen, keine Gebietsvergrößerungen, keine

Vortheile von dem Congreß beansprucht, Frankreich bean=
sprucht aber von dem Congreß, daß er dieses Princip
aufrecht erhalte. Bis heute hat Frankreich versucht,
auf dem Wege der Ueberredung, der Vorstellungen, ja
sogar der Bitten auf den Congreß für Sachsen einzu=
wirken, aber da es sieht, daß alle seine friedlichen Be=
mühungen vergeblich sind, wird es von heute ab eine
andere Sprache führen. Statt zu bitten wird es drohen,
statt zu überreden wird es rüsten, und wenn es ihm
nicht gelingt auf dem Wege der Verhandlungen Sachsen
seinem angebornen König zu erhalten, Neapel seinem
angebornen König wieder zu gewinnen, so wird es sein
Ziel auf dem Wege des Krieges zu erreichen suchen,
und wir werden dann sehen, ob Oesterreich, England
und Rußland wirklich so unverständig sein wollen, ihre
eigene Existenz zu untergraben, indem sie das Princip
der Legitimität untergraben und Preußen und Joachim
Murat unterstützen. — Sagen Sie dies Alles Ihrem
König, Herr Baron von Sahla, sagen Sie, daß ich es
für meine heilige Pflicht erachte, seine Interessen, welche
die Interessen aller bestehenden Throne sind, zu unter=
stützen, nicht um Goldes oder Vortheils, sondern um
der Ueberzeugungen willen, die allein während meines
vielbewegten Lebens die Richtschnur meiner Handlungen

gewesen! Sagen Sie ihm, daß Frankreich von heute an für Sachsen in die Schranken tritt, daß es alle Mittel in Bewegung setzen wird, um Sachsen, wenn auch vielleicht in engeren Grenzen, aber doch als selbst= ständiges Königreich zu erhalten, und daß Frankreich entschlossen ist, entweder Sachsen zu erhalten oder mit ihm unterzugehen! Sagen Sie Ihrem König dies Alles, und fragen Sie ihn dann, ob er glaubt, daß ich des Vertrauens würdig bin, das er in mich gesetzt, und ob er immer noch hofft, daß ich ihm nützlich sein kann?

Er wird diese meine Frage mit einem lauten, freu= digen Ja beantworten, rief Herr von Sahla mit strah= lendem Angesicht. Er wird von heute an nicht mehr trostlos in die Zukunft sehen, denn er wird wissen, daß er einen Vertheidiger gefunden, der die Macht und den Willen hat, für ihn zu kämpfen, und der für ihn siegen wird! Segen über Sie, Fürst, über Sie, den Freund, den Bundesgenossen meines Königs, meines Vater= landes!

Ich werde wenigstens versuchen, mir Ihren Segen zu verdienen, sagte Talleyrand mit einem sanften Lächeln, Sahla seine Hand darreichend. Herr von Sahla drückte diese Hand fest in der seinen und schaute mit einem

langen, durchdringenden Blick in das ruhige, unbeweg=
liche Antlitz Talleyrands.

Ich schaue in Ihr Herz, sagte er feierlich, und ich
weiß jetzt, daß Ihre Lippen die Wahrheit gesprochen,
daß es Ihnen heiliger Ernst ist mit der Erhaltung
Sachsens. Gehen Sie also hin, Durchlaucht, und
sprechen und handeln Sie zum Wohle eines Volkes
und eines Königs, die Beide zu Gott für Sie beten
werden! Ich will gehen, die Thränen meines unglück=
lichen Königs zu trocknen, indem ich ihm sage, daß
Gott ihm einen Rächer, einen Vertheidiger gesandt hat!

Er verneigte sich tief, und sich dann umwendend,
eilte er dem Ausgange zu.

Talleyrand schaute ihm mit einem seltsamen, scheuen
Ausdruck nach. Jetzt hatte der Calatravaritter die
Thür geöffnet, und war schon im Begriff hinauszugehen.

Herr Baron von Sahla, rief Talleyrand, kommen
Sie doch. Sie haben ja hier noch die Papiere und
Wechsel Ihres Königs vergessen!

Sie werden ihm dieselben nach einem Jahr wie=
derbringen, Herr Fürst von Benevent, sagte Herr von
Sahla lächelnd, indem er rasch hinaus trat, und die
Thür hinter sich zudrückte.*)

*) Diese Bestechung Talleyrand's für und durch Sachsen ist

Herr von Talleyrand war jetzt allein. Er heftete noch eine Zeitlang die Blicke forschend und horchend nach der Thür hin, dann, als er sah, daß diese Thür sich nicht wieder öffnete, daß Herr von Sahla nicht zurückkam, die vergessenen Papiere zu holen, dann flog ein glänzender Ausdruck der Freude über sein Antlitz hin. Er eilte, so rasch es ihm sein hinkender Fuß er-

keine müßige Erfindung, sondern ein historisches Factum. Der Graf de la Garde spricht in seinen Memoiren über den Wiener Congreß ganz unbefangen darüber, daß Sachsen sich durch seine Millionen auf dem Congreß vertreten ließ. Der gute König von Sachsen, sagt er, hat jetzt die beste Partie erwählt. Er hatte, in der Furcht vor unangenehmen Wechselfällen und Verlegenheiten, Sorge getragen, sich ein kleines Reserve-Kapital zu sichern. Jetzt hat er davon einige Millionen losgerissen, um sie an zwei einflußreiche Personen des Congresses zu geben. Der Schlüssel von Gold wird ihm die Pforten seines Königreiches weit rascher und sicherer öffnen als alle Protokolle des Congresses. Siehe: Comte de la Garde II. S. 112. Der Graf de la Garde ist noch so discret, den Empfänger der Millionen nicht zu nennen, aber Chateaubriand ist offenherziger. Er sagt es geradezu, daß Talleyrand vom König von Sachsen für drei Millionen Francs gewonnen worden und daß er für diese Summe das wahre Beste Frankreichs, welches lieber Sachsen als den Rhein in Preußens Macht zu geben rieth, verkauft und verrathen habe. Siehe: Chateaubriand: Mémoires d'outre tombe. Vol. VI. S. 441. Siehe auch: Pertz, Leben des Ministers vom Stein. Th. IV. S. 119.

laubte, nach den beiden Thüren seines Cabinets hin,
verriegelte sie beide, und trat dann zu dem Tisch, auf
welchem die Banknoten und Wechsel lagen.

Drei Millionen Francs, sagte er, seine Hand auf
die Papiere legend, drei Millionen Francs, das heißt
ein Vermögen, um allen Wechselfällen des Schicksals
Trotz bieten zu können. Drei Millionen! Hm, ich
denke, ich habe in den letzten zwei Tagen ein ganz
gutes Geschäft gemacht, und meine Erben werden mit
mir zufrieden sein. Da drinnen in meinem Pult liegt ein
Document von dem König von Sicilien, der mir das
italienische Fürstenthum Dino als mein Eigenthum ver-
schrieben und verbrieft hat, wenn ich ihm Neapel wieder verschaffe. Hier auf dem Tisch liegen drei Millionen Francs vom König von Sachsen. Ich werde
also im Laufe eines Jahres Herzog von Dino sein,
und ich werde ein herzogliches Vermögen haben! Ah,
wie gut und nützlich ist es doch, wenn man mehr ver-
schweigt, als sagt, wenn man ganz im Geheimen Po-
litik macht. Wenn der König von Sachsen den geheimen Vertrag gekannt, den ich vor einigen Wochen mit
Oesterreich und England abgeschlossen habe, so würde
er vielleicht geglaubt haben, sein Königreich billiger erhalten zu können, und nur vielleicht eine Million dafür

ausgegeben haben.*) Denn da Oesterreich und England
sich mit Frankreich zu gegenseitiger Hülfsleistung und
Durchführung der von einer der drei Mächte gemachten
Vorschläge verpflichtet haben, so werden wir wohl ohne
allzugroße Anstrengungen im Stande sein, Sachsen und
seinen König zu erhalten. Zum guten Glück sind die
drei Mächte verschwiegen gewesen! Ah, wie wunderlich
doch die Welt ist, und welch' eine feine Nase man haben muß, um ihre Wechselfälle und Wandelungen wit-
tern zu können, und daher ihren Eventualitäten zuvor
zu kommen. Als ich noch Bischof von Autun war,
witterte ich die Revolution und ward Republikaner.
Als Republikaner witterte ich das Kaiserreich, und ward
daher thätig, aus dem ersten Consul einen Kaiser zu
machen. Als wir das Kaiserreich hatten, da roch ich

---

*) Am 3. Januar 1815 schlossen Frankreich, Oesterreich und
England einen geheimen Vertrag ab, durch welchen sie sich gegenseitig verpflichteten, im Einverständniß mit einander die Bestim-
mungen des Pariser Friedens aufrecht zu erhalten, das heißt, alle
Mächte in ihren Rechten bestehen zu lassen und in keine Macht- und
Gebietsvergrößerungen einzelner Staaten zu willigen. Ferner
verpflichteten die drei Mächte sich, sich gegenseitig zu vertheidigen
und mit ihren Armeen und ihrem Gold sich zu unterstützen, wenn
man sie aus Haß gegen die von einer der drei Mächte gemachten
Vorschläge angreifen sollte. Siehe: Pertz. Th. IV. S. 274.

schon den Geruch der Fäulniß aller unserer Zustände, und arbeitete und wirkte als Minister des Kaiserreichs für den Thron des Königs, der dem Kaiser folgen mußte. Und jetzt, da ich Minister des Königreichs Frankreich bin, für wen arbeite ich jetzt, und was wittert meine Nase? Nun, jedenfalls habe ich ein wenig für mich gearbeitet, und was auch die nächste Aventure Frankreichs sein mag, ich habe für mich ein Herzogthum und einige Millionen gewonnen. Dafür erhalte ich dem König von Sachsen zum Mindesten seine Krone, seine Residenzstadt Dresden, und einige Städte und Städtchen dazu! Dafür setze ich den König von Sicilien wieder auf den Thron von Neapel, und verjage Joachim Murat, meinen lieben Freund früherer Tage. Und das, seufzte Talleyrand, indem er die Millionen zusammen packte, und sie in seinem Schreibtisch verschloß, das nennt man Geschichte machen, und für das Wohl der Völker thätig sein!

———

III.

Fouché.

Fürst Metternich kehrte eben aus der Conferenz zurück in sein Cabinet. Sein Antlitz, welches sonst immer so ruhig und lächelnd erschien, war heute von Wolken beschattet, und seine Augen, welche sonst in so heiterm Glanz strahlten, schauten finster drein. Es war heute eine sehr stürmische Congreßsitzung gewesen, und der politische Horizont fing immer mehr an, sich zu verdunkeln. Eine unerwartete Brise hatte heute diese Wolken noch dichter zusammen gezogen. Diese Brise war von England herüber geweht. England, das bis jetzt in den sächsischen und polnischen Fragen im innigsten Einvernehmen mit Frankreich und Oesterreich gewesen, England hatte plötzlich seine Meinung geändert, und Lord Castlereagh hatte heute in der Conferenz Metternich ganz offen gestanden, daß die neuesten De-

3*

peſchen des Regenten von England es ihm zur Pflicht
machten, den Frieden zu erhalten, und ihm, wenn es
ſein müßte, Sachſen zu opfern, das heißt, es zuzulaſſen,
daß Preußen ſich in den Beſitz Sachſens ſetze.

Dieſe unerwartete Nachricht war es, welche die
Stirn Metternichs verbüſtert hatte, und welche machte,
daß er jetzt in ſeinem Cabinet gedankenvoll und in
ernſte Betrachtungen verſenkt auf= und abging.

Ich ſehe da nichts als Verwickelungen, als Zwiſtig=
keiten, ſagte er leiſe vor ſich hin. Alles iſt Unfrieden,
Neid und Bosheit, und Alles wird aus einander platzen,
wie eine überladene Bombe, die Alles in Brand ſteckt.
Preußen beginnt ſchon zu drohen, und der Herr von
Hardenberg hat mir heut in der Conferenz mit blitzen=
den Augen verſichert, daß Preußen nöthigenfalls mit
den Waffen in der Hand ſeine Anſprüche auf Sachſen
vertheidigen werde. Frankreich droht wiederum mit
Waffengewalt, wenn Preußen ſeine Anſprüche auf Sach=
ſen nicht aufgeben wolle, und läßt ſchon ſeine Truppen
zuſammenziehen. Herr Talleyrand ſagte heute mit ſei=
nem ruhigen Lächeln zu Hardenberg, Frankreich habe
bereits eine Armee von achtundſiebenzig tauſend Mann
an ſeinen Grenzen aufgeſtellt, die kampfgerüſtet den
Feind erwarte. Rußland wird auch immer ungeſtü=

mer, und Kaiser Alexanders Augen schleudern Blitze
auf mich, die jedenfalls geeignet wären, mich zu zerschmettern, wenn er der Gott Zeus, und ich nichts
weiter wäre, als ein zu seinen Füßen gefesselter Titan.
Sein Herr Bruder Constantin hat ja schon einen Auf-
ruf an die Polen erlassen, sich zu erheben, die Waffen
zu ergreifen, und bereit zu sein, auf den Ruf ihres
Königs, des Kaisers Alexander, die Unabhängigkeit und
Freiheit ihres Vaterlandes zu vertheidigen. Und wir
selber, Wir, Oesterreich? Sehen wir uns nicht auch
genöthigt, zu drohen, zu rüsten, und auf einen neuen
Krieg vorzubereiten? In Böhmen haben wir schon ein
Heer zusammengezogen, um nöthigenfalls Sachsen zu
vertheidigen. Jetzt müssen wir ein anderes Heer hierher ziehen, um Wien im Fall des Krieges gegen die
Russen zu decken. Und ein drittes Heer haben wir in
Italien aufgestellt, für den guten Joachim Murat, der
den Hochmuth hat, noch länger König von Neapel bleiben zu wollen. Nichts als Rüstungen! Und das ist
der Erfolg davon, daß die Diplomaten Europa's hier
seit fünf Monaten versammelt sind, um über den Weltfrieden zu berathen! Wahrhaftig, wenn die Sache nicht
so abscheuliche Folgen haben könnte, so müßte man
darüber lachen. Seit fünf Monaten Friedens-Con-

ferenzen, und der Erfolg davon, — Krieg — Krieg auf allen Seiten!

Metternich lachte laut auf, und warf sich auf den Divan, um ein wenig auszuruhen von den Anstrengun=gen der Conferenz. Aber immer wieder führten ihn seine Gedanken zu derselben zurück und beläftigten seine Seele mit ihren Aufregungen und Verdrießlichkeiten.

Ah bah, sagte Metternich, sein Haupt schüttelnd, als wolle er die läftigen Insecten verjagen, die ihn beunruhigten, ah bah, vergessen wir doch diese Lang=weiligkeiten! Es ist am beften, sich gar nicht mehr mit ihnen zu beschäftigen, sondern die Dinge gehen zu lassen, wie sie eben gehen! Ich will heute nichts mehr damit zu thun haben, sondern will mich mit nützlicheren und angenehmeren Dingen beschäftigen. Ich habe da vor allen Dingen die Arrangements und Einladungen zu dem Ballfeft zu überlegen, das ich in acht Tagen geben will. Zuerst also die Einladungen!

Er ging zu seinem Schreibtisch, setzte sich vor den=selben, und nahm Papier und Feder. Zuerst also: die kaiserliche Familie! sagte er, dieselbe aufschreibend. Nun, die wird mir nicht fehlen! — Dann: der Kaiser und die Kaiserin von Rußland! Aber wird der Kaiser kommen wollen? Darf ich ihn direct einladen, ohne eine brusque, abschlägige Antwort zu riskiren? Ich werde General Harbegg als meinen Abgesandten zu ihm schicken! Weiter! Der König von — Nun, Jean, was giebt es? fragte er den eintretenden Kammerdiener.

Durchlaucht, es ist im Vorsaal ein fremder Herr, der durchaus Ew. Durchlaucht, wie er sagt, in dringenden Angelegenheiten, zu sprechen wünscht.

Hat er seinen Namen nicht genannt?

Nein, Durchlaucht. Er hat mir nur dies Papier gegeben.

Und er hielt dem Fürsten einen silbernen Teller dar, auf welchem sich ein Streifchen Papier befand, mit allerlei seltsamen Zeichen und Strichen beschrieben.

Metternich nahm das Papier ganz achtlos entgegen, dann, als er die Augen auf die Hieroglyphenschrift des Papiers geheftet hatte, zuckte er zusammen und betrachtete staunend von allen Seiten die geheimnißvolle Schrift.

Laß diesen Herrn sogleich eintreten, sagte er, hastig nach der Thür deutend, und während Jean hinaus eilte, murmelte der Fürst, indem er das Papier in kleine Stücke zerriß: es ist unmöglich. Er kann es nicht sein! Er wird mir irgend einen seiner Agenten senden!

Der Kammerdiener öffnete die Thür und ein Fremder trat ein. Metternich heftete auf ihn seine großen, forschenden Augen. Ich hatte Recht, sagte er zu sich selber, er ist es nicht! Einer seiner Agenten, nichts weiter!

Er stand auf, und ging mit ernster, stolzer Ruhe, und etwas zurückhaltendem Wesen dem Fremden entgegen, der rasch und ungezwungen sich ihm näherte, und ihn lächelnd anschauete.

Ew. Durchlaucht kennen mich nicht? fragte er, als Metternich ihn noch immer nicht willkommen hieß.

Der Fürst zuckte leise die Achseln. Ich habe leider nicht die Ehre, sagte er.

Nun, sagte der Fremde lächelnd, das beweist wenigstens, daß Andere mich nicht erkennen werden, und daß meine Verkleidung gut war! Erlauben Sie, Durchlaucht!

Ohne eine Erlaubniß abzuwarten, drehte er sich um, zog mit einem raschen Griff die hellblonde Perücke, welche in einer Fülle köstlicher Locken sein Haupt schmückte, von demselben fort, und mit ihr zugleich den vollen Backenbart, der sein Gesicht wie ein ange=

nehmer winterlicher Fußsack umgab, und den untabel=
haften Schnurrbart, der sich wie ein breites undurch=
dringliches Schutzdach über seinem Munde wölbte. Als=
dann richtete er die rechte Schulter, welche bis dahin
tief gesenkt gewesen, empor, und wandte sich in dieser
Metamorphose wieder dem Fürsten zu.

Fouché! rief dieser erschrocken. Sind Sie es
wirklich!

Ah, Ew. Durchlaucht kennen mich also doch! rief
Fouché lachend. Und jetzt, nicht wahr, Durchlaucht,
jetzt heißen Sie mich willkommen?

Ja, von Herzen willkommen, Herr Herzog von
Otranto, sagte der Fürst, ihm mit seinem verbindlich=
sten Lächeln die Hand darreichend. Aber, Sie werden
mir verzeihen, wenn ich nichtsbestoweniger sehr ver=
wundert bin, den Herrn Polizeiminister des einstigen
Kaisers Napoleon so unerwartet hier in Wien bei mir
zu sehen!

Sie sind verwundert, rief Fouché, mein Gott, Fürst,
wie beneidenswerth Sie sind, sich noch über irgend
Etwas wundern zu können. Ich meinestheils habe diese
glückliche Eigenschaft ganz und gar verloren. Ich
wundere mich über nichts mehr! Aber sagen Sie,
Durchlaucht, wollen Sie mir eine Viertelstunde schenken?

Nicht mehr, als eine Viertelstunde! Ich bin mit Cou-
rierpferden, als mein eigener Courier, hierher gefahren,
und werde als Courier mit den Depeschen des Fürsten
Talleyrand in einer Viertelstunde wieder Wien verlassen, um nach Paris zurückzukehren.

Und Fürst Talleyrand kennt den Courier nicht, er
ahnt nicht, daß Sie es sind, Herr Herzog?

Nein, er hat mich so wenig erkannt, wie Ew. Durchlaucht. Niemand darf ahnen, daß ich hier bin, weder
in Wien noch in Paris. Selbst den Späheraugen
meiner frühern Polizeispione hoffe ich dies Geheimniß
entziehen zu können. Ich bin bloß hierher gekommen,
um eine Unterredung mit Ihnen zu haben. Wollen
Sie mir diese bewilligen? Komme ich Ihnen nicht
unbequem?

Ach, Herr Herzog, welche Frage! Mein ganzer
Tag steht Ihnen zur Verfügung!

Ich sagte Ew. Durchlaucht schon, daß ich nur eine
Viertelstunde beanspruche! Aber wollen Sie die Gnade
haben, Ordre zu geben, daß man uns nicht stört, daß
Niemand hier eintritt? Meine Maskerade darf nur
für Ew. Durchlaucht kenntlich sein!

Sie haben Recht, wir wollen uns vor Störungen
sichern, sagte Metternich und er eilte in den Vorsaal,

um Jean zu benachrichtigen, daß, so lange der Fremde bei ihm sei, Niemand vorgelassen werde und keiner in das Cabinet eintreten dürfe.

Jetzt, sagte er, zu Fouché zurückkehrend, jetzt wollen wir uns außerdem auch noch vor jedem bösen Zufall sichern!

Er verschloß die Thür des Vorsaals und die zweite in sein Wohnzimmer führende Thür.

Herr Herzog, sagte er dann, nun sind wir vor jeder Störung gesichert, und wenn es Ew. Durchlaucht ge= fällig ist, setzen wir uns.

Er führte den Herzog zu dem Divan hin und nahm ihm gegenüber auf dem Fauteuil Platz.

Und jetzt, Herr Herzog, sagte er lächelnd, jetzt er= lauben Sie mir, Ihnen zu gestehen, daß ich auf Ihre Worte so gespannt bin, wie ein junges Mädchen auf die erste Liebeserklärung, die man ihr zu machen im Begriff ist.

Nur daß es sich bei meinen Erklärungen viel weniger um Liebe als um Haß handelt, Durchlaucht, rief Fouché. Ich komme, Ihnen zu gestehen, daß ich rathlos bin, daß ich nicht mehr weiß, wohin wir gehen, noch was wir wollen.

Ah, mein Freund, sagte Metternich achselzuckend,

dann sind Sie in Paris genau so weit, wie wir hier in Wien auch sind. Wir befinden uns hier auch bereits in einem Chaos, aus dem uns schwerlich etwas Anderes herausziehen wird, als das Schwert!

Wir aber, sagte Fouché ernst, wir stehen am Vorabend einer Revolution, und ich komme hierher, Sie zu fragen, was geschehen soll, wenn diese Revolution den König Ludwig den Achtzehnten gestürzt hat?

Ach, Sie nehmen das als eine unumstößliche Gewißheit an? rief Metternich.

Ja, es ist eine Gewißheit, sagte Fouché ernst. Frankreich steht auf einem Vulkan, der in jeder Stunde seinen Krater öffnen und seine glühende Feuerlava ausströmen kann. Der König ist ein verlorner Mann, denn das Volk liebt ihn nicht, das Militair verabscheut ihn, und die Legitimisten selbst zürnen ihm wegen der freisinnigen Institutionen, die er gegeben, und wegen der Nachsicht, die er den Bonapartisten erzeigt. Frankreich ist nur noch eine einzige große Verschwörung. Ueberall gährt es, überall nimmt das Volk eine drohende Miene an, empört es sich offen und geheim gegen die Regierung, welche nur noch ein reifes Geschwür ist, das Frankreich bei der ersten Gelegenheit abstoßen wird.

Was für ein Pflaster aber wird es dann auf

seine offene Wunde legen? fragte Metternich achsel=
zuckend.

Das ist es eben, weshalb ich Sie um Rath fragen
möchte, sagte Fouché rasch. Ich glaube, Durchlaucht,
Sie haben das Pflaster, welches Frankreich alsdann
bedürfen wird. Ach, dieses arme Frankreich! Man
hätte es retten, man hätte es den Bourbonen erhalten
können, aber man hat es nicht gewollt! Diese Leute
sind blind mit sehenden Augen. Sie rennen in ihr
Verderben trotz aller Warnungen! Es ist, als ob eine
allgemeine Verblendung die Regierung und alle ihre
Anhänger und Beamten befallen habe. Man conspirirt
öffentlich, an jeder Straßenecke, in jedem Hause! Selbst
die Frauen sind von dem allgemeinen Schwindel er=
griffen; die Herzogin von Bassano wirbt ohne Scheu
ihre Freundinnen dazu an, ihre Männer zu bekehren,
daß sie sich den Conspirationen anschließen. Sie hat
sich jüngst erst der Marschallin Augereau fast zu Füßen
geworfen und sie mit Thränen beschworen, den Mar=
schall zum Anschluß an die große Napoleonische Ver=
schwörung zu bewegen. Die Marschallin Augereau ist
loyal genug gewesen, dem Polizeiminister André dieses
Ansinnen der Herzogin von Bassano mitzutheilen. Der
Polizeiminister hat ihr gelassen zugehört und hat gelacht

über diese Klatscherei schöner Frauen. *) Er hat auch
gelacht, als der Präfect des Varbepartements ihm kürzlich
berichtete, daß viel verdächtige Leute, anscheinend von
Elba kommend, an der Küste der Provence landeten,
sich im Lande umhertrieben und für Napoleon würben.
Herr André hat ihn ebensowenig einer Antwort ge=
würdigt, als mir Herr Talleyrand geantwortet hat auf
ein Schreiben, das ich vor vier Wochen an ihn richtete,
und in welchem ich ihn warnte und ihm mittheilte, wie
ich aus genauen Quellen wüßte, daß Joseph Bonaparte
in der Schweiz Mannschaften sammele und bewaffne,
daß er verdächtige Umtriebe habe mit mehreren Ge=
nerälen der Armee. Aber diese Leute wollen nicht
hören! Sie haben auch Barras nicht gehört, als der
zu Herrn von Blacas kam, um ihn vor einer gegen
den König gerichteten Verschwörung zu warnen, als er
dem Minister vorschlug, Napoleon auf Elba verhaften
zu lassen, als er sich erbot, alsdann Murat zur frei=
willigen Niederlegung seiner Krone zu bereden. Diese
Leute wollen nicht hören. Sie haben auch ihren eigenen
Kriegsminister Dupont nicht gehört, als der, erschrocken
über den bonapartistischen, aufwieglerischen Geist des

---

*) Pertz. IV. S. 369.

Heeres, dem König und Herrn von Blacas vorge=
schlagen hat, das Heer zu verringern und die Verthei=
digung des Landes mehr der Nationalgarde anzuver=
trauen. Diese Leute werden so lange taub sein, bis
der Donner der Revolution, das Krachen des über ihren
Häuptern zusammenbrechenden Gebäudes sie zu spät aus
ihrer Sorglosigkeit aufschreckt.

Und denken zu müssen, daß sie dies Alles vermeiden
konnten, wenn sie klug genug gewesen, sich einen Polizei=
minister, wie der Herzog von Otranto es war, zu
sichern, sagte Metternich, einen raschen, forschenden
Blick auf Fouché werfend.

Er sah sehr wohl das Aufblitzen seiner Augen, das
düstere Zusammenziehen seiner Stirn. Sie bedurften
Meiner nicht, sagte Fouché mit einem verächtlichen
Lächeln, sie ließen mich unbeachtet, und in Unthätigkeit.
Nun, mögen Sie jetzt die Früchte Ihrer Thaten ernten.
Ich komme nicht hierher, um Sie, Herr Fürst, zu
beschwören, die Regierung Frankreichs zu warnen, und
ihren Fall zu verhindern. Ich komme nur, um Ihnen
zu sagen: die Regierung Frankreichs wird fallen! Um
Sie ehrlich und offen zu fragen: was wird Oesterreich
thun, wenn sie gefallen, wenn der König verjagt
ist? Wird es Ludwig den Achtzehnten vertheidigen?

Wird es Frankreich verhindern, seine Republik zu er=
neuern?

Das Alles sind ja innere Fragen Frankreichs, sagte
Metternich achselzuckend, was kümmern die uns? Möge
Frankreich seinen König absetzen, möge es die thörichte
Comödie seiner Republik noch einmal durchspielen, wir
werden es nicht verhindern, vorausgesetzt, daß Frankreich
sich selber leitet und nicht von Andern verleitet wird.
Was Ihren König Ludwig den Achtzehnten und die
französischen Bourbonen anbetrifft, so kann Oesterreich
Dem nur beistimmen, was vor einigen Tagen der Kaiser
von Rußland sagte.

Und was sagte der, Durchlaucht?

Er sagte: „wir haben die Bourbonen wieder auf den
Thron gesetzt, mögen sie sich darauf halten. Fallen
sie abermals, so bin ich es ganz gewiß nicht, der ihnen
wieder emporhilft."*) Ich habe Ihnen jetzt ehrlich und
offen Ihre Frage beantwortet. Jetzt, Herr Herzog,
beantworten auch Sie mir mit derselben Ehrlichkeit und
Offenheit eine Frage!

Fragen Sie, Durchlaucht.

Nun denn, Herr Herzog, sagen Sie mir: glauben

*) Ménéval: Mémoires. II. 116.

Sie, daß Frankreich in der That nur deshalb conspirirt und revolutionirt, um sich das Königthum abzustreifen zu Gunsten einer Republik?

Nein, Durchlaucht, das glaube ich ganz und gar nicht, sagte Fouché mit einem feinen Lächeln.

Dieses Lächeln fand einen Wiederschein auf dem Angesicht Metternichs. Glauben Sie also, fragte er leise, glauben Sie, daß Frankreich die Bourbonen ver= jagen will zu Gunsten der Bonapartisten? Glauben Sie, daß es seine Regentin Marie Louise und den König von Rom in Frankreich willkommen heißen würde?

Ah, rief Fouché lebhaft, Sie sprechen da das Wort aus, um besfetwillen ich gekommen bin! Ja, Durch= laucht, ja, niemals ist der Augenblick für die Wieder= herstellung der Regentschaft in Frankreich so günstig gewesen, wie eben jetzt. Die königliche Regierung hat alle Geister verstimmt, sie ist es am meisten gewesen, die Propaganda für den Bonapartismus gemacht hat. Ich sage Ihnen, Durchlaucht, wenn jetzt in dieser Zeit der Sohn des Kaisers, von einem Bauer geführt, auf einem Esel reitend, in Straßburg erschiene, so würde das erste beste Regiment, dem er vorgestellt würde, ihn

ohne alle Hindernisse nach Paris bringen, und Ludwig
vom Thron stürzen, um ihn darauf zu setzen.*)

Um ihn als Napoleon den Zweiten auszurufen,
oder ihn nur so lange auf dem Thron zu halten, bis
Napoleon der Erste von Elba zurückgekommen?

Das hängt von den Umständen ab, Durchlaucht,
und ich glaube, man muß den Umständen ein bischen
zu Hülfe kommen. Die Rückkehr Napoleons wäre nicht
blos für Frankreich, sondern für ganz Europa ein Miß-
geschick, denn die Kriege würden sich wieder erneuern,
und neue Umwälzungen wären die Folge davon. Napoleon ist eine Verlegenheit für Europa, und man müßte
daher bemüht sein, sie zu beseitigen.

Beseitigen! Das ist ein vieldeutiges Wort, sagte
Metternich. Ich hoffe, Sie denken dabei nicht an die
Beseitigungen, wie sie die Bravi der Republik Venedig
früher verstanden?

Ich denke an eine Beseitigung, wie sie zum Beispiel
Oesterreich früher mit dem König Richard Löwenherz
vornahm, den es auf lange Zeit in einen Thurm verschwinden ließ.

Ah, und ich bin sicher, Herzog, daß Sie alsdann

---

*) Fouché's eigene Worte. Siehe: Ménéval. Memoires. III. 98.

für diesen zweiten Richard Löwenherz nicht die Rolle
eines Blondel übernehmen würden! rief Metternich
lachend. Aber das Beseitigen ist in diesem Falle
schwerer, als damals, denn Richard Löwenherz
zog durch Oesterreich, Napoleon aber horstet auf
Elba.

Man müßte ihn heimlich von seinem Horst entführen. Man müßte ihn von Elba aufheben, ihn auf eins
der vor Elba kreuzenden englischen Schiffe bringen, und
ihn auf irgend einer wüsten Insel absetzen, ihn im
Weltall entschwinden lassen. Es bedürfte dazu nur
einiger weniger Männer, die muthig, entschlossen und
treu sind.

Kennen Sie solche Männer? fragte Metternich rasch.

Ja, Durchlaucht, ich kenne solche Männer, und ich
stelle sie Ew. Durchlaucht zur Verfügung!

Ah, nicht mir, rief Metternich fast erschrocken, ich
will nichts zu thun haben mit diesen Dingen! Ich
wiederhole und sage, was Talleyrand sagte, als ihm
Lord Castlereagh neulich den Vorschlag machte, bei dem
Congreß auf die Verhaftung und weitere Fortführung
Napoleons anzutragen.

Was sagte Talleyrand?

4*

Er sagte achselzuckend: „Mylord, reden wir nicht mehr von Napoleon. Er ist ein todter Mensch."*)

Ah, rief Fouché verächtlich, dieser schlaue Fuchs hat also ganz und gar die Witterung verloren, wie es scheint! Aber Sie, Durchlaucht, werden ihm nicht nach= ahmen wollen, Sie werden Napoleon nicht für einen todten Mann halten, sondern Sie wissen, daß er lebt, und daß er das Triebrad aller dieser Machinationen ist, die jetzt Frankreich in Unruhe und Aufruhr ver= setzen.

Ich gestehe, daß ich darin Ihre Ansicht theile, Herr Herzog.

Aber Sie wollen dennoch nicht die Verantwortung für die Entführung Bonaparte's übernehmen, Durch= laucht? Doch Sie würden es zufrieden sein, wenn die Sache geschähe, und würden keinen Groll hegen gegen Den, der sie veranlaßt hätte?

Groll gegen Den, der den Frieden Europa's ge= sichert hätte?

Sie würden dem Entführer also dankbar sein?

Wenn die Entführung erst ein fait accompli ist, so würde Oesterreich den heimlichen Veranstalter die=

---

*) Pertz. Leben des Ministers vom Stein. IV. S. 369.

ſer Entführung unterſtützen und fördern, ſo viel es in ſeinen Kräften ſtände.

Es würde ihm zum Beiſpiel die Stelle eines Regentſchaftspräſidenten des kleinen Kaiſers Napoleon des Zweiten bewilligen, und die Kaiſerin Mutter, Marie Louiſe, veranlaſſen, daß ſie ihn als ihren erſten Miniſter und Rathgeber betrachte?

Oeſterreich würde dies als die erſte Pflicht ſeiner Dankbarkeit betrachten, vorzüglich wenn der kühne Mann, der Bonaparte von Elba verſchwinden ließe, der den König von Rom als Kaiſer auf den Thron Frankreichs ſetzte, wenn dieſer kühne Mann der Herzog von Otranto, der große Fouché wäre!

Durchlaucht, rief Fouché lächelnd, dem Fürſten ſeine Hand darreichend, Durchlaucht, wir ſind alſo einig. In vier Wochen wird Napoleon von Elba entführt, und der König von Rom zum Kaiſer von Frankreich erklärt ſein, mit ſeinem Regentſchaftsrath neben ſich.

Aber Oeſterreich darf ſich nicht als Partei in dieſer Sache hinſtellen, ſagte Metternich, es darf Ihnen nicht freiwillig und zuvorkommend den König von Rom entgegenführen.

Nein, wir werden ihn entführen, und Oeſterreich wird nur die Güte haben, ſeine Flucht und Entführung erst dann zu bemerken, wenn wir die französische Grenze überschritten haben! Wir entführen Vater und Sohn! Den Erstern, um ihn verschwinden zu lassen, den Letztern, um ihn auf den Thron zu setzen.

Aber nur unter der Bedingung, daß Fouché der Präsident seines Regentschaftsrathes sei.

Sie garantiren mir Oesterreichs Zustimmung?

Ich garantire sie!

Durchlaucht, die Sache ist also abgemacht, und meine Viertelstunde ist um! Leben Sie wohl! Bald werden die Sterbeglocken des Königs, und die Krönungsglocken des Kaisers von Frankreich läuten! Leben Sie wohl! Sie müssen mir schon zuvor noch erlauben, in Ihrer Gegenwart meine Toilette zu machen!

Ah, Herr Herzog, lassen Sie mich dabei Ihr Kammerdiener sein!

Einige Minuten später verließ Fouché, wieder vollkommen unkenntlich und verwandelt, das Cabinet des Fürsten Metternich. Dieser schauete mit einem eigenthümlichen Lächeln dem Enteilenden nach, und horchte auf seine verhallenden Schritte.

Und dieser Mensch glaubt, daß wir auf seine Straßenräuberpolitik eingehen werden, flüsterte er achselzuckend. Er hält es für möglich, daß Oesterreich mit

ihm ein Complott mache, und die Aventure des fran=
zöfifchen Kaiferthums durch den eigenen Enkel des öfter=
reichifchen Kaifers noch werde fortfpielen laffen. Ah,
man muß eben Jacobiner und Conventsmitglied gewefen
fein, um folche Monftruofitäten für möglich zu halten!
Aber um feine Pläne durchfchauen zu können, mußte
ich fchon auf diefelben eingehen. Jetzt liegt es an mir,
fie entweder zu vernichten, oder fie je nach den Um=
ftänden zu fördern und zu benutzen. Frankreich, das
ift klar, Frankreich geht einer neuen Revolution entge=
gen, und das muß man benutzen zur Förderung des
Congreffes und unferer Intereffen! Sobald die Em=
pörung in Frankreich ausgebrochen ift, müffen wir fie
zu einem politifchen Handftreich benutzen, und durch
denfelben müffen die brennenden Fragen des Congreffes,
an denen er fünf Monate lang brütet, auf Einen
Schlag entfchieden werden. Diefer Coup de main
muß Oefterreich die Lombardei und Venedig bringen,
Rußland befriedigen durch den Befitz Polens, dem Kö=
nig von Sachfen fein Königreich wiedergeben, und
den Erbfeind Oefterreichs, das ehrgeizige Preußen
ifoliren!

Aber um das zu bewirken, fuhr er nach einer Paufe
fort, um den Coup de main vorzubereiten, muß

56

Oesterreich vor allen Dingen sich mit Rußland einigen, und eine Trennung Rußlands von Preußen zu Stande bringen. Ah, jetzt ist es Zeit, von der Denkschrift Harbenbergs Gebrauch zu machen! Ich werde dieselbe noch heute dem Kaiser von Rußland übergeben! —

IV.

Intriguen.

Während Fürst Metternich so in seinem Cabinet die Vortheile überlegte, welche die nahende Revolution Frankreichs für Oesterreich haben solle, war Fouché noch immer eifrig damit beschäftigt, die Dinge, welche sich in Frankreich begeben sollten, vorzubereiten.

Das Palais des Fürsten Metternich verlassend, schritt er eilig über die ihm von vielfachem Aufenthalt her wohlbekannten Straßen Wiens dahin. Jetzt trat er in eine kleine Nebengasse ein, und blieb vor einem niedrigen, unscheinbaren Häuschen stehen.

Mit sorgsamen, prüfenden Augen betrachtete er das Haus, und las die über der Thür angebrachte, halb von der Sonne und Staub verwischte Hausnummer.

Ja, es ist richtig, sagte er. Hier werde ich mit dem Bonapartisten ein Rendezvous haben.

Er klopfte drei Mal haftig und leife an die Thür. Diefe öffnete fich und Fouché trat ein. Eine alte Frau ftand auf dem Flur und fragte ihn mit mißtrauifchen Blicken nach feinem Begehr.

Ich bin hierher berufen, um den Maler Leftocq zu frifiren, fagte Fouché. Er wohnt doch hier im Haufe?

Ja wohl, er wohnt hier, fagte die Alte, und er hat mir auch gefagt, daß er einen Frifeur erwartet. Gehen Sie alfo nur die Treppe hinauf, und klopfen Sie da oben an die Thür. Man wird Ihnen aufmachen!

Fouché war fchon befchäftigt, die düftere fchmale Treppe hinauf zu klimmen, und ftand jetzt vor der einzigen auf dem obern Flur befindlichen Thür. Wieder klopfte er drei Mal.

Jenfeits der Thür vernahm man jetzt annähernde Schritte, und eine Stimme fragte: Sind Sie die Lilie, oder der Adler?

Ich bin der Adler, fagte Fouché.

Sofort ward die Thür geöffnet, und auf der Schwelle derfelben erfchien die hohe fchlanke Geftalt des Grafen Montbrun.

Treten Sie ein, Herr Herzog, fagte er leife, Sie fehen, ich erwartete Sie!

Sie haben alfo die Botfchaft erhalten, Herr Graf,

die ich Ihnen vor drei Tagen sandte? fragte Fouché, in das kleine, ganz als das Atelier eines Malers eingerichtete Gemach eintretend.

Ich habe sie erhalten, Herr Herzog, sagte Montbrun, indem er mit einer leichten Handbewegung nach dem Divan hindeutete. Fouché setzte sich und heftete dann seine großen, blitzenden Augen mit einem forschenden Ausdruck auf das bleiche edle Angesicht des Grafen, der seinem Anschauen mit einem festen Blick begegnete.

Ich bin sehr glücklich, daß ich endlich den Mann von Angesicht zu Angesicht sehe, auf dessen Treue, wie ich weiß, der Kaiser mit so zuversichtlichem Vertrauen rechnet, sagte Fouché nach einer Pause.

Graf Montbrun lächelte. Ich bedauere, Herr Herzog, Ihr Compliment nicht erwiedern zu können, sagte er, aber ich versichere, daß ich auch glücklich sein würde, Sie von Angesicht zu Angesicht sehen zu können.

Ah, Sie sehen also, daß ich Incognito hier bin? rief Fouché lächelnd.

Ja, und ich warte, daß Sie die Güte haben wollen, dies Incognito aufzuheben, um mir dadurch zu beweisen, daß Sie mir vertrauen!

Fouché ließ einen schnellen, forschenden Blick durch das Zimmer schweifen, und erst, als er sich überzeugt hatte, daß kein Meuble, kein Vorhang sei, hinter dem irgend ein Lauscher sich verborgen halten könne, legte er die Perücke und den Bart ab.

Jetzt, Herr Herzog, heiße ich Sie von Herzen will= kommen, sagte Montbrun, sich tief verneigend. Ich heiße Sie um so mehr willkommen, da Ihr Hiersein mir beweist, daß die Stunde der Entscheidung naht.

Sie freuen sich dessen? Sie lieben also den Kai= ser sehr?

Er weiß, daß ich ihm mit Leib und Seele erge= ben bin!

Ja, ja, er kennt Ihre Anhänglichkeit, rief Fouché, und er hat mir oft von Ihnen erzählt. Seltsam, daß wir uns niemals begegnet sind.

Ich war immer im Dienst des Kaisers auf Reisen, sagte Montbrun lächelnd, ich war in Italien, in Spa= nien, in Deutschland und Rußland, je nach den Be= fehlen und Instructionen, die der Kaiser mir sandte.

Und ich war im Dienst des Kaisers fast immer in Paris, rief Fouché, so ist es gekommen, daß die bei= den ergebensten und treuesten Anhänger und Diener des Kaisers sich niemals begegnet sind.

Graf Montbrun verneigte sich schweigend.

Ich hoffe doch, sagte Fouché, daß Sie an mei=

ner Treue und Anhänglichkeit für den Kaiser nicht zweifeln?

Ich würde es nicht wagen, an Ihren Worten zu zweifeln, sagte Montbrun scharf betonend.

Ah, ich verstehe, Sie wünschen aber auch meine Thaten in Uebereinstimmung mit meinen Worten zu sehen, rief Fouché. Sie werden das sehen, Herr Graf. Setzen Sie sich zu mir, und lassen Sie uns offen mit einander reden.

Graf Montbrun nahm einen Stuhl und setzte sich dem Herzog gegenüber.

Sie wissen wohl, Herr Herzog, sagte er, daß ich Ihnen nichts zu verschweigen beabsichtige. Ich bin freilich hier in Wien, gleich Ihnen, in einer Verkleidung, und man hält mich für einen unschädlichen Aventurier, für einen heruntergekommenen Marquis, der, Dank seinem altadlichen Namen, von der Gnade der Bourbonen die Wiederherstellung seines Reichthums erhofft, und bis dahin sich in den Antichambres unserer Gesandten, und den Spielsälen der hier aus allen Ländern der Welt zusammengeströmten Spieler von Fach umhertreibt. Aber Ihnen gegenüber, Herr Herzog, verberge ich mich nicht. Sie haben mir vor einigen Tagen durch eine vertraute Mittelsperson ein Memorial gefandt, in welchem Sie die Güte hatten, mir ausführlich und genau die Zustände unseres gemeinsamen Vaterlandes, das wir Beide gleich sehr lieben, auseinander zu setzen. Ich habe dies Memorial mehr als Einmal mit der größten Aufmerksamkeit gelesen, und es hat mich überzeugt, daß jetzt die Stunde gekommen ist, welche wir so lange vorbereitet und ersehnt haben, die Stunde, in welcher der Kaiser nach Frankreich, das ihm seine Arme entgegenbreitet, zurückkehren muß.

Sie haben Recht, rief Fouché lebhaft, der Kaiser muß zurückkehren. Frankreich bedarf Seiner, und ihm selber droht Gefahr, wenn er länger auf Elba bleibt.

Sie sind also der Meinung, daß die Herren vom Congreß endlich doch ihre Worte und Drohungen in Thaten umsetzen. Daß sie endlich den Antrag des Lord Castlereagh und des Grafen Pozzo di Borgo annehmen werden? Daß sie es wagen werden, den Kaiser auf Elba zu verhaften, und ihn heimlich von dort zu entführen?

Ja, sie werden es wagen, sagte Fouché. Meine hiesigen Kundschafter und Freunde haben mir die bestimmtesten und unzweifelhaftesten Nachrichten gegeben: der Congreß hat Furcht vor dem gefesselten Löwen, und er will daher seinen Kerker noch weiter ab in das

Weltmeer entrücken. Es ist daher nothwendig, den Herren Diplomaten zuvorzukommen, und den Löwen zu befreien.

Und Sie sind überzeugt, Herr Herzog, daß Frankreich bereit ist, ihn wieder auf den Thron zu setzen?

Ich bin davon überzeugt. Ich habe meine Verbindungen in allen Regimentern der Armee. Ich unterhandle und verkehre mit allen napoleonischen Generälen, welche der Unverstand Ludwigs des Achtzehnten bei der Armee belassen hat. Sie sind alle bereit, den Kaiser mit ihren Regimentern willkommen zu heißen.

Aber sind sie auch bereit, zuvor mit ihren Regimentern den König zu stürzen und zu verjagen?

Das wird nicht vorher, sondern zur selben Zeit geschehen, sagte Fouché. Wenn das Gewitter gerade über uns steht, folgt Blitz und Donner unmittelbar auf einander. Der einschlagende Blitz, das wird der Kaiser sein, und der rollende Donner wird von dem fortbrausenden Wagen des entfliehenden Königs herrühren. Jetzt kommt es nur darauf an, daß Jeder von uns seine Rolle bei dem großen Drama, das Frankreich dem staunenden Europa vorspielen will, richtig durchführt, und sein Stichwort nicht verfehlt. Wir müssen

uns also darüber verständigen, was wir gethan haben,
und was uns noch zu thun übrig bleibt.

Was wir gethan haben, sagte Montbrun, das ist
in kurzen Worten zusammen zu fassen: wir haben
conspirirt. Was uns zu thun übrig bleibt, ist: den
Kaiser wissen zu lassen, daß Frankreich ihn erwartet,
und ihm die Gemahlin und den Sohn wieder zuzuführen.

Ah, wenn der Kaiser erst wieder in Frankreich ist,
rief Fouché sorglos, wenn er erst seinen Thron wieder
eingenommen hat, dann wird Oesterreich sich beeilen,
ihm Beide wieder zuzuführen, und sich zu verrühmen,
daß es dem Kaiser diese Pfänder von Oesterreichs Liebe
getreulich bewahrt hat.

Nein, Herr Herzog, sagte Montbrun ernst, Oesterreich
wird niemals einwilligen, die Kaiserin, welche man hier
nur noch die Erzherzogin Marie Louise nennt, den
König von Rom, welcher hier keinen andern Rang hat,
als den, daß er der Sohn seiner Mutter ist, wieder
nach Frankreich gehen zu lassen. Oesterreich wird Beide
als Geißeln hier behalten, und als Beweis vor ganz
Europa, daß der Kaiser Franz nicht gesonnen ist,
Napoleon jemals wieder als seinen Schwiegersohn
anzuerkennen. Ich habe auch meine Freunde und

Agenten auf dem Congreß, und in den Hofkreisen, und sie sind einflußreich und mächtig genug, um die Wahrheit erforschen zu können. Wenn wir die Kaiserin und den Sohn des Kaisers nach Frankreich zurückführen wollen, müssen wir sie Beide mit Gewalt entführen.

Wollen Sie diese schwierige Aufgabe übernehmen, Herr Graf? fragte Fouché hastig. Wollen Sie, der Sie hier mit den Localitäten, den Persönlichkeiten bekannt und vertraut sind, die Rolle des Entführers der Gemahlin und des Sohnes unsers Kaisers übernehmen?

Ja, Herr Herzog, sagte Montbrun, ich will diese Rolle übernehmen. Ich will die Kaiserin und den König von Rom dem Kaiser zuführen, ich schwöre das bei dem Allen, was mir heilig und theuer ist.

Sie werden Ihr Ziel erreichen, davon bin ich überzeugt, sagte Fouché. Sie sind besonnen, tapfer, klug und verschwiegen, und Sie haben die Begeisterung Ihrer politischen Ueberzeugung und Ihrer Liebe zu dem Kaiser.

Ich werde mein Ziel erreichen, oder ich werde sterben, sagte Montbrun feierlich.

Aber wann, fragte Fouché, aufstehend und sich zum Gehen anschickend, indem er seine Verkleidung wieder anlegte, wann werden Sie das Werk beginnen, und die Entführung unternehmen?

Wenn ich durch unfern Agenten von Elba die Nachricht erhalten habe, daß der Kaiser Elba verlassen wird.

Noch Eins, sagte Fouché. Ich bin freilich hauptsächlich hierher gekommen, um Sie zu sprechen, theuerster Graf, aber meine Reise hatte auch einen kleinen Nebenzweck. Es ist nicht genug, daß wir für den Kaiser arbeiten und wirken, sondern wir müssen auch darauf bedacht sein, den Kaiser zu warnen. Ich weiß, daß der Congreß schon seine geheimen Agenten ausgesandt hat, die den Kaiser beobachten, den Moment erspähen sollen, um ihn zu überfallen, und auf ein bereit liegendes englisches Schiff zu bringen. Ich habe das hier in Wien erfahren, und es ist daher nöthig, daß wir sogleich sichere Agenten nach Elba senden, welche den Kaiser beschwören, auf seiner Hut zu sein, und nicht, wie er das zu thun pflegt, einsame Spazierritte am Ufer des Meers zu unternehmen. Haben Sie irgend einen sichern, zuverlässigen Mann, den Sie entsenden können?

Ich werde wenigstens noch heute einen solchen ermitteln, und er wird in dieser Nacht noch abreisen, sagte Montbrun.

Und Gott gebe, daß er zu rechter Zeit auf Elba anlangt, um den Kaiser zu warnen. Leben Sie wohl, Herr Graf, der Zweck meiner Hierherreise ist erreicht. Ich habe Sie kennen gelernt, ich weiß, daß Sie mit tapferem Arm und offenem Auge bereit sind, zur rechten Stunde die Kaiserin und den König von Rom nach Frankreich zurückzuführen, und daß Sie dem Kaiser einen warnenden Boten zusenden werden. Jetzt kehre ich nach Paris zurück, um den Tag der Heimkehr vorzubereiten, und dem Kaiser die Wege zu bahnen. Haben damals bei der Heimkehr der Bourbonen die Legitimisten die Lilien und weißen Cocarden bereit gehalten, und dem König einen würdigen Empfang bereitet, so ist es jetzt die Pflicht der Bonapartisten, die Veilchen und die Tricoloren bereit zu halten, und dem Kaiser auch einen würdigen Empfang zu bereiten. Ich übernehme es, dem heimkehrenden Kaiser Paris im Festschmuck und Jubel zu zeigen! Noch einmal Lebewohl, und Gott sei mit uns Allen!

Er eilte der Thür zu, aber schon im Begriff hinaus zu gehen, wandte er sich noch einmal um. Sagen Sie gefälligst, Herr Graf, sagte er, kennen Sie hier einen gewissen Baron Brandon? Er hat sich durch einen unserer Vertrauten an mich gewandt, und

5*

mir seine Dienste angeboten. Er nennt sich einen treuen
und ergebenen Anhänger des Kaisers. Darf man ihm
vertrauen?

Nein, Herr Herzog, sagte Graf Montbrun eifrig,
man darf ihm nicht vertrauen, sondern man muß sich
sorgsam vor ihm hüten. Dieser Baron Branden ist
ein treuloser Verräther, ein Spion im Solde von Jedermann, der ihn bezahlt, ein verwegener Spadassin
und Abenteurer, der sich bei mir und meinen Freunden
einzuschleichen versuchte, um unsere Geheimnisse zu er-
lauschen, und sie an die Wiener Polizei, an das französische Gesandtschaftshôtel und Gott weiß an wen
sonst noch zu verrathen. Wir waren auf unserer Hut;
um ihn zu erproben, theilten wir ihm einige falsche
Nachrichten mit, und wir hatten nachher die Beweise,
daß er sie verkauft hatte. Trauen Sie ihm also nicht,
Herr Herzog, denn das würde heißen, Ihre Geheimnisse an einen Feind, an einen enragirten Legitimisten
zu verrathen.

Ich danke Ihnen für die Warnung, Herr Graf,
sagte Fouché, und ich werde mich vor dem Spion zu
hüten wissen!

Er reichte Montbrun zum Abschied die Hand dar
und ging hinaus. Der Graf begleitete ihn bis zur

Treppe und kehrte dann in sein Gemach zurück. Mit hastigem Schritt durcheilte er dasselbe, stieß das Fenster auf, und schaute vorsichtig spähend hinaus.

Er sah Fouché, welcher eben das Haus verließ, und er sah den zerlumpten Bettler, der drüben an dem gegenüberliegenden Hause lehnte, und in halber Trunkenheit sich ein Liedchen zu summen schien. Aber seine Trunkenheit verhinderte ihn doch nicht, zu sehen, daß Graf Montbrun ihm mit der Hand einen Wink gab, und hindeutete auf Fouché, welcher nachdenklich und langsam die Straße hinunter schritt.

Der Bettler nickte leise mit dem Kopf, und ging singend gleichfalls die Straße hinunter.

Jetzt, sagte Montbrun, sein Fenster wieder schließend, jetzt werden wir ja sehen, ob der schlaue Fuchs in die Falle geht, die wir ihm aufgestellt! —

Fouché wanderte indessen immer weiter durch die Straßen dahin, und immer weiter auf der andern Seite der Straße ging auch der Bettler dahin. Nun hatte er aufgehört zu singen und seine Augen verriethen nichts mehr von Trunkenheit. Sie waren mit scharfen, beobachtenden Blicken immer wieder hinüber gerichtet auf Fouché. So ging es dahin über Straßen und Plätze, aus der innern Stadt hinaus nach der Land=

straßen Vorstadt. Jetzt blieb Fouché vor einem stattlichen Hause stehen und zog an der Hausklingel. In
diesem Moment schlüpfte der Bettler quer über die
Straße zu ihm heran und hielt Fouché seine Hand
entgegen, ihn um eine Gabe ansprechend. Aber ehe
Fouché noch Zeit hatte, seine Börse zu ziehen, ward
die Hausthür geöffnet, und das fragende Gesicht des
Portiers erschien in derselben.

Herr Baron Brandon zu Hause? fragte Fouché.

Ja, mein Herr, er ist zu Hause.

Fouché trat in das Haus ein, dessen Thür sich
hinter ihm schloß.

Er ist in die Falle gegangen, murmelte der Bettler lächelnd vor sich hin. Heute Abend beim Grafen
Albini in der General-Versammlung wird Brandon
uns berichten, was für saubere Aufträge man ihm gegeben hat. —

Fouché schritt indessen die Treppen hinauf, und
blieb vor der, von dem Portier ihm bezeichneten Thür
stehen, um die an derselben befestigte Visitenkarte zu
lesen.

„Baron de Brandon" stand mit großen Lettern
auf derselben.

Mit diesem werde ich nicht viele Umstände machen,

sagte Fouché, der Graf Montbrun hat ihn mir zu warm empfohlen, als daß ich Grund hätte, ihm zu mißtrauen. Ich werde ihn bezahlen, das ist Alles! —

Er klopfte, und auf das laute von Innen erschallende Herein öffnete Fouché die Thür. — Das Gemach, in welches er eintrat, war glänzend ausgestattet, und in seiner prachtvollen Einrichtung ganz seines Bewohners würdig, dieses schlanken schönen Herrn, der da in einem kostbaren türkischen Schlafrock auf dem Diban lag, und sich damit amüsirte, die Brillantringe, mit welchen er alle Finger geschmückt hatte, in der Sonne spielen zu lassen.

Von dieser Beschäftigung warf er einen gleichgültigen Blick hinüber nach dem Eintretenden, den er für irgend einen Bittsteller, oder sonstigen untergeordneten Menschen halten mochte, denn er erhob sich nicht aus seiner ruhenden Stellung, sondern fragte nur mit vornehmer Nachlässigkeit: was wünschen Sie, mein Freund?

Ich wünsche nichts weiter, sagte Fouché mit dem Hut auf dem Kopf gerade auf ihn zuschreitend, nichts weiter, als den Herrn Baron Brandon zu benachrichtigen, daß ich seine demüthigen Bittgesuche empfangen habe, und daß ich Willens bin ihn zu beschäftigen.

Und mit vollkommener Gelassenheit sich auf einen

Fauteuil hinstreckend, nahm er seine Verkleidungsstücke
ab, und warf sie nachlässig auf den Tisch hin.

Der Herzog von Otranto! rief der junge Mann,
entsetzt von dem Divan emporschnellend.

Still, nicht so laut! sagte Fouché. Es ist nicht
nöthig, daß irgend Jemand außer Ihnen erfahre wer
ich bin. Schließen Sie die Thür, und dann kommen
Sie hierher, und lassen Sie uns plaudern.

Der Baron gehorchte, und kehrte dann mit
einem verlegenen und beschämten Gesicht zu Fouché
zurück.

Gnädiger Herr, bat er mit flehender Stimme, ich
beschwöre Sie, mir zu verzeihen, daß ich Sie nicht sofort
erkannte. Aber wer hätte auch ahnen können, daß
Sie selbst in eigener hoher Person hier in Wien an=
wesend sind, und daß Sie mir die Ehre eines Besuches
würden gönnen wollen.

Machen wir keine Redensarten, sondern kommen
wir zur Sache, Herr Baron, sagte Fouché ungeduldig.
Sie haben mir Ihre Hülfe angeboten im Dienst
Bonaparte's und der Umsturzpartei, welche jetzt in
Frankreich ihr wühlerisches Wesen treibt. Sie haben
sich mir als einen eifrigen Bonapartisten angepriesen,
und meinen hiesigen Freunden und Agenten sich auch

so vorgestellt. Indessen, ich kenne Sie besser, und ich weiß, daß Sie ein eifriger Legitimist sind.

Herr Herzog, ich versichere Sie —

Still! Wollen Sie es etwa leugnen? Wollen Sie etwa alles Ernstes, und verstehen Sie mich wohl, auf Ihre Gefahr hin, mich glauben machen, daß Sie zu diesen Revolutionairen und Wühlern gehören, die jetzt, indem sie die Maske des Bonapartismus vor ihr Antlitz legen, und sich den Anschein geben, nur im Dienste Anderer zu handeln, doch nur ihre eigenen und eigensüchtigen Zwecke verfolgen, und Frankreich nur in neue Unruhen, in ein neues Chaos stürzen wollen, weil sie meinen, dann am sichersten aus diesem Chaos für sich Ehrenstellen, Titel, Würden, und vor allen Dingen Gold und Schätze zu retten? Ich, mein Herr, ich gehöre nicht zu diesen Leuten, und wenn Sie wirklich mich zu denselben zählten, so sage ich Ihnen ehrlich und offen, daß Sie Sich in mir geirrt haben. Ich bin ein treuer und ergebener Anhänger des Königthums, und wünsche nichts sehnlicher, als dem König dienen zu können zur Erhaltung der Ruhe, zur Sicherung des Thrones und der Monarchie. Jetzt, mein Herr, kennen Sie meine Ansichten, und ich bin begierig zu erfahren, ob Sie noch ferner Lust haben, mir Ihre Dienste anzubieten?

Ja, Herr Herzog, sagte der Baron eifrig und ehr=
erbietig, ja, jetzt erst biete ich Ihnen in Wahrheit und
Freudigkeit meine Dienste an, jetzt erst kann ich Ew.
Durchlaucht in voller hingebender Wahrheit sagen, daß
ich bereit bin, Alles zu thun, was Ew. Durchlaucht
mir befehlen werden, bereit für den König, für die
heilige Sache der Bourbonen mein Leben zu wagen.
Denn auch ich liebe meinen König, auch ich wünsche
nichts sehnlicher, als zur Erhaltung seines Throns bei=
tragen zu können. Ich bekenne Ew. Durchlaucht be=
müthigst und reuevoll, daß ich vor Ihnen eine Rolle
gespielt habe, und zum Beweise, daß ich es jetzt ehrlich
meine, sage ich Ew. Durchlaucht, daß man Ihnen in
Paris höheren Ortes mißtrauet, daß man alle Ihre
Schritte überwacht, und daß ich den Befehl erhielt,
mich in Ihr Vertrauen zu drängen, um Ihre Pläne zu
erforschen, und davon Anzeige zu machen, daß ich fer=
ner den Befehl erhielt, hierher nach Wien zu gehen,
um hier die Bonapartisten, welche, da sie hoffen, hier
weniger scharf überwacht zu werden, wie in Frankreich,
als der Troß des Congresses sich hier niedergelassen
haben.

Und die hiesigen Bonapartisten vertrauen Ihnen?

Ich glaube, sagte der Baron mit einem feinen Lä=

cheln, ich glaube, daß Sie mir eben so sehr vertrauen, als dem Herrn Herzog von Otranto.

Nun, desto besser können wir Beide uns trauen, Herr Baron, rief Fouché, und ich will Ihnen gestehen, daß mich der Polizeiminister des Königs, Herr Baron André, an Sie gewiesen hat. Es gilt, dem König, der Sache der Ordnung, Frankreichs und des Friedens einen wichtigen Dienst zu leisten. Sind Sie bereit dazu?

Ich sagte schon, daß ich dem König mit Leib und Leben ergeben bin.

Beide können bei dem, was ich Ihnen vorzuschlagen habe, gefährdet werden. Fürchten Sie sich?

Nein, aber im Fall des Gelingens —

Wünschen Sie, für die überstandenen Gefahren sich belohnt zu sehen, unterbrach ihn Fouché. Ich finde das sehr natürlich, und wir sprechen nachher darüber. Zuerst sagen Sie mir, haben Sie vier bis fünf tapfere Männer, die bereit sind, einen kühnen Handstreich zu wagen?

Ich habe deren mehr als fünf.

Vier genügen schon. Nun hören Sie! Mit diesen vier Gefährten werden Sie, unter dem Schein, eifrige Anhänger des Kaisers zu sein, sich nach Elba begeben.

76

Um Bonaparte zu beobachten?

Nein, um ihn gefangen zu nehmen, um ihn zu ent=
führen. Ah, Sie entsetzen sich! Der Plan scheint
Ihnen zu gefährlich? Sie treten zurück?

Der Plan ist gefährlich, aber ich trete nicht zurück,
sagte Brandon nach kurzem Besinnen.

Wenn der Plan gelingt, so harrt Ihrer nicht blos
eine Belohnung von hunderttausend Francs, sondern
man wird auch gar leicht den Baron in einen Grafen,
den Grafen mit der Zeit in einen Herzog verwandeln
können.

Der Baron verneigte sich. Vorläufig indessen,
sagte er, muß ich Reisegeld für mich und meine vier
Gefährten haben.

Hier ist es, sagte Fouché, einige Banknoten aus
seinem Portefeuille nehmend, und sie dem Baron dar=
reichend. Es sind zwanzigtausend Francs in Banknoten.
Genügt das?

Es genügt, Herr Herzog. Wollen Sie mir jetzt
Ihre Instructionen ertheilen?

Ich habe sie hier aufgezeichnet, damit Sie genau
nach denselben handeln können, sagte Fouché, ihm einige
beschriebene Blätter übergebend. Es ist ein detaillirter
Plan, der Ihnen genau angiebt, wie Sie Napoleon ver=

haften, ihn unter einer Verkleidung auf eins der engli=
schen Schiffe bringen, das dann mit ihm die Anker
lichtet. Sie laffen sich von dem Schiff an der Süd=
küste Frankreichs an's Land setzen, kommen mit Cou=
rierpferden nach Paris, um mir das glückliche Gelin=
gen zu melden, und Ihre weitern achtzigtausend Francs
zu empfangen.

Ich werde kommen, Ew. Durchlaucht das glückliche
Gelingen unseres Plans zu melden, oder ich werde bei
der Ausführung deffelben umgekommen sein!

Aber Eine Bedingung noch! Sie werden in vier
Stunden mit Ihren Gefährten von hier abreisen.
Alles was Sie bedürfen zu Ihrem Unternehmen, finden
Sie in Livorno bereit, von wo Sie sich nach Porto
Ferrajo einschiffen.

Ich werde in vier Stunden abreisen, sagte der Ba=
ron ruhig.

Alsdann sind wir zu Ende, sagte Fouché, indem er
sich zum Gehen vorbereitete. Eilen Sie an's Werk!
Seien Sie vorsichtig, besonnen, tapfer, und vor allen
Dingen, seien Sie treu! Vergessen Sie nicht, daß man
Sie beobachtet, daß man den muthigen Getreuen beloh=
nen, den Verräther aber bestrafen wird! —

Und jetzt, sagte Fouché, als er den Baron ver=

laſſen hatte, und wieder dem beſcheidenen, kleinen Gaſt=
hof zuwanderte, in welchem er abgeſtiegen war, jetzt
glaube ich gegen alle Wechſelfälle geſichert zu ſein und
ruhig den Dingen, welche da kommen, zuſchauen zu
können. Ich habe die Zuſtimmung des Fürſten Met=
ternich, daß Oeſterreich die Entführung des Königs von
Rom nicht hindern, die Regentſchaft aber anerkennen
wird. Ich habe einen eifrigen bonapartiſtiſchen Partei=
gänger zu der Entführung der Kaiſerin und des Königs
von Rom gewonnen. Dieſer ſelbe Parteigänger, dem
Bonaparte vollſtändig vertraut, hat von mir den Auf=
trag, einen ſichern Mann nach Elba zu ſchicken, um
den Kaiſer zu warnen vor den Umtrieben und Plänen
ſeiner Feinde, die damit umgehen, ihn von Elba nach
einer weitentlegenen wüſten Inſel zu entführen. Dieſer
Warner wird aber erſt morgen früh abreiſen, während
Derjenige, der Bonaparte entführen ſoll, mit ſeinen
Leuten ſchon heute abreiſt, und alſo zehn Stunden vor
dem Andern voraus hat. Gelingt die Entführung und
Verhaftung Bonaparte's, ſo bedarf es keiner Entſchul=
digung und die Thatſachen werden für mich bei König
Ludwig ſprechen. Mißlingt das Unternehmen, ſo wird
der Warner einige Stunden ſpäter in Elba anlangen,
und er wird Bonaparte ſagen, daß ich es bin, der ihn

warnen läßt. Kehrt der Kaiser alsdann zurück, so wird er mich als einen Getreuen willkommen heißen, und Meiner nicht entbehren wollen. Kehrt er nicht zurück, mißlingen alle Pläne, und Ludwig bleibt König von Frankreich, so werde ich ihm beweisen können, daß ich es war, der Bonaparte verhaften ließ, der schon vorher Talleyrand warnte, der selber nach Wien reiste, um den Umtrieben der Bonapartisten überall nachzuspüren. Kurz, das Resultat aller meiner Pläne wird sein, daß ich wieder aus meinem Dunkel und aus meiner Un=thätigkeit hervorgehen werde, und daß die Zukunft mir gehört! —

Als der Abend dunkelte, bestieg Fouché seinen Reise=wagen und verließ Wien, um nach Paris zurückzu=kehren.

In derselben Stunde verließ auch der Baron Bran=don Wien, um sich nach Elba zu begeben. Aber nicht als der Diener und Helfershelfer Fouché's, nicht um den Kaiser zu entführen, sondern als der Abgesandte Montbrun's, um den Kaiser zu warnen. *)

---

*) Ueber diese Intriguen Fouché's und seine zweideutigen Pläne siehe Rovigo Mémoires VII. S. 338.

V.

Die Anklage.

König Friedrich Wilhelm ging in heftiger Erregung in seinem Gemach auf und ab. Sein sonst so stilles und ernstes Antlitz war jetzt flammend in düsterm Zorn. Zuweilen warf er einen raschen, finstern Blick hinüber nach dem Staatskanzler von Hardenberg, der drüben in der Fensternische neben dem dort befindlichen, mit Papieren und Actenstücken beladenen Tisch stand, dann setzte er sein heftiges Auf- und Abgehen wieder fort, schweigend, in sich zusammen genommen, als wolle er seine Aufregung erst niederkämpfen, bevor er das Gespräch mit dem Staatskanzler wieder anknüpfe.

Hardenberg schien diesen Moment mit vollkommener Ruhe und Gelassenheit zu erwarten. Sein edles Angesicht zeigte keine Spur von Aufregung oder Furcht, seine Stirn war klar und heiter, wie immer, und sei-

nen feingeſchnittenen ſchönen Mund umſpielte das ge=
wohnte anmuthige und feine Lächeln.

Es iſt alſo richtig doch Alles ſo gekommen, wie ich
geſagt habe, rief der König endlich, nicht länger im
Stande, ſeinen Unmuth zu bekämpfen. Warum warte=
ten wir nicht die Entſcheidung ab? Wozu iſt der Con=
greß anders zuſammengekommen, als um zu entſcheiden
über die Länder und Völker, welche entſchädigt oder
beſtraft werden ſollten? Warum hatten wir alſo nicht
Beſonnenheit genug, in ruhiger Würde den Congreß
über unſere Rechtsanſprüche auf Sachſen entſcheiden zu
laſſen? Aber da wollte man wie immer ſelbſt handeln
und entſcheiden, wollte ſich gleich im Voraus ſichern.
Ließ die ruſſiſche Beſatzung Sachſens abziehen, und
nahm feierlich in meinem Namen von Sachſen Beſitz.
Hab's gleich von Anfang her geſagt, daß es ein un=
überlegter Schritt geweſen, aber Sie wollten ja Alle
klüger ſein, meine Herren Diplomaten! Nun iſt die
Proſtitution fertig, nun werden wir wieder mit Schimpf
und Schande abziehen müſſen. Es geſchieht gar nichts
Kluges und Verſtändiges mehr, aber es ſoll immer
Alles ſo ausſehen. *) Jetzt iſt das Ridicule fertig,

*) Des Königs eigene Worte. Siehe: Carl von Noſtiz.
S. 165.

und es bleibt uns nichts weiter übrig, als Ordre zu geben, daß unsere Truppen und Beamte Sachsen verlassen.

Da sei Gott vor, daß wir dies thun sollen, sagte Hardenberg lebhaft. Nein, Majestät, Preußen muß seine Ansprüche aufrecht erhalten. Es muß sie ver= theidigen auf jede Weise.

Das heißt, wir müssen einen Krieg mit Sachsen anfangen, rief der König heftig. Wir wollen Europa das Schauspiel geben, zu sehen, daß wir nicht minder länder= gierig und eroberungssüchtig sind als der Mann, den wir eben mit der Hülfe Gottes und unserer Heere von seinem angemaßten Thron verjagt haben, weil er sich nicht genügen ließ an dem Thron von Frankreich, son= dern seine ehrgeizigen Hände ausstreckte nach fremden Thronen und nach fremden Kronen. Will keine Aehn= lichkeit haben mit dem Bonaparte. Es soll nicht von mir gesagt werden, daß ich mein unglückliches Volk abermals, da es kaum seine Todten begraben, und noch nicht einmal von seinen Wunden genesen, wieder zu unseligem Blutvergießen hinausjage. Nein, nein, sage ich! Ich bin kein eroberungssüchtiger Mann, und ich will keinen neuen Krieg! Ich will nicht den Fluch meines Volkes auf mich laden, blos um meine Gren= zen zu erweitern.

Und doch, Majestät, würde in dieser Erweiterung
der Grenzen Ihres Landes, Ihrem Volk Glück und
Wohlstand erblühen, und Ihr Volk würde Sie dafür
segnen, sagte Hardenberg innig. Es ist wahr, die
Dinge haben sich verwirrt, und für den Augenblick ist
der politische Horizont bewölkt. Aber diese Wolken
werden und müssen vorübergehen, und Preußens gerechte
Sache wird den Sieg davon tragen über die Eifersucht
Oesterreichs und die Händelsucht Frankreichs. Preußen
kann und darf nicht aus diesem schrecklichen Kampfe,
worin es so große und edle Anstrengungen gemacht hat,
in einem beschämenden Zustand von Schwäche hervorgehen. Preußen kann nicht zusehen, wie sie sich hier
Alle, Alle vergrößern, abrunden, Sicherheit gewinnen
und zwar größtentheils doch nur durch seine Anstrengungen. Man kann Preußen doch nicht mit irgend
einem Schatten von Recht zumuthen, daß es ganz
allein so schmerzliche Opfer bringe, bloß zur Satisfaction
der Andern! Nein, dies können, dies dürfen Ew. Majestät nicht zugeben, und lieber müssen Sie Alles
Andere auf's Spiel setzen.*)

---

*) Hardenbergs eigene Worte. Siehe: Pertz, Leben Stein's.
IV. S. 229.

6*

Das heißt, lieber muß ich mein eigenes Land, das
was ich jetzt besitze, auf's Spiel setzen, sagte der König
heftig. Denn in diesem Krieg, den ich unternehmen
soll, würde nicht allein Oesterreich und Frankreich mir
gegenüber stehen, sondern auch Baiern, Würtemberg
und die Herzogthümer Sachsen.

Aber Rußland wird zu Ihnen halten, Majestät,
und es wäre überdies nicht das erste Mal, daß Preußen
dem ganzen Deutschland und Frankreich gegenüber stände.
Friedrich der Große hatte ganz Europa gegen sich, und
er siegte über alle seine Feinde.

Aber ich habe durchaus nicht die Vermessenheit,
mich mit Friedrich dem Großen vergleichen zu wollen,
rief der König. Ueberdies, als Friedrich seinen Krieg
um Schlesien begann, waren seine Heere nicht erschöpft
von jahrelangen Kriegen, seine Kassen nicht erschöpft
von jahrelangen, seinen Unterdrückern gezahlten Steuern,
der Enthusiasmus seines Volkes nicht erschöpft durch
jahrelange Schlachten und Großthaten. Auch hatte
Friedrich auf Schlesien begründete Rechtsansprüche, er
konnte aus alten Erbverträgen unseres Hauses beweisen,
daß Schlesien der Krone Preußens zugefallen, und wenn
er auch Deutschlands Heere gegen sich hatte, so hatte
er doch Deutschlands öffentliche Meinung fast ganz

und gar für sich. Die öffentliche Meinung ist ein sehr mächtiger Bundesgenosse, und er fehlt uns bei unsern Ansprüchen auf Sachsen.

Nein, Majestät, er fehlt uns nicht, der Bundesgenosse der öffentlichen Meinung steht viel mehr auf unserer Seite, als auf der des Königs von Sachsen. Der Sächsische Staat ist von Preußen und seinen Bundesgenossen ganz und gar erobert worden, der König Friedrich August selbst ist zum Gefangenen gemacht. Die Erwerbung Sachsens durch das Eroberungsrecht ist daher unbestreitbar. Ganz Deutschland hat das politische Betragen des Königs von Sachsen während des Jahres 1813 gemißbilligt, denn es war die Quelle der größten Unglücksfälle und aller der Gefahren, denen die große Sache Europa's damals ausgesetzt war. Er lehnte alle Aufforderungen Eurer Majestät, sich mit Preußen zur Vertheidigung des gemeinsamen Vaterlandes zu vereinigen, nicht allein ab, sondern blieb der Bundesgenosse des Bedrückers des Vaterlandes, und stand im Kriege als Feind Preußen gegenüber, und als Feind eroberte Preußen das Land seines Feindes, des Königs von Sachsen. Das von dem Völkerrechte zugelassene Recht der Eroberung spricht Preußen das eroberte Königreich Sachsen zu, und kraft

des Rechtes des Eroberers hat sich Preußen das König=
reich Sachsen gewonnen. — Es ist ihm überdies in
dem Bündniß von 1814 von Oesterreich, Rußland
und England feierlichst zugesagt worden, daß es wieder=
hergestellt werden solle nach seiner Größe und seinen
Grenzen von achtzehnhundert und fünf. Preußen hat
aber seitdem seine Besitzungen in Polen verloren, und
diese werden jetzt von dem Kaiser von Rußland bean=
sprucht, ferner seine Besitzungen in Franken, denn es
hat die Markgrafenthümer Anspach und Baireuth an
Baiern abtreten müssen, es hat ferner in Niedersachsen
und Westphalen einen Länderdistrict mit dreimalhundert=
tausend Seelen verloren. Zusammengenommen hat es
seit 1805 Länderdistricte mit zwei und einer halben
Million Seelen verloren, und es muß dafür laut den
bestehenden Verträgen entschädigt werden. Dazu ge=
nügt Sachsen noch nicht einmal, denn das Königreich
Sachsen faßt nur zwei Millionen Seelen, und deshalb
beansprucht Preußen außer Sachsen noch eine weitere
Entschädigung durch das linke Rheinufer und das Her=
zogthum Berg. *)

Nun ja, das klingt Alles recht schön und verstän=

*) Pertz. Leben des Freiherrn vom Stein. IV. S. 234.

big, sagte der König milder gestimmt, wäre auch vor=
theilhaft für Preußen, und scheint auch gerecht. Aber
man muß über seinem Vortheil nicht der Mäßigung
vergessen. Können uns ja genügen lassen an einem
Stück von Sachsen, können dem Herrn Friedrich August
eine Ecke von Sachsen belassen, wo er seinen Thron
hinstellen und König spielen kann. Wenn wir uns damit
zufrieden erklären, würde die Sache schnell abgethan
sein, denn unsere Verbündeten und alle Schreier des
Congresses würden dadurch zum Schweigen gebracht,
und man könnte uns nicht den Vorwurf machen, daß
wir das Princip der Legitimität, das sie hier jetzt Alle
auf ihre Fahnen gehoben, verletzt haben, und eigensinnig
auf unsere Wünsche bestehen.

Aber es wäre ein eben so großer politischer Fehler,
Majestät, als ihn Oesterreich beging, indem es Baiern
bestehen ließ. Dies kleine zerstückelte Sachsen würde
immer eine Preußen feindliche Macht sein, ein unzu=
friedener, grollender Nachbar, der immer den Moment
zu erspähen suchen würde, um seine verlorenen Pro=
vinzen wieder zu erobern, der immer bereit sein würde,
sich mit Preußens Feinden zu verbünden, und ihm so
viel Schaden als möglich zuzufügen.*) Außerdem würde

*) Aus der Denkschrift Stein's über die Theilung von Sachsen.

ein kleines unbedeutendes geschwächtes Königreich Sachfen, welches man dem König Friedrich August zur Erhaltung des Princips der Legitimität belassen wollte,
dem Lande selbst nur Unheil und Verderben bringen,
denn dem in seiner Macht und seinen Einkünften ge-
schwächten König von Sachsen würden die Mittel fehlen, für die Verbesserung seines Landes, für die Unter-
stützung seiner Unterthanen Genügendes zu thun, und
allgemach würde also das kleine Königreich Sachsen in
Trümmer zerfallen und zu Grunde gehen.

Wenn das Alles so klar und unumstößlich wäre,
wie Sie es da hinstellen, rief der König, so würde
Jedermann mit uns übereinstimmen müssen, und Niemanden könnte es in den Sinn kommen, unsere Besitznahme Sachsens zu tadeln, und unser Recht auf
dasselbe anzuweifeln zu wollen. Es geschieht dies aber,
wie Sie wissen, sehr viel, nicht blos mit gesprochenen
Worten, sondern auch mit gedruckten, und ich habe da
auf meinem Tisch wenigstens zehn Broschüren, welche
im heftigsten und beleibigendsten Ton wider Preußens
Anmaßung und Eroberungssucht eifern, und die Rache
des Himmels und der Völker wider uns anrufen.

Aber, sagte Hardenberg, indem er sich über den
Tisch neigte, und die Druckschriften musterte, ich sehe

da zu meiner Freude auch drei bis vier Broschüren, welche die Berechtigung Preußens zu der Einnahme Sachsens beweisen, und diese Broschüren haben den Vorzug, daß sie in sehr klarer und ruhiger Sprache geschrieben sind. Da sind die vortrefflichen Schriften von Niebuhr und Eichhorn, die eben so klar als würdevoll die Ansprüche auf Sachsen vertheidigen, und da sind noch einige andere, von ungenannten Autoren, aber durchaus gerüstet, unseren Angreifern gegenüber zu treten.

Und wollen Sie mir nicht etwa noch als zur Vertheidigung unserer Ansprüche dienlich jenes Gedicht da vorrechnen, das ich gestern zugesandt erhielt, und das, wie ich weiß, auch die beiden Kaiser und alle Diplomaten des Congresses erhalten haben?

Majestät verzeihen, sagte Hardenberg, nicht alle Diplomaten. Ich zum Beispiel kann mich nicht rühmen, eine poetische Anerkennung unserer Ansprüche auf Sachsen erhalten zu haben.

Es ist auch das nicht, rief der König achselzuckend, es ist blos ein wilder Kriegsruf, eine dieser hochtrabenden Versklingeleien, mit denen man in den letzten Jahren meine Ohren bis zum Uebermaß betäubt hat! Lesen Sie einmal diese kühne Herausforderung, welche irgend ein zahmer Dichter an seinem Schreibtisch zu-

90

fammengereimt hat, unb bie ganz bazu geeignet ift, alle
Welt glauben zu machen, baß Preußen nichts fehnlicher
begehrt, als ben Krieg auf's Neue zu beginnen. Da,
nehmen Sie jenes Papier bort unb lefen Sie laut.

Der Staatskanzler nahm bas vom König ihm be=
zeichnete Papier unb las:

Die Fahne Branbenburgs, mein Lieb,
Die fchwinge noch einmal,
Unb noch einmal, erzürnt Gemüth,
Ergreif' ben tapfern Stahl.

Denn bort ein feiger Mameluk
Unb hier ein Jefuit,
Das grinft uns an, weil uns ein Schmuck
Von Ehren reich umglüht.

Das hängt an unfer Hochgefims
Pechkranzes brennenb Reis,
Unb hetzt' bie Hunb' auf uns voll Grimms,
Unb mehr noch voll Gefchrei's.

Die Hunbe Frankreichs, noch nicht heil
Von Wunben unf'rer Jagb,
Auf Kugelnblitz, auf Lanzenpfeil
Die Hunbe wollen Schlacht.

Sie haben fie! Gefchoß Apoll's,
Verkünb' es burch bie Gau'n!
Was fie gefchürzt, bas Eifen foll's
Auf ihrem Kopf zerhau'n. *)

_____

*) Dies Gebicht, bas man bem Herrn von Stägemann zu=

91

Ich bitte um Gnade, Sire, rief hinter dem König
eine sanfte Stimme, und wie Friedrich Wilhelm entsetzt sich umschaute, gewahrte er da in der offenen Thür
den Kaiser Alexander, der ihn mit einem sanften Lächeln
begrüßte. Ich wiederhole, Sire, ich bitte um Gnade,
sagte der Kaiser, weiter vorschreitend und dem König
seine beiden Hände darreichend. Einmal um Gnade
für meinen armen Kopf, der das Zerschlagen des ge-
schürzten Eisens durchaus nicht zu ertragen vermöchte,
und dann um Gnade, weil ich es gewagt habe, hier
ohne alle Anmeldung und Erlaubniß einzutreten. Aber
wir haben uns einmal während unsers hiesigen Auf-
enthaltes das schöne Versprechen gegeben, nicht wie
fürstliche, von der Etiquette bewachte, sondern wie bür-
gerliche Freunde und Brüder miteinander zu verkehren
und jedes Mal ganz unangemeldet und ohne Ceremoniell
zu einander einzutreten. Ich machte also ganz einfach
nur von meinem Recht Gebrauch, indem ich hier unangemeldet eintrat.

Und Ew. Majestät ist, wie immer, hoch willkommen,

<hr>

schrieb, circulirte in hunderten von Abschriften auf dem Wiener
Congreß, und machte wegen seines kriegerischen Tons und seiner
Begeisterung ungeheures Aufsehen bei den Herren des Congresses.

sagte Friedrich Wilhelm, die dargereichte Hand des
Kaisers in der seinen drückend. Gerade dieses herzliche
und zwanglose Hierherkommen Ew. Majestät beweist mir
ja, daß Sie noch in unveränderter, gütiger und freund=
schaftlicher Gesinnung mir zugethan sind, und daß
Ew. Majestät nicht einstimmen in das allgemeine Ge=
schrei, das sich gegen Preußen hier erhebt.

Während die Monarchen freundlich und lächelnd sich
begrüßten, hatte der Staatskanzler geräuschlos und still
einige der auf dem Arbeitstisch befindlichen Papiere zu=
sammengepackt, und unter den Arm nehmend ging er
leise mit denselben nach der Thür hin.

Das Auge Alexanders war ihm indessen gefolgt,
und jetzt, da der Staatskanzler eben im Begriff war,
die Thür zu öffnen und hinauszugehen, rief der Kaiser
hastig: bleiben Sie, Herr Staatskanzler von Hardenberg,
bleiben Sie, denn es ist um Ihretwillen, daß ich hierher
gekommen bin.

Um meinetwillen, Sire? fragte Hardenberg mit einem
ungläubigen Lächeln.

Ja, um Ihretwillen, Herr Staatskanzler von Har=
denberg, sagte der Kaiser ernst, und sich an den König
wendend, fuhr er fort: ich bin gekommen, Sire, um
bei Ihnen den Herrn Staatskanzler zu verklagen, und

ihn in Ihrem Beisein zur Rechenschaft zu ziehen. Ew.
Majestät haben die Güte meine Klage anzunehmen?

Ich nehme sie an, Sire, obwohl es mir leid thut,
daß mein erster und angesehenster Staatsminister Ew.
Majestät zu einer Klage sollte Veranlassung gegeben
haben.

Und Sie werden dem Staatskanzler erlauben, hier
in Ihrem Beisein den Versuch seiner Rechtfertigung zu
machen?

Ich erlaube es ihm und werde froh sein, wenn
ihm dieser Versuch gelingen möchte.

Nun denn, Herr Staatskanzler von Hardenberg,
sagte der Kaiser feierlich und ernst, ich klage Sie an,
daß Sie bestrebt gewesen, zwischen mir und dem König
von Preußen Haß und Unfrieden stiften zu wollen,
ich klage Sie an, daß Sie es sind, welcher heimlich
meinen Plan auf den Besitz von Polen untergräbt,
sich eifrig bemüht, mir Feinde zu schaffen, und die
Mitglieder des Congresses gegen das, was Sie meine
Eroberungspläne nennen, mißtrauisch zu machen. Ich
klage Sie an, daß Sie gegen mich intriguiren, und
unter dem Deckmantel der Freundschaft heimlich bemüht
sind Preußen zu rüsten, zu einem baldigen Krieg gegen
Rußland.

Das ist eine sehr starke und sehr energische An=
klage, Sire, sagte Harbenberg gelassen, aber es genügt
zu der Begründung derselben nicht bloß die Beschul=
digung, sondern es bedarf der Beweise, — um diese
bitte ich jetzt Ew. Majestät.

Beweise! rief Alexander lebhaft. Sire, wollen Sie
mir erlauben, noch einmal in kurzen Umrissen die Be=
gebenheiten der letzten Tage Ihnen vorzuführen?

Ich bitte Ew. Majestät darum, wenn das zum
Verständniß dieser Sache nöthig ist, sagte Friedrich
Wilhelm, denn ich gestehe Ew. Majestät, ich bin so
verwirrt und betäubt von Ihren Worten, daß ich mich
kaum aller Details erinnern würde.

Nun denn, sagte Alexander ernst, ich erinnere also
Ew. Majestät daran, daß ich während der ganzen Dauer
des Congresses immer Ihnen als Freund zur Seite
gestanden bin, immer mit Aufrichtigkeit und Treue
Preußens Ansprüche auf Sachsen unterstützt habe, ob=
wohl ich mich nicht verrühmen kann, daß Preußen in
gleich freundlicher Gesinnung meine Ansprüche auf Po=
len unterstützt hätte. Ich blieb meiner Zuneigung ge=
treu und wie sehr Oesterreich mich auch zu verlocken
suchte, wie sehr es auch bemüht war mir die Gesin=
nungen Preußens zu verdächtigen, so glaubte ich ihm

nicht, und hielt treu zu meinem Bundesgenossen.
Preußen verlangte zu seiner Entschädigung das Königreich Sachsen, und ganz Europa, alle Diplomaten des
Congresses schrieen Zeter über dieses Verlangen. Ich
allein unterstützte Preußens Anforderungen, obwohl
der Fürst Metternich mich mehr als Ein Mal beschwor,
mit Preußen zu brechen, obwohl er mir zwei Mal
mit feierlichen Worten gelobte, daß Oesterreich in
meine Besitznahme Polens willigen werde, wenn ich
ihm dafür Preußen opfern, und mich mit Oesterreich,
Frankreich und England verbünden würde, um Sachsen
zu erhalten. Ich opferte meinem Lieblingsplan indessen
den Freund, den Bundesgenossen nicht auf, ich ent-
sagte der österreichischen Zustimmung zu meiner Besitznahme Polens, und blieb an Preußens Seite. Indessen ward die Aufregung auf dem Congreß immer
lauter, alle Stimmen erhoben sich gegen Preußen, und
vor einigen Tagen mußte Preußen zu seiner Ueber-
raschung inne werden, daß auch Oesterreich, auf dessen
Zustimmung es im Geheimen immer gerechnet hatte,
sich gegen seine Ansprüche erhöbe. Fürst Metternich
erklärte in einer Note, die er an alle Vertreter der
Mächte sandte, daß er nicht in die preußische Besitznahme Sachsens willigen könne, daß man wenigstens

Preußen nur einen sehr geringen Theil desselben bewilligen könne, und bedacht sein müsse, Preußen ander-
weitig zu entschädigen.*) Alle Welt freuete sich dieser
offenen, mannhaften Erklärung Metternich's, ich allein
bekämpfte sie, und wandte mich dem Bundesgenossen
nicht ab. Ich glaubte an die Treue und Aufrichtigkeit
Preußens, ich glaubte an ihm einen ehrlichen Bundesgenossen zu haben. Heute morgen indessen bin ich
eines Andern belehrt. Fürst Metternich ist zu mir
gekommen, und er hat mir, um mir zu beweisen, wie
sehr ich mich in Preußen irre, wie wenig Veranlassung
ich hätte, demselben zu vertrauen, diese Papiere übergeben. Eine Denkschrift des preußischen Staatskanzlers
von Hardenberg, in welcher derselbe den Fürsten Metternich auffordert, mit ihm zusammen gegen Rußland
zu stehen; in welcher er zu beweisen sucht, welche un-
ermeßliche Gefahren für Deutschland aus der wachsen-
den Macht Rußlands entstehen würden, und wie nothwendig es daher sei, Rußland nicht weiter in Polen
vordringen zu lassen, sondern es in seine Grenzen zurückzudrängen.

Hier ist diese Denkschrift, fuhr der Kaiser
fort, einige Papiere aus seinem Busen ziehend,

*) Pertz. IV. S. 245.

fehen Sie diefelben an, Herr Staatskanzler, und fagen
Sie mir, ob Sie diefelbe wirklich gefchrieben, oder ob,
wie ich hoffe und glaube, der Fürft Metternich, in der
Abficht, Preußen und Rußland zu trennen und zu ent=
zweien, Sie nur fälfchlich der Autorfchaft befchul=
digt hat?

Hardenberg nahm die dargereichten Papiere, und
fchlug fie auseinander. Die Blicke Alexander's und
Friedrich Wilhelm's waren feft und fcharf auf ihn ge=
richtet, in lebhafter Spannung beobachteten Beide das
Antlitz des Staatskanzlers. Aber keine Miene deffel=
ben veränderte fich, kein Zug verrieth, daß er Furcht
oder Schrecken empfinde, vielmehr war der Ausdruck
feines Gefichtes ruhig, heiter und edel, wie immer.

Eine Paufe trat ein, dann reichte Hardenberg die
Papiere wieder dem Kaifer dar.

Sire, fagte er mit fefter klarer Stimme, Sire, der
Fürft Metternich hat Ew. Majeftät die Wahrheit ge=
fagt. Ich habe diefe Denkfchrift gefchrieben!

Der König zuckte leife zufammen, und fich abwen=
dend, trat er in die nahe Fenfternifche, als wolle er
Niemand die lebhafte Unruhe und Bewegung feines
Angefichts fehen laffen.

VI.

Diplomatifche Doppelzüngigfeit.

Sie geftehen es alfo? rief Alexander. Sie verleugnen
diefe Schrift nicht, in welcher Sie Rußland als den
gefährlichften Feind Deutfchlands bezeichnen?

Ich verleugne fie nicht, fagte Harbenberg, denn ich
habe niemals meine Ueberzeugungen verleugnet, und es ift
auch felten, daß ich meine Ueberzeugungen geändert habe.
Ja, es ift meine Ueberzeugung, die ich nie verleugnen
werde: Rußland's wachfende Macht ift eine Gefahr für
Deutfchland, und ein Tag wird kommen, wo der ruf=
fifche Adler mit fchwerem Flügelfchlag über Deutfchland
daher raufchen und die deutfche Unabhängigkeit in feinen
Fängen ertödten wird, wenn Deutfchland nicht zu rechter
Zeit dem ruffifchen Eroberungsgeift Grenzen zieht, wenn
es nicht eine Mauer aufrichtet gegen die hereinbrechen=
den Sturmeswogen Rußlands. Diefe Mauer hat aber

die Geschichte und der Weltgeist selber zwischen Rußland und Deutschland aufgerichtet. Diese Mauer, das
ist Polen! — Dies war es, was ich dem Fürsten
Metternich in jener Denkschrift gesagt habe, und dies
darf ich auch jetzt nimmermehr verleugnen. Sire, wäre
ich ein Russe, so würde ich mit Begeisterung den vorwärts strebenden Plänen Ew. Majestät folgen, so würde
ich sagen: Rußland hat die himmlische Kraft der Jugend, und es muß seine Jugend gebrauchen, es muß
lernen, studiren, sich bilden, und wenn es ein Mann
geworden, so muß es erobern, denn Europa und Asien
sind da, um von ihm erobert zu werden. Ich will
Ew. Majestät helfen, Ihr junges Rußland zum Manne
zu erziehen, und es würdig zu machen, daß es einst die
Welt sich erobern könne! — Aber ich bin ein Deutscher,
und als Deutscher rufe ich es laut allen deutschen
Fürsten zu: Rußland ist das Meer, welches sich auf-
bäumt, um in Deutschland herein zu fluthen. Rußland
ist des Damokles Schwert, welches über Deutschland
schwebt, und bereit ist, herniederzufallen auf unsere Frei-
heiten, unsere Selbstständigkeit, unsere Unabhängigkeit.
Dieses Schwert hängt nur noch an einem Faden!
Beeilt Euch, aus diesem Faden eine Schnur, aus der
Schnur ein Tau, aus dem Tau eine Kette zu machen,

7*

damit Ihr das Schwert bändigt und fesselt, auf daß
es nicht herunterfallen kann auf Deutschland, auf daß
es an seinen eigenen Ketten gehalten wird!

Und wäre ich ein Deutscher, rief Alexander glühend,
ja, wäre ich ein Deutscher, wie Sie, so würde ich
sprechen und handeln wie Sie!

Sire, rief Hardenberg erstaunt, Sie vergeben mir
also, Sie —

Ich vergebe Ihnen nicht, sondern ich danke Ihnen,
rief der Kaiser, indem er mit der ganzen Lebhaftigkeit
seines Naturells auf Hardenberg zuschritt, ihn innig
umarmte und einen Kuß auf seine Stirn drückte. Ja,
ich danke Ihnen, daß Sie mich die Stirn eines wahren,
eines echten Mannes haben küssen lassen. Ach, es ist
so selten, daß man einem Mann begegnet, und ich muß
leider gestehen, daß das hier auf dem Congreß auch eine
Seltenheit ist. Sie, Hardenberg, Sie sind ein Mann,
und ich bin glücklich, daß Sie Sich mir so gezeigt haben,
daß Sie immer noch der trotzige, unverzagte, begeisterte
deutsche Mann sind, als welcher Sie Sich Ihrem König
bewährt haben in den schlimmen, wie in den guten
Tagen! Ich kam hierher, um Sie zu prüfen, um zu
sehen, ob Sie auch nur ein Diplomat sind wie alle
Andern, heimtückisch, intriguant, händelsüchtig und doch

feigherzig, wenn sie von einer Gefahr bedroht werden. Deshalb klagte ich Sie an, deshalb wollte ich sehen, ob Sie den Muth hätten, Ihre gegen mich gerichtete Schrift anzuerkennen.

Sire, meine Schrift war nicht gegen Ew. Majestät gerichtet, sondern nur gegen Rußland, sagte Harbenberg. Ach, wenn wir gewiß sein könnten, in Rußland immer Herrscher zu haben, welche Ew. Majestät gleichen und nacheifern, so würden wir von Rußland nichts zu fürchten haben, denn der edle, loyale, hochherzige Sinn Eurer Majestät würde niemals einen Angriff auf die Freiheit und Unabhängigkeit Deutschlands unternehmen wollen. Aber Ihre Nachfolger können eroberungssüchtiger, eigen= nütziger sein, sie können in ihrer Ländergier die Rechte Anderer übersehen, und da sie die Macht haben, Deutsch= land zu schaden, so können sie auch den Willen dazu haben. Das war es, was ich in jener Denkschrift auseinandergesetzt habe. Ueberdies schrieb ich dieselbe beim Beginn des Congresses, und damals schon übergab ich sie dem Fürsten Metternich, der sie jetzt als eine Waffe gegen mich benutzen will.

Aber es soll ihm nicht gelingen, sagte Alexander. Ich durchschaue sehr wohl das Betragen Metternich's, der immer nur bestrebt ist, mich von Preußen zu trennen

und Unfrieden zwischen uns auszustreuen. Jetzt, da sein
räuberischer Falkenblick in der Luft irgend eine nahende
Gefahr für Oesterreich erkannt haben mag, jetzt wollte er
versuchen, an Rußland einen Bundesgenossen zu gewinnen, und deshalb spielte er seinen letzten großen
Trumpf aus und brachte mir Ihre Denkschrift, indem
er hinzufügte, er habe noch mehrere derartige Schreiben
von Ihnen, von denen er aber keinen Gebrauch machen
könne, da sie die Geheimnisse eines Dritten seien. *)
Aber diese Perfidie Metternich's gegen Sie hat bei mir
gerade das Gegentheil bewirkt von dem, was er beabsichtigte, sie hat mich erkennen gelehrt, daß Metternich
ein gefährlicher und treuloser Mann ist, der seine Freunde
von gestern heute preisgiebt und hinopfert, wenn das
seinem Vortheil und seinen Interessen bequem ist. Ich
will daher nichts mit ihm zu thun haben, und ich bin
gekommen, um Sie, Herr Staatskanzler, vor Ihrem
treulosen Freunde zu warnen, indem ich Ihnen Ihre
Denkschrift wiederbringe, und um mit Ihnen, Majestät, zu
überlegen, was wir zu thun haben, um uns dieses zweideutigen Vermittlers zwischen uns und dem Kaiser Franz
zu entledigen und selber und unmittelbar mit dem Kaiser
zu verhandeln.

*) Pertz. IV. S. 248.

Sire, Sie sprechen da einen Wunsch aus, den ich schon lange im Stillen gehegt habe, sagte der König rasch. Kaiser Franz ist ein biederer, ehrlicher Mann, der, wie ich glaube, die Zweideutigkeiten seines Staatskanzlers nicht kennt, sonst würde er sie nicht dulden.

Wollen die Majestäten mir erlauben, daß ich, bevor ich mich ehrerbietigst zurückziehe, noch einige Worte in Bezug auf die vorher gegen mich gerichtete Anklage erwidern darf? fragte Hardenberg.

Ich bitte, sprechen Sie, rief Alexander, das heißt, wenn mein königlicher Freund nichts dagegen hat!

Der König gab durch einen Wink mit der Hand und ein hastiges Kopfnicken seine Zustimmung zu erkennen.

Sire, sagte Hardenberg, sich an den Kaiser wendend, es waren in jener drohenden Anklage, welche Ew. Majestät vorher gegen mich richteten, zwei Punkte, auf welche ich mir erlaube zurückzukommen. Ew. Majestät sagten, daß der Fürst Metternich Ihnen mehrmals zugesichert habe, Oesterreich werde Ihnen seine Stimme für Polen geben, wenn Ew. Majestät dafür Preußen nicht in seinen Anforderungen auf Sachsen unterstützten. Ich habe dies wenigstens so verstanden, und ich bitte Ew. Majeſtät mich gnädigſt zu berichtigen, wenn ich darin irren ſollte.

Nein, nein, es iſt ſo, rief Alexander, mehr als Ein Mal hat mir Metternich Polen angeboten, wenn ich dafür Preußen hindern wollte, Sachſen zu erwerben.

Ich werde mir erlauben, ſpäter auf dieſe Worte Ew. Majeſtät zurückzukommen, ſagte Hardenberg, ſich verneigend. Zuvor aber wollte ich nur ſagen, daß Fürſt Metternich mir mehrmals mit feierlichen Be- theuerungen ſeiner Freundſchaft für Preußen das König- reich Sachſen angeboten hat, wenn Preußen dafür Ruß- land hindern wolle, Polen in Beſitz zu nehmen.

Alexander lachte laut auf. Ah, rief er, immer noch lachend, das iſt wie der Fuchs in der Fabel, der dem Marder und dem Iltis jedem in's Geheim daſ- ſelbe Huhn verſpricht, und es nachher für ſich allein verſpeiſt.

Haben Sie aber auch Beweiſe für Ihre Behaup- tung, Herr Staatskanzler? fragte der König ernſt.

Geruhen Ew. Majeſtät ſich zu erinnern, daß ich, um mich über mein politiſches Verhalten zu rechtfertigen, und zu beweiſen, daß Fürſt Metternich bis zu dieſem Augenblick wegen Sachſen mit uns im vollen Einverſtändniß ge- weſen, hierherkam, um Ew. Majeſtät einige zu meiner

Rechtfertigung bestimmte Papiere zu überbringen. Diese Papiere habe ich dort auf dem Schreibtisch niedergelegt. Wollen Ew. Majestät mir erlauben, zwei derselben Sr. Majestät dem Kaiser vorzulegen?

Thun Sie das, sagte der König. Fürst Metternich hat Sie angeklagt, es ist daher sehr natürlich, daß Sie Sich zu rechtfertigen suchen.

Hardenberg eilte zu dem Tisch hin, und unter den Papieren suchend wählte er unter denselben zwei Briefe aus, mit denen er zu den Monarchen zurückkehrte.

Sire, sagte er, dem Kaiser einen der Briefe darreichend, hier ist ein vertrauliches Handbillet des Fürsten Metternich, in welchem er Preußen unumwunden Sachsen verspricht, wenn Preußen sich mit ihm gegen Rußland verbinde.

Alexander überflog das Papier mit raschen Blicken und reichte es dann dem König dar.

Es ist Metternich's eigene Handschrift, sagte er, und seine Worte sind unzweideutig. Er verspricht Ihnen Sachsen. Ah, wir wollen ihn beim Wort halten! Und was, fuhr der Kaiser fort, sich wieder an Hardenberg wendend, was enthält jenes Papier, das Sie da noch in der Hand halten?

Sire, für dieses Papier muß ich um Verzeihung bitten, daß ich wage, es Ew. Majestät vorzulegen. Aber, wie mein königlicher Herr die Gnade hatte, zu sagen, Fürst Metternich hat mich angegriffen, ich muß mich also zu vertheidigen suchen. Ew. Majestät haben mir vorher feierlich versichert, daß Fürst Metternich Ew. Majestät Polen angeboten hätte, wenn dafür Ew. Majestät sich verpflichteten, Preußens Ansprüche auf Sachsen nicht zu unterstützen. Diese Worte Ew. Majestät überraschten mich nicht, denn Ew. Majestät hatten schon vor einigen Wochen Dasselbe dem Herrn von Stein erzählt, und dieser, um mich zu warnen, hatte die Güte gehabt, mir die Erzählung Ew. Majestät zu wiederholen. Ich fand mich dadurch veranlaßt, an den Fürsten Metternich zu schreiben, ihn von den mir zugekommenen Erzählungen zu benachrichtigen, und bei ihm förmlich anzufragen, ob er wirklich Ew. Majestät solche Versprechungen gemacht habe.

Und Metternich hat Ihnen auf Ihre Anfrage ge= antwortet? fragte Alexander rasch.

Ja, Sire, sagte Hardenberg feierlich, ja, er hat mir geantwortet. Sire, hier ist die Antwort des Fürsten Metternich.

Der Kaiser riß das Papier ungestüm an sich, und

wie er es dann überlas, erblaßte er, und seine sonst
so heitere Stirn legte sich in düstere Falten.

Er leugnet es ab, rief er mit zorniger Stimme.
Hören Sie, Majestät, Metternich wagt es, mich der
Lüge zu zeihen. Er schreibt hier mit klaren, einfachen
Worten, es sei nicht wahr, daß er mir solche An-
erbietungen gemacht habe. Er giebt die bestimmte
Versicherung, daß Kaiser Franz in die Abtretung
Sachsens an Preußen eingewilligt habe.*)

Und jetzt, rief der König empört, jetzt erläßt der
Fürst Metternich im Widerspruch mit jener schriftlichen
Versicherung eine Note, in welcher er erklärt, Öster-
reich könne nicht in die Einverleibung Sachsens in
Preußen willigen, „weil die Grundsätze des Kaisers,
die Familienbande, und die Grenz- und Nachbarver-
hältnisse sich entgegenstellten."**)

Er ist ein zweideutiger und unzuverlässiger Mann!
rief der Kaiser. Er hat es überdies gewagt, mich der
Lüge zu zeihen. Hätte ich das Glück ein Privatmann

---

*) Diese Erklärung Metternich's ist vom 7. November, und findet
sich in Pertz: Leben des Freiherrn vom Stein. IV. S. 201.
**) Worte aus jener Note Metternich's. Siehe: Pertz. IV.
S. 245.

zu sein, würde ich ihn dafür mit der Pistole in der Hand zur Rechenschaft ziehen. Aber da meine Verhältnisse mir dies verbieten, so will ich ihn wenigstens nicht mehr sehen.*)

Aber Ew. Majestät werden dies ebenso wenig als ich vermeiden können, sagte der König achselzuckend. Er ist das Organ, durch welches Kaiser Franz mit den andern Mächten unterhandelt, die Stimme, welche die Gedanken des Kaisers in Worte übersetzt.

Der Kaiser wird hinfort die Güte haben müssen, mit seiner eigenen Stimme zu uns zu sprechen, rief Alexander heftig. Ich werde wenigstens keine andere Stimme mehr hören. Vereinigen wir uns, Sire, zu einem festen und entschiedenen Kampf gegen Metternich, enthüllen wir dem Kaiser Franz alle die Intriguen, Zweideutigkeiten und Hinterliste seines Ministers und fordern wir von ihm fest und unabweislich, daß er unmittelbar und persönlich mit uns unterhandele! Wollen Sie das?

Ja, ich will es, sagte der König. Ich bin bereit, mich allen Ihren Schritten in dieser Sache anzuschließen.

---

*) Des Kaisers eigene Worte. Siehe: Pertz. IV. S. 278.

So kommen Sie, Sire, rief der Kaiser haftig. Laffen Sie uns fogleich aufbrechen!

Wohin, Sire?

Zum Kaiser Franz von Oesterreich, um bei ihm feinen Minister anzuklagen, um ihm zu erklären, daß wir Beide nur unmittelbar mit dem Kaiser felbft unterhandeln wollen, und uns die Einmifchung des Fürften Metternich entfchieden verbitten.*)

Wohlan, laffen Sie uns gehen, fagte der König, und um unfern Worten gleich die Beweife hinzuzufügen, wollen wir die Papiere, welche mir der Staatskanzler gebracht hat, zur Einficht des Kaifers Franz mit= nehmen.

Thun wir das! Auch ich habe Papiere, welche den Kaifer von der Zweideutigkeit feines Minifters über= zeugen, und unfern Antrag rechtfertigen werden. Fahren wir alfo, wenn es Ew. Majeftät gefällig ift, bei mir vor, und dann zum Kaifer Franz. Ah, wir wollen doch einmal fehen, ob die diplomatifche Falfchheit und Hinterlift über unfer gerades und offenes Handeln den Sieg davon tragen wird.

---

*) Hiftorifch. Siehe: Pertz. IV. S. 248.

VII.

Der Ballabend des Fürsten Metternich.

Der seit acht Tagen schon angekündigte Ball im Hôtel
des Fürsten Metternich sollte heute stattfinden. Alle
Räume waren schon in den Morgenstunden dieses fest-
lichen Tages glänzend geschmückt und von den Deco-
rateuren und Gärtnern auf das Herrlichste und Ge-
schmackvollste hergestellt worden.

Fürst Metternich war so eben von einer Conferenz,
zu welcher ihn sein Kaiser plötzlich und ganz unerwartet hatte einladen lassen, zurückgekehrt, und durchwan-
derte jetzt die Reihe der glänzenden Säle, um sich durch
eigenes Anschauen zu überzeugen, daß alle seine Befehle
ausgeführt worden, daß nirgends etwas an den Aus-
schmückungen versehen und vernachlässigt worden sei.

Wie er eben, ganz vertieft in diese Prüfung der
Festanordnungen, durch den Empfangssaal dahin ging,

warb bie Thür bes Vorsaals hastig geöffnet unb Hof=
rath von Gentz trat ein.

Der Fürst schritt ihm lächelnb entgegen, unb reichte
ihm zur Begrüßung seine Hanb bar.

Gut, baß Sie kommen, sagte er. Sie können mich
auf meiner Wanderung burch bie Säle begleiten. Sie
verstehen Sich ja auf Fest=Arrangements unb haben
einen feinen geläuterten Geschmack. Kommen Sie,
geben Sie mir also Ihren Arm, lassen Sie uns bie
Säle burchwanbern, unb gewinnen Sie es über sich,
mir ohne alle biplomatische Umschreibungen Ihre wahr=
haftige Meinung zu sagen: ob Sie finden, baß bie
Arrangements gut, ob sie ber hohen fürstlichen Gäste
würbig sinb, bie ich heute hier empfangen werbe.

Ich gestehe Ew. Durchlaucht, baß mir zu biesen
Betrachtungen heute ganz unb gar bie Stimmung fehlt,
sagte Gentz, unb ich beschwöre Ew. Durchlaucht, baß
Sie bie Güte haben, statt Ihre Aufmerksamkeit bem
Zimmerschmuck zu schenken, sie lieber mir zuzuwenben.
Ich habe burchaus, unb ganz nothwenbig mit Ihnen
zu sprechen, unb ich bin beshalb ganz eilig, kaum bem
Bett entstiegen, unb ohne erst meine Tasse Bouillon
getrunken zu haben, hierher gekommen.

Ah, Ihre berühmte, aus sechs Pfunb Rinbfleisch bereitete

Taſſe Bouillon, ſagte Metternich lächelnd. Nun freilich, wenn Sie dieſe merkwürdige Taſſe Bouillon dem
Wunſch einer Unterredung mit mir geopfert haben, ſo
müſſen Sie mir etwas ſehr Ernſtes vorzutragen haben.

Es iſt auch in der That etwas ſehr Ernſtes und
Wichtiges, rief Gentz eifrig.

Um ſo mehr iſt es nothwendig, daß ich vorher
mit der Beſichtigung der Feſt=Arrangements zu Ende
bin, ſagte Metternich gelaſſen, denn wenn ich erſt Ihre
ernſten und wichtigen Nachrichten erfahren habe, möchte
mir der Sinn und Geſchmack dazu fehlen. Kommen
Sie alſo, laſſen Sie uns Alles mit prüfenden Kenner-
mienen betrachten.

Ich beſchwöre Ew. Durchlaucht, laſſen Sie uns in
Ihr Cabinet gehen; ich habe —

Sie haben durchaus eine unbezwingliche Luſt, Ihre
großmächtigen Neuigkeiten aus Ihrer Bruſt zu entlaſſen,
unterbrach ihn Metternich. Mein Gott, immer noch
der heißblütige Feuerkopf, der immer ſtürmt, immer
exaltirt iſt, nichts mit Ruhe erwarten, nichts mit Beſonnenheit vertagen kann! Der Himmel wird nicht
zuſammenfallen, die Sonne wird ſich nicht verfinſtern,
wenn ich auch Ihre Nachrichten erſt in einer Viertel-
ſtunde erhalte!

Aber Ihre Fest-Arrengements werden vielleicht zu-
sammenfallen, die Kerzen Ihrer Kronleuchter werden
vielleicht heute Abend gar nicht zum Leuchten und
Brennen kommen, wenn Sie erfahren haben, was ich
Ihnen sagen will!

Ah, welch ein großes Kind Sie sind, und was für
Mährchen Sie sich aufbinden lassen. Mein Haus steht
auf festem Grunde, und wird nicht zusammenstürzen bei
dem ersten besten Sturmwind; die Kerzen meiner Kronleuchter sind von solidem Wachs und werden nicht
gleich erlöschen vor dem Athem Ihres Mundes. Kommen Sie! Wenn Sie wollen, daß ich Sie nachher in
mein Cabinet begleiten soll, so sträuben Sie sich nicht
länger, sondern kommen Sie.

Gut, seufzte Gentz, ich komme. Aber versprechen
mir Ew. Durchlaucht wenigstens, daß wir uns beeilen
wollen mit der Besichtigung dieser Fest-Arrengements.

Ich verspreche es Ihnen!

Er nahm den Arm, den Gentz ihm seufzend darbot,
und wanderte plaudernd, lächelnd, Alles besichtigend,
Alles prüfend durch die Säle dahin.

Zum guten Glück für den ungeduldigen Hofrath
Gentz waren alle Anordnungen genau den Befehlen des
Fürsten entsprechend, gemacht worden, und es fand

daher in keinem der Säle ein Aufenthalt, eine Verzö-
gerung statt. Es genügte, sie zu durchwandern, um sich
befriedigt und erfreut zu fühlen von ihrer Einrichtung
voll wahrhaft fürstlicher Pracht.

Jetzt, sagte der Fürst, als sie eben vor der Thür
seines Cabinets angelangt waren, jetzt müßte ich eigentlich nothwendiger Weise erst eine Viertelstunde hinüber
gehen zu meiner Tochter, bei welcher sich eben ihr Tanz-
meister befindet, um ihr einen russischen Tanz einzuüben,
den sie heute Abend mit dem jungen Grafen Narischkin
vor den russischen Majestäten tanzen soll. Ich habe meiner
Tochter versprochen, heute der letzten Tanzprobe beizuwohnen, und —

Ich beschwöre Ew. Durchlaucht, rief Gentz mit fast
weinerlicher Stimme, wollen Sie mich nicht länger
martern, wollen Sie mir erlauben, Ihnen jetzt sogleich
meinen Vortrag zu halten.

Nun denn, es sei, sagte Metternich lächelnd, ich
sehe schon, daß ich Sie Ihrer Neuigkeiten entladen muß,
wenn ich nicht will, daß Sie davon wie eine Bombe
auseinander platzen!

Er öffnete die Thür seines Cabinets, und trat, gefolgt von Gentz in dasselbe ein.

Vor allen Dingen setzen wir uns! sagte der Fürst,

indem er sich auf den Divan niedergleiten ließ, und
für Gentz auf einen Fauteuil hindeutete. Und nun lassen
Sie mich Ihre ungeheuerlichen Nachrichten erfahren,
mein armer Freund, der Sie mir fast an dieser Nenig=
keitsindigestion erstickt wären. Was giebt es denn?

Durchlaucht, sagte Gentz feierlich, es giebt eine Ver=
schwörung gegen Sie, gegen Oesterreich, gegen uns Alle.
Wenn Sie Ihren Feinden nicht zuvorkommen, wenn Sie
nicht sogleich, heute noch, energische Maßregeln ergreifen, so
sind Sie verloren, und mit Ihnen ist es Oesterreich,
mit Ihnen ist es Deutschland! Denn Sie vertreten
Oesterreich, und Oesterreich vertritt auf diesem Congreß
die Ordnung, die Gesetzlichkeit, die Rechte der Fürsten,
der Reichsunmittelbaren, der Bevorzugten gegen die
Wühlereien, gegen die neumodischen Umsturzfürsten, die,
um sich populär zu machen, mit freisinnigen Redensar=
ten, wie mit Spielbällen umher werfen, und um die
Völker anzuziehen, mit liberalen Ideen allerlei Jongleur=
künste treiben. Deutschland geht, wenn diese Umsturz=
fürsten die Oberhand gewinnen, nicht blos einem neuen
Kriege, sondern seinem völligen Untergang entgegen,
denn mit freisinnigen Redensarten werden die Völker
nicht in Banden gehalten, und mit liberalen Ideen
läßt sich nicht regieren. Ew. Durchlaucht haben also

8*

die Verpflichtung, sich Oesterreich, sich Deutschland zu erhalten, und Alles zu thun, um die Intriguen und Pläne, die Ihre Feinde gegen Sie schmieden, zu vernichten.

Wer sind denn aber vor allen Dingen diese Feinde? fragte Metternich mit seinem ruhigen Lächeln.

Es sind der Kaiser von Rußland und der König von Preußen. Seit gestern Mittag coursiren die wunderbarsten Gerüchte in allen Salons. Jeder raunt es verstohlen dem Andern in's Ohr: „Fürst Metternich ist in Ungnade gefallen. Die Monarchen von Rußland und Preußen haben sich gestern Mittag zu Kaiser Franz begeben, und von ihm begehrt, daß er den Fürsten entlasse, und haben erklärt, daß sie Beide mit dem Fürsten keinen weitern Verkehr haben, ihn niemals wieder sehen wollten." — Gestern gegen Abend, als ich zur Herzogin von Sagan kam, um sie, wie wir das verabredet hatten, zur Soirée bei der Kaiserin Ludovica zu begleiten, kam die Herzogin mir ganz bleich und aufgeregt entgegen, und sagte mir, Kaiser Alexander sei eben bei ihr gewesen, habe sich in den bittersten und heftigsten Ausdrücken über Ew. Durchlaucht beschwert, habe gesagt, Sie hätten mit ihm und dem König von Preußen ein unwürdiges Spiel getrieben, hätten Sie gegenseitig verfeinden und entzweien wollen, und seien sogar so weit gegangen, den Kaiser einer Unwahrheit zu zeihen.

Und diese Unwahrheit, deren ich ihn gezeiht haben soll, wäre natürlich die erste und einzigste Unwahrheit, die jemals über die Lippen des frommen und tugend= haften Kaisers gekommen, sagte Metternich achselzuckend. Die Freundschaftsbetheuerungen gegen Napoleon, die Umarmungen und Küsse in Erfurt, das Doppelspiel in Tilsit, wo Alexander dem König von Preußen ewige Freundschaft schwur und von Napoleon die preußischen Provinzen als Geschenk annahm, das Alles waren große, heilige Wahrheiten, welche vor den Augen der gottseligen Frau von Krüdener als Altarkerzen leuchten, und ihr Gelegenheit geben werden, in entzückte Krämpfe und Zuckungen zu verfallen, aus denen sie nur durch das Gebet des sogenannten Erzengels, des frommen Kaisers Alexander wird errettet werden können.

Ich beschwöre Ew. Durchlaucht, bleiben wir bei der Sache, flehte Gentz. Der Kaiser hat ferner der Herzogin von Sagan erzählt, er sei so eben mit dem König von Preußen bei Kaiser Franz gewesen, und Beide hätten sie Ew. Durchlaucht angeklagt. Der Kaiser sei auch ganz von Ihrer Schuld überzeugt wor=

ben, höchst aufgebracht auf Sie gewesen, und habe den Monarchen versprochen, Sie zur Rechenschaft zu ziehen, ja, Sie Ihres Amtes zu entlassen.

Und was sagte die Herzogin von Sagan zu diesen Neuigkeiten? fragte Metternich.

Sie war tief erschüttert, Thränen glänzten in ihren Augen —

Aber sie rollten hoffentlich nicht über ihre Wangen nieder und zerstörten nicht die schöne Rosenmalerei ihrer Schminke? Sagen Sie doch, Freund, Sie halfen doch der Herzogin, ihre Thränen abtrocknen, ehe sie ihren Augen entströmten?

Ich versichere Ew. Durchlaucht, daß die Herzogin im vollen Ernst tief bewegt und betrübt war, daß Sie wirklich an ihr eine treue und zuverlässige Freundin haben, rief Gentz heftig. Sie war noch ganz traurig und kummervoll, als wir uns zur Soirée begaben, und sie ging nur dorthin, weil sie hoffte, Ew. Durch= laucht dort zu sehen und Sie zu warnen.

Ach, hätte ich ahnen können, daß die liebenswür= dige und schöne Herzogin von Sagan mich erwartete, so würde ich gewiß zur kaiserlichen Soirée gekommen sein, rief Metternich. Ich war aber bei Isabey, der mich, wie Sie wissen, zu seinem großen Congreßbilde

malt, dann wohnte ich einer Probe der lebenden Bilder
bei, in der meine Tochter morgen eine Rolle spielt,
und da man ihr ein schlechtes Costüm gewählt hatte,
mußte ich schon selber ihr ein besseres aussuchen. So
verging die Zeit, und es ward zu spät, um noch die
Soirée besuchen zu können.

Und doch wäre es ein Glück gewesen, wenn
Ew. Durchlaucht, ob auch noch so spät, und ob
auch nur Einen Moment gekommen wären. Denn
Ihre Abwesenheit erschien nun Allen als eine Bestätigung
der umlaufenden Gerüchte. Jedermann war überzeugt,
daß Ew. Durchlaucht wirklich in Ungnade gefallen,
und daß Sie nur deshalb nicht die Soirée der Kaiserin
besuchen könnten. Man sprach, nicht mehr leise, sondern
ziemlich laut und vernehmlich, von Ihrem Sturz, man
wiederholte sich mit hämischer Freude die heftigen Schelt-
worte, mit denen Kaiser Franz Ew. Durchlaucht entlassen habe. Man erzählte sich, daß der Graf Nesselrode
von dem Kaiser Alexander gleichfalls entlassen sei, und
nur aus dem einzigen Grunde, weil er mit Ihnen in
nächster Verbindung gestanden. Nur die Herzogin
von Sagan hatte den Muth, nicht in das allgemeine
Anathem einzustimmen, und als der Kaiser Alexander
sich ihr näherte, und wieder ganz laut und heftig gegen

Ew. Durchlaucht sprach, war sie kühn genug, Sie zu vertheidigen. Der Kaiser ward dunkelroth vor Zorn, und —

Und rief, unterbrach ihn Metternich, und rief heftig: „Wie können Sie Sich nur mit so einem Schreiber einlassen, Herzogin?"*) Und er wandte ihr den Rücken und sprach zu andern Personen laut und heftig gegen das, was er meine Ränkesucht nennt. Später unterhielt er sich mit der alten Fürstin Metternich, meiner Mutter, und ganz laut sagte er zu ihr: er könne Niemand achten, der nicht die Uniform trüge.**)

Ew. Durchlaucht wissen das schon? rief Gentz erstaunt.

Ja, sagte Metternich lächelnd, ich weiß das schon, denn wie es scheint, steht meine Mutter früher auf, als Sie. Ich weiß Alles, nur das weiß ich nicht, was Sie zu meiner Vertheidigung gesagt und gethan haben.

Ew. Durchlaucht, was hätte ich anders thun können, als schweigen und unglücklich sein?

Sie hätten zum Beispiel alle Diejenigen, welche

*) Pertz. IV.
**) Ebendaselbst.

fich erlaubten, mich zu verleumben, zum Duell forbern
können.

Ich? Zum Duell forbern? rief Gentz entſetzt und
tief erblaſſenb. Aber Ew. Durchlaucht, ich, — mein
Gott, Sie wiſſen, daß ich einen Abſcheu habe vor
Waffen, und daß die einzige Waffe, welche ich zu
führen verſtehe, die Feder iſt.

Sie vergeſſen die zweite Waffe, welche Ihnen
wenigſtens noch zu Gebote ſteht, Ihre Zunge! Da Sie
nicht für mich handeln konnten, hätten Sie minbeſtens
für mich Ihre Zunge gebrauchen, für mich reden können.

Und was hätte ich ſagen können, da Ew. Durchlaucht nicht die Güte gehabt, mich in Ihr Vertrauen
zu ziehen, und mir einige Inſtructionen über mein Verhalten zu geben?

Sie hätten ſagen können, daß man ſich in Bezug
auf mich ganz falſcher Ausbrücke bebiene, ſagte ber Fürſt,
beſſen Antlitz jetzt ſeinen lächelnben Ausbruck verloren,
und ernſt und feierlich geworden war. Sie hätten
ſagen können, daß ich nicht ein Günſtling und Favorit
ſei, ber je nach ber Laune ſeines Herrn und gleich ben
Mignons weiland ber Kaiſerin Katharina von Rußland,
in Ungnabe fallen könne, ſonbern baß ich ber erſte
Miniſter bes Kaiſers Franz ſei, und baß man wenig-

stens dem Kaiser Franz so viel Achtung schuldig sei, um ihn für unfähig zu halten, einen Mann, dem er seit vielen Jahren sein Vertrauen geschenkt, dasselbe zu entziehen, bloß weil sein Minister sich dem Wunsch und Willen eines fremden Souverains nicht beugen wolle, und weil der Schreiber ohne Uniform nicht die Wünsche des Kaisers von Rußland als Befehle hin= nähme, sondern weil er den Muth habe, ihn öffentlich zu bekämpfen, und des Kaisers ehrgeizige und roman= tische Gelüste auf Polen zu hintertreiben.

Das Alles habe ich auch gesagt, aber man hat mich nicht hören wollen, rief Gentz.

Vielleicht weil Sie so leise und in sich hinein sprachen, daß Niemand Sie hören konnte, sagte Metter= nich. Aber ich bin Ihnen deshalb nicht gram, denn ich weiß, daß Ihr Naturell Ihnen nicht erlaubte lauter zu sprechen, daß Sie aber tief in Ihrem Herzen über mich trauerten, und an Ihrem Schreibtisch alle Mal den Muth finden würden, mich zu vertheidigen.

Ew. Durchlaucht lassen mir nur Gerechtigkeit wi= derfahren, wenn Sie anerkennen, daß ich Sie liebe und verehre, rief Gentz. Ich halte Sie für den einzigen nothwendigen Mann, der jetzt lebt, für den Einzigen, der im Stande ist die Principien der Ordnung und der Fürstengewalt aufrecht zu halten gegen das wüste Freiheitsgeschrei des unsinnigen Volkes. Ich liebe und verehre Sie um Ihres edlen Herzens, Ihrer großen Seele und Ihres reichen Geistes willen, und wenn Sie untergingen, so würde ich es machen, wie es einem treuen Hunde gebührt, ich würde mich auf Ihr Grab legen und da Hungers sterben.

Ah, so weit wollen wir es indeß nicht kommen laffen, daß Sie um meinetwillen dem höchsten aller Ihrer Genüsse, dem Essen entsagen sollen, sagte Metternich lächelnd. Ich will verfuchen, Sie ein wenig zu tröften, aber ich kann doch nicht verhehlen, daß die Sachen für mich in diesem Augenblicke ziemlich mißlich und bedenklich stehen.

Also doch, seufzte Gentz erschauernd, es ist also doch wahr, daß —

Daß Kaiser Alexander wüthend auf mich ist? Ja, das ist wahr! Und es ist auch wahr, daß er den König von Preußen auch gegen mich aufgehetzt hat, und daß Beide sich zum Kaiser Franz begeben haben, um mich bei ihm der Zweideutigkeit, Hinterlist, Falsch= heit, und was weiß ich sonst noch Alles anzu= klagen.

Aber der Kaiser Franz hat ihnen nicht geglaubt,

und sie haben nichts beweisen können? fragte Genz in athemloser Angst.

Doch, sagte Metternich ruhig, sie haben einige ihrer Anklagen beweisen können, denn, — ich will es Ihnen nur gestehen, ich hatte einen, für einen Diplo= maten ganz unverzeihlichen Fehler begangen! Ich hatte mich nicht begnügt mit mündlichen Zusicherungen und Versprechungen, sondern ich hatte das gethan, was man niemals thun muß, wenn man eine Geliebte hat, die man verrathen, oder einen Nachbar, den man zum Bundesgenossen machen will, ich hatte schriftliche Versprechungen gemacht, und diese Schriftzüge mit ihrer nicht abzuleugnenden Wahrheit sprachen gegen mich. Ich habe einen Fehler begangen, und es ist daher ganz natürlich, daß ich ihn büßen muß.

Ew. Durchlaucht glauben also doch, daß Sie ihn werden büßen müssen? fragte Genz kleinlaut.

Ja, ich werde ihn büßen müssen, sagte Metternich, und zwar in sehr empfindlicher Art, denn ich befürchte fast, daß heute das Aergste geschieht, daß —

Daß? fragte Genz athemlos, als Metternich schwieg. Oh, ich beschwöre Ew. Durchlaucht, sagen Sie mir, was kann geschehen?

Es kann geschehen, daß in Folge dieser großen di=

plomatischen Streitigkeiten ein offenes Zerwürfniß aus-
bricht, und daß der Kaiser von Rußland und der König
von Preußen eine fürchterliche Demonstration gegen
Oesterreich und gegen mich machen.

Und worin könnte diese Demonstration bestehen?
fragte Gentz mit zitternder Stimme und aschfarbenem
Gesicht.

Darin, daß die beiden Monarchen heute Abend
nicht auf meinem Balle erscheinen, sagte Metternich
vollkommen ernsthaft.

Ah, mein Gott, rief Gentz unwillig, Sie vermögen
es noch zu scherzen.

Ich scherze gar nicht, sagte Metternich, dies ist
wirklich die einzige Kriegserklärung, die Rußland und
Preußen noch gegen mich machen können, nachdem sie
die andern beim Kaiser Franz schon gemacht haben,
und ich gestehe, sie ist mir unangenehm genug, denn
meine schöne Tochter Clementine käme dann um die
Freude, heute Abend mit dem Grafen Narischkin ihren
russischen Tanz auszuführen.

Also die andere Kriegserklärung, die beim Kaiser
Franz, ist den Monarchen doch mißlungen?

Ja, sie ist ihnen mißlungen. Die Herren Alexander
und Friedrich Wilhelm haben sich bitter über mich be-

schwert, Kaiser Franz hat mich ein wenig verleugnet, hat sich zur Großfürstin Catharina begeben, um sich auch vor den Damen zu vertheidigen, und auch dort mein Betragen zu mißbilligen und zu desavouiren.*) Aber das ist Alles, was die Monarchen erlangen konnten! Kaiser Franz hat mich getadelt, aber er denkt nicht daran, mich entlassen zu wollen, und ich will Ihnen auch sagen, warum er das nicht thut!

Weil er Ew. Durchlaucht liebt, rief Gentz begeistert, weil er Ihre großen Eigenschaften, Ihren edlen Geist kennt, weil —

Nein, ganz einfach, weil er nicht sogleich Jemand weiß, der mich ersetzen könnte, und weil er fürchtet, daß er selber mehr arbeiten, schreiben, unterhandeln und conferiren müßte, also weniger Siegellack fabriciren, Schächtelchen schnitzen und Cello spielen könnte, wenn ich nicht mehr an seiner Seite wäre. Ich weiß nicht, ob er mich liebt, aber er weiß, daß ich ein guter Arbeiter bin.

Ew. Durchlaucht glauben nie an eine uneigennützige und wahre Liebe, seufzte Gentz.

Das wäre auch eine schwer zu verzeihende Thorheit

*) Pertz. IV. S. 248.

für Jemand, der, wie ich, die Welt und die Menschen
kennt, sagte Metternich lachend. Ich werde also, trotz
der Anfechtungen Alexanders und Friedrich Wilhelms
an meiner Stelle bleiben, denn ich bin dem Kaiser
nothwendig, und wenn die Monarchen dies sehen, so
werden sie vielleicht daran denken, mir einige Zu=
geständnisse zu machen, so wie ich auch bemüht sein
werde ihnen einige zu machen, und mir wenigstens
Preußen zu versöhnen. Ich werde also heute noch einen
Vertrauten an Harbenberg schicken, und ihm neue
Vorschläge in Betreff Sachsens machen.

Wollen mich Ew. Durchlaucht mit diesem Auftrag
beehren?

Ja, gehen Sie zu Harbenberg, machen Sie ihm
folgende Vorschläge. Sagen Sie ihm, ein für alle
Mal wolle Kaiser Franz nicht einwilligen, den König
von Sachsen ganz und gar seines Landes zu berauben,
sondern er bestehe darauf, daß ihm ein Theil desselben
verbleibe. Dadurch würden alle Parteien befriedigt,
Frankreich und England könnten sich alsbann nicht be=
schweren, daß das Princip der Legitimität verletzt werde,
denn der König von Sachsen solle ja seinen Thron be=
halten; Preußen und Rußland könnten sich nicht be=
schweren, daß man dem Rechte der Eroberung nicht

Gehör gegeben, und daß Oesterreich sich eifersüchtig und feindlich gegen die Vergrößerung Preußens auflehne. Machen Sie also den Vorschlag, daß Preußen in eine angemessene Theilung Sachsens willige. Diese Theilung soll so eingerichtet werden, daß Preußen die ganze Vertheidigungslinie der Elbe erhält; Kaiser Franz erklärt sich bereit auch Torgau an Preußen gehen zu lassen, wenn dies dafür einwilligt, dem König von Sachsen seine Residenzstadt Dresden, und die Stadt Leipzig als seine beiden Hauptstädte zu lassen, und ihm außerdem einen Landstrich am rechten Ufer der Saale bis zur Oberlausitz und der Böhmischen Grenze mit anderthalb Millionen Seelen zurück zu geben.*) Dafür solle aber Preußen eine größere Entschädigung am Rhein und in Westphalen erhalten.

Nun, ich denke, Preußen wird, so ländergierig es immer sein mag, doch sich mit diesen Anerbietungen zufrieden erklären, rief Gentz.

Wenn es das ist, so wollen wir gleich in der nächsten Conferenz diese neuen Anträge den andern Mächten vorlegen, damit endlich diese unleidliche sächsische Frage zur Entscheidung komme, sagte Metternich.

---

*) Pertz. IV. 287.

Preußen wird wenigstens in den ihm von Ihnen ge=
machten Vorschlägen Oesterreichs guten Willen, den
Frieden und die Eintracht zu erhalten, erkennen müssen.
Sagen Sie dem Minister von Hardenberg, daß ich
dies sehnlichst wünsche, und daß, wenn er mir auch
einen Beweis seines guten Willens geben wolle, er
den König von Preußen überreden möge, mir die Ehre
zu erzeigen, heute Abend auf meinem Fest zu erscheinen.
Wahrhaftig, ich dächte doch, für dreiviertel des schönen
reichen Sachsenlandes könnte er mir diesen Wunsch schon
erfüllen!

In diesem Augenblick ward die Thür der Anti=
chambre geöffnet, und der Kammerdiener meldete den
General von Hardegg.

Fürst Metternich ging ihm lebhaft entgegen. Nun,
mein lieber General, sagte er, haben Sie die Güte
gehabt, meine diplomatische Mission zu übernehmen?
Waren Sie beim Kaiser Alexander?

Ja, Durchlaucht, ich war dort, sagte Hardegg ernst,
ich fragte den Kaiser in Ihrem Namen, ob Sie auf
die Erfüllung seines gnädig gegebenen Versprechens noch
immer hoffen dürften, ob der Kaiser die Gnade haben
würde, heute Abend auf Ihrem Ball zu erscheinen.

Und was antwortete Ihnen der Kaiser?

Mühlbach, Napoleon. 4. Abthl. III.   9

Er antwortete mir wörtlich: Hören Sie, Sie sind
Soldat. Metternich hat mich der Unwahrheit gezeiht;
wenn meine Verhältnisse es erlaubten, wüßte ich, was
ich zu thun hätte, aber jetzt muß ich mich damit be=
gnügen, Metternich nicht mehr zu sehen. Ich und
meine ganze Familie werden daher heute Abend nicht
auf seinem Ballfeste erscheinen. *)

Das heißt, es werden überhaupt auch alle Russen
nicht erscheinen dürfen, murmelte Metternich leise vor
sich hin. Ich werde zum Gespött dieser Menschen
werden, und — ah bah, wir werden sehen, den Din=
gen eine möglichst günstige Seite abzugewinnen, rief er
laut. Ich danke Ihnen, General, daß Sie die Mühe
dieser Sendung für mich übernommen haben. Ich
bitte Sie, Herr Hofrath von Gentz, daß Sie Sich
sogleich mit Ihrer Sendung zum Herrn Staatskanzler
von Hardenberg begeben, und was mich anbetrifft, so
habe ich mir selbst auch noch eine Sendung gegeben,
zu deren Ausführung ich sogleich schreiten werde. Leben
Sie also wohl, meine Herren, heute Abend auf dem
Ball sehen wir uns wieder!

---

*) Des Kaisers eigene Worte. Siehe: La Garde III. und
Perß IV.

131

Der Fürst begrüßte die beiden Herren zum Abschied und begleitete sie mit lächelnder Miene bis zur Thür. Aber kaum hatte sich diese hinter ihnen geschlossen, als seine Züge einen düstern Ausdruck annahmen.

Der Kaiser Alexander will sich auf eine kleinliche Weise an mir rächen, sagte er, aber ich werde versuchen, seiner Rache die Spitze abzubrechen. Möge er selbst mit seiner Familie immerhin heute Abend fehlen, aber er soll mir meine Gesellschaft nicht zerstören, er soll die Russen nicht durch sein böses Beispiel verführen. Wenn heute alle Russen in meinem Salon fehlen, so würde das so aussehen, als ob Oesterreich und Rußland in offenem Kriegszustande lebten, und ganz Europa würde Zeter schreien. Es ist aber noch zu früh dazu! Wir müssen erst sehen, wie sich die Dinge in Frankreich entwickeln. Ich will meine Russen haben! Die Fürstin Bagration muß sie mir locken! Auf also, zu meiner Freundin Bagration!

Der Fürst befahl seinen Wagen vorfahren zu lassen, und rief seinen Kammerdiener, um ihm bei seiner Toilette behülflich zu sein.

9*

VIII.

Die Fürstin Bagration.

Die Fürstin Bagration befand sich in ihrem Toilettenzimmer; sie war in einem reizenden Negligée, und mit
dem ernsthaftesten aller Gegenstände, mit der Wahl
ihrer Toilette beschäftigt. Die glänzendsten Kleider,
die herrlichsten Coiffüren, Spitzen und Blumen lagen
auf den Stühlen und Tischen um sie her, und daneben
standen die geöffneten Etuis mit den kostbarsten und
glänzendsten Schmucksachen.

Indeß die Fürstin hatte für alle diese Dinge, welche
sonst so oft ihr Herz erfreuten, heute gar keinen Sinn.
Sie ging langsam, die schönen Arme über der Brust gefalten, zwischen den Blumen, den Spitzen und Roben
auf und ab, und blieb nachdenklich zuweilen vor der
großen Psyche stehen, die zwischen den Fensterpfeilern
stand. Dann schauete sie mit einem seltsam ängstlichen

und befangenen Ausbruck auf ihr Spiegelbild hin, schüttelte dann heftig ihr Haupt und flüsterte leise: „nein, ich unternehme es nicht," und entfernte sich hastig von dem Spiegel, um ihr Auf= und Abwandeln wieder von Neuem zu beginnen.

Noch einmal trat sie zum Spiegel, prüfte ihr Angesicht, prüfte es mit einem Ausbruck von Angst, Entsetzen und Kummer. Dann trat sie seufzend zurück, und wieder sagte sie: „nein, ich unternehme es nicht."

Nun verließ sie mit hastigen Schritten, gleichsam, als habe sie jetzt einen festen Entschluß gefaßt, das Toilettenzimmer, trat in ihr daneben belegenes Wohnzimmer, durchschritt es rasch, und sich vor ihrem Schreibtisch niederlassend, begann sie mit fliegender eiliger Hand zu schreiben. Dann faltete sie das Billet zusammen, siegelte und adressirte es, und klingelte heftig.

Sofort öffnete sich die Thür des Vorzimmers und der Kammerdiener trat ein. Hier, tragen Sie dies Billet sogleich zu dem Maler Isabey, befahl die Fürstin. Sagen Sie, daß meine Kammerfrau während Ihrer Abwesenheit im Vorzimmer bleiben und jeden Besuch abweisen soll. Ich bin leidend, sehr leidend, das soll sie Jedermann sagen. Ich könne Niemand empfangen und — hören Sie, wenn Sie vom Baron von Isabey zurückkommen, so gehen Sie sogleich in das Hôtel Metternich, und bestellen Sie dort, ich ließe mich dem Fürsten und der Frau Fürstin gehorsamst empfehlen, und bedauere, heute Abend nicht erscheinen zu können, da ich krank sei und das Bett hüten müsse!

Gott sei Dank, daß ich mich mit meinen eigenen Augen vom Gegentheil überzeugen kann, rief eine Stimme hinter ihr, und wie die Fürstin sich umschauete, gewahrte sie da drüben in der geöffneten Thür des Vorzimmers denjenigen, den sie heute zu vermeiden beschlossen.

Metternich! rief die Fürstin erschrocken. Unangemeldet?

Verzeihen Sie, Fürstin, es war Niemand im Vorzimmer, der mich melden konnte, sagte Metternich, indem er lächelnd vorwärts schritt. Ich stand und wartete auf irgend einen dienstbaren Geist, da hörte ich hier durch die nur angelehnte Thür meinen Namen von Ihren schönen Lippen nennen. Ich glaubte, Sie riefen mich, und trat ein. So bin ich da, und erspare dadurch Ihrem Kammerdiener einen Weg in mein Hôtel. Oder hatten Sie ihm noch schriftliche Botschaft aufgetragen? Soll ich der glückliche Empfänger des Billets sein, das er da in der Hand hat?

Nein, sagte die Fürstin, es ist für Isabey. Gehen Sie, Jean, tragen Sie das Billet zu dem Baron und kehren Sie dann schnell zurück, damit mein Vorzimmer nicht wieder ohne Aufsicht ist.

Ach, das war ein grausamer Ausfall auf mich, seufzte Metternich, als Jean das Zimmer verlassen hatte. Sie wollten sogar Ihren Diener wissen lassen, daß ich in Ungnade gefallen sei, und nur ein Versehen mir heute hier Einlaß gegönnt hat?

Die Fürstin antwortete ihm nicht, sie schien seine Anwesenheit gar nicht zu bemerken, sondern streckte sich gemächlich auf dem Divan aus und lehnte das schöne Haupt langsam und ermattet zurück in die Kissen.

Metternich folgte ihr, und nicht einen Moment wich das Lächeln aus seinem Angesicht. Mit vollkommener Gelassenheit rollte er einen Fauteuil dicht neben den Divan hin, und setzte sich so, daß sein Arm fast das ruhende Haupt der Fürstin berührte.

Ach, welch ein Glück, sagte er aufathmend, welch ein Glück, endlich einmal wieder mit Ihnen allein zu sein, Katharina. Und Sie wollten mir diesen Genuß rauben, Sie wollten sich mir heute entziehen! Grau= same, was that ich denn, um Ihren Zorn zu verdie= nen? Oh, sprechen Sie wenigstens, klagen Sie mich

an, zerschmettern Sie mich, indem Sie das Verdam=
mungsurtheil über mich aussprechen, nur lassen Sie
mich den süßen Laut Ihrer Stimme hören!

Die Fürstin schwieg immer noch, sie starrte zu der
Decke des Zimmers empor, und leise mit den Fingern
auf den Polstern spielend, summte sie halblaut die Me=
lodie eines Liedes vor sich hin.

Oh, welch einen göttlichen Humor meine schöne
Katharina besitzt, flüsterte Metternich. Sie ist so lei=
dend und krank, daß sie sogar den Getreuesten ihrer
Getreuen nicht empfangen wollte, und dennoch, inmit=
ten ihrer Schmerzen, lebt und klingt die süße Musik
der Engel in ihr weiter, und tönt leise, ihr selber un=
bewußt, von ihren Lippen.

Die Fürstin sang nicht mehr, sie schloß die Augen,
als sei sie im Begriff einzuschlummern.

Schlafe, schlafe, meine schöne Katharina, Du letzter
Traum meines Herzens, schlafe, flüsterte Metternich.
Gönne mir das Glück, Deinen Schlummer zu bewachen.
Ja, ich werde bei Dir bleiben, und wär's auch nur,
damit die Vorübergehenden meine Equipage vor Deiner
Thür stehen sehen, und also wissen und erkennen, daß
Du nicht bist, wie die Andern, daß Du mich nicht ver=
leugnest und verstößt, weil der Kaiser Alexander für

einen Tag die Laune hat, sich als meinen Feind zu
betrachten. Nein, die edle, hochherzige Fürstin Bagra=
tion, die ist nicht feig und engherzig, wie es die An=
dern sind, die wird es nicht machen, wie die Herzogin
von Sagan, sie wird den Freund nicht verleugnen in
der Stunde der Verlegenheit.

Die Fürstin Bagration schlief nicht mehr. Sie
hatte ihre schönen Augen groß und weit geöffnet, und
das Haupt ein wenig dem Fürsten zuwendend, schaute
sie ihn an mit fragenden, forschenden Blicken.

Oh, sagte Metternich gedankenvoll, und gleichsam
nur zu sich selber sprechend, wie wird sie sich ärgern,
wie wird sie sich beschämt fühlen, diese stolze Herzogin,
wenn sie hört, daß Katharina Bagration den Muth
hat, ihr zu trotzen, daß Katharina, größer, edler, selbst=
ständiger, wie die Herzogin, nicht achtet auf den Bann=
spruch, den jene gegen mich geschleudert. Ach, es wird
der Herzogin, welche vermeint, daß sie es ist, die hier
die tonangebende Puissance der Gesellschaft ist, es wird
ihr seltsam imponiren, daß die Fürstin Bagration den
kühnen Muth hat, ihr zu trotzen, daß sie den armen
Fürsten Metternich empfängt, von dem die Herzogin
gestern Abend gesagt hat: „er ist ein todter Mann, und
selbst die Bagration wird ihn nicht mehr auferwecken

dürfen. Selbst die Bagration wird dies Mal meinem
Beispiel folgen, und sich mir unterordnen müssen.

Das hat sie gesagt? rief die Fürstin, sich rasch auf=
richtend, und den Fürsten mit flammenden Blicken
anschauend. Wie? Sie hat behauptet, ich würde
ihrem Beispiel folgen, ihr mich unterordnen müssen?
Was will sie denn? Was ist es denn, das sie be=
absichtigt?

Sie waren also gestern nicht auf der Soirée?
fragte Metternich, der es gar nicht zu beachten schien,
daß er die Fürstin besiegt, daß er sie doch endlich
gezwungen hatte, ihm Antwort zu geben. Sie fehlten
also gleich mir auf dieser Soirée bei der Kai=
serin?

Nein, ich war dort, sagte die Fürstin hastig, ich
bekam auch meinen Theil von dem Ingrimm, den der
Kaiser Alexander auf Sie geworfen. Er beschuldigte
mich, daß ich eine heimliche Bonapartistin sei, da ich
mit Ihnen verkehre, und Sie ohne alle Frage mit
Bonaparte auf Elba conspirirten. Ich lachte dazu und
vertheidigte sie, und der Kaiser wandte sich achsel=
zuckend von mir ab. Aber was hat die Sagan mit
allen diesen Dingen zu thun? Was hat sie von mir
gesagt? Hinter meinem Rücken gesagt, wie sie das zu

thun pflegt? Ich verließ die Soirée früher, als sie, denn ich fühlte mich unwohl.

Nein, sagte Metternich, ihre Hand nehmend und sie an seine Lippen drückend, nein Sie fühlten sich nicht unwohl, sondern Ihr großmüthiges Herz wollte es nur nicht ertragen, daß man Denjenigen, welchen Sie Ihren Freund nannten, verläsierte und verhöhnte.

Aber was hat die Sagan gesagt? rief die Fürstin ungedulbig.

Sie hat, nachdem der Kaiser Alexander sich eine Zeitlang leise und angelegentlich mit ihr unterhalten, sich dem Kreise der Damen zugewandt, und zu allen russischen Damen hingehend, hat sie, laut genug, um auch von allen andern Damen verstanden zu werden, gesagt: der Kaiser hat mir eben gesagt, daß weder er, noch die Kaiserin, noch irgend Jemand von der kaiserlichen Familie morgen auf dem Ball des Fürsten Metternich erscheinen werde. Es ist daher für uns Alle eine Ehrenpflicht, der kaiserlichen Familie nachzuahmen. Ich selber, ich, welche man die Freundin des Fürsten Metternich nennt, ich werde nicht auf den Ball des Fürsten erscheinen, und ich denke, selbst die Fürstin Bagration wird nicht die Verwegenheit haben, dem Unwillen des Kaisers trotzen zu wollen. Sie wird

meinem Beispiel folgen und sich dem allgemeinen Ana=
them unterordnen müssen."

Unterordnen? Ich mich unterordnen! rief die Für=
stin. Ah, diese Frau Herzogin von Sagan, welche
immer ihre Meinung abhängig macht von dem Wind,
der von dem Kaiserhof herüberweht, diese kluge Frau
Herzogin, die vor lauter Klugheit immer feig und un=
selbstständig ist, sie soll sich doch in mir geirrt haben!
Sie soll zu ihrer Beschämung erkennen müssen, daß
Katharina Bagration wirklich die Verwegenheit hat,
dem Unwillen des Kaisers zu trotzen, daß ihre Freund=
schaft und Zuneigung nicht wechselt, wie der Wind,
sondern, daß sie dauernd und beständig ist, wie ein
Fels im Meer! — Es war meine Absicht, heute nicht
zu Ihrem Balle zu kommen, aber nicht, weil der Kai=
ser Alexander Ihnen grollt, sondern weil ich der Kaise=
rin Ludowika beweisen wollte, daß ich wirklich krank
sei, und daher morgen nicht Theil nehmen könne an
der Darstellung der lebenden Bilder. Aber jetzt komme
ich, mein Freund. Ja, ich komme! Katharina Bagra=
tion wird die Verwegenheit haben, auf Ihrem Ball zu
erscheinen, und sie wird mit Ihnen den ersten Tanz
tanzen.

Ach, wie himmlisch Katharina Bagration da vor

mir steht, rief Metternich begeistert, wie eine Heldin ist sie anzuschauen mit den kühnen, flammenden Augen und dem stolz wogenden Busen. Aber ich unglücklicher, nüchterner Erdenmensch muß meine heldenmüthige Jeanne d'Arc doch aus ihrer Begeisterung wecken. Sie darf nicht für mich sich in den Kampf stürzen, denn meine Feinde sind stark und mächtig, und wie die Jeanne d'Arc des unglücklichen Königs von Frankreich von den Engländern verbrannt ward, so wird die Jeanne d'Arc des unglücklichen Fürsten Metternich von den Russen auf den Scheiterhaufen gebracht werden.

Immerhin, rief die Fürstin mit einem stolzen Lächeln, ich werde den Scheiterhaufen als meinen Thron be= trachten, und wenn man Feuer an denselben anlegt, nun so werde ich wie ein Phönix aus der Asche em= porsteigen. Ich komme heute Abend auf Ihren Ball.

Aber bedenken Sie, meine Heldin, daß Sie die einzige Russin sein werden! Die Herzogin von Sagan, voll glühenden Eifers dem Kaiser Alexander zu dienen, damit er ihr wieder diene, und ihr ihre Besitzungen in Kurland garantire, die Herzogin fährt heute Morgen bei allen russischen Damen vor, und ermahnt sie, dem Beispiel des Kaisers und der Kaiserin zu folgen, und heute nicht auf meinem Ball zu erscheinen.

Ah, ich werde sogleich Toilette machen, ich werde auch umherfahren, rief die Fürstin. Ich werde meinen Landsmänninnen sagen: „der Kaiser erscheint nicht auf dem Ball des Fürsten Metternich, weil er sich persön= lich von ihm beleidigt fühlt; aber wir dürfen daraus nicht eine politische Demonstration machen. Wir dür= fen eine persönliche Mißstimmung des Kaisers nicht zu einer Kriegserklärung Rußlands gegen Oesterreich er= heben, wir dürfen Europa nicht das Schauspiel bereiten, daß die Mächte, welche sich hier zum Friedens=Congreß versammelt haben, nicht einmal im Stande sind unter= einander in Frieden zu leben. In einigen Tagen wird die Mißstimmung des Kaisers verflogen sein, denn Metternich wird sich vor ihm zu rechtfertigen wissen, und dann wird Alexander es uns Dank wissen, daß wir uns nicht haben fortreißen lassen von seinem Zorn, daß wir ihm die Versöhnung und das Einlenken nicht durch unsere Demonstration noch erschwert haben."

Oh, wenn Sie so sprechen, Katharina, mit dieser edlen Ruhe, diesem erhabenen Ausdruck, dann werden Alle sich von Ihnen hingerissen fühlen, dann werden Alle die schlauen Worte der Herzogin vergessen, und Ihnen, nur Ihnen folgen!

Ah, ich will doch sehen, wer hier mächtiger ist, sie

ober ich, sagte die Fürstin, indem sie mit blitzenden
Augen, mit glühenden Wangen, ganz Aufregung und
Bewegung mit großen Schritten im Zimmer auf= und
abging. Ich will doch sehen, wer von uns Beiden
endlich den Sieg davon tragen wird. Sie, welche nie=
mals den Muth einer eigenen Meinung hat, oder ich,
welche immer den Muth derselben hat. Es ist ewiger
Kampf zwischen uns, nur daß sie gegen mich mit tau=
send Stecknadeln kämpft, und ich nur das einzige
Schwert der Wahrheit in meinen Händen halte. Ueberall,
ja überall ist sie meine Rivalin gewesen, in meinem
Haß sowohl, wie in meiner Liebe, und doch haßt sie
nichts, und doch liebt sie nichts! Sie konnte lächeln,
und heiter sein in den Tagen unseres Unglücks, sie
konnte Bonaparte einen großen Mann nennen, und ihn
bewundern, weil sie sah, daß alle Welt ihm zu Füßen
lag. Ich aber, ich haßte ihn auch damals, und als
alle Welt ihn pries, da habe ich ihn immer noch laut
und mit Thränen des Zorns verwünscht! Jetzt freilich
prahlt sie mit ihrem Haß, jetzt giebt sie sich den An=
schein zu Bonapartes glühenden Feindinnen zu gehören,
aber sie thut es doch nur, weil sie dem Kaiser Alexan=
der damit schmeicheln will, nicht, wie ich, aus dem
tiefsten Instinct der Seele.

Katharina, sagte Metternich, vor ihr, die immer noch heftig auf= und abging, sich hinstellend, und sie so zwingend, einen Moment still zu stehen, Katharina, Sie sprachen von Ihrem gemeinsamen Haß. Wollen Sie nicht auch von Ihrer gemeinsamen Liebe sprechen?

Nein, rief die Fürstin glühend, nein, wir haben keine gemeinsame Liebe. Denn die Liebe geht bei ihr nicht tiefer wie der Haß. Sie tanzt bei ihr nur auf den Lippen, bei mir ruht sie tief im Herzen. In der Stunde der Gefahr verläßt sie Den, welchen sie liebt, ich, ich suche ihn auf in der Stunde der Gefahr, um an seiner Seite zu bleiben. — Ich komme heute Abend zu Ihrem Ball, Clemens, und ich komme mit allen meinen Freundinnen und Freunden.

Fürst Metternich sank vor ihr auf die Kniee nieder und blickte mit einem Ausdruck strahlenden Entzückens zu ihr empor.

Venus, meine Venus, ich danke Dir, flüsterte er.

Die Fürstin brach in ein lautes fröhliches Lachen aus. Nein, sagte sie, ich bin nicht Venus, will nicht Venus sein. Das ist es ja eben, um was ich seit drei Tagen zanke und streite, was die ganze Truppe der Kaiserin in Verzweiflung bringt. Niemand will

Venus sein. Aber still, was ist das für ein Geräusch im Vorzimmer? Hören Sie nur!

Der Fürst eilte nach der Thür hin und lauschte. Es scheint ein Besuch zu sein, der sich durchaus nicht will abweisen lassen, flüsterte er. Er sagt, er müsse die Fürstin Bagration sprechen. Die Kaiserin Ludovica sende ihn her.

Ach, ich erkenne die Stimme, rief die Fürstin, es ist Isabey, der arme Isabey, dem ich eben ein Absagebillet gesandt habe. Nun, wenn er von der Kaiserin kommt, muß ich ihn wohl annehmen, umsomehr, da er auch wahrscheinlich vor meiner Thür Ihre verrätherische Equipage gesehen hat. Oeffnen Sie ihm also die Thür, wenn ich bitten darf.

Der Fürst stieß rasch die Thür auf. Herr Baron Isabey, sagte er, die Frau Fürstin ersucht Sie, einzutreten.

Gott sei Dank, rief Isabey, mit erhitztem Gesicht durch das Vorzimmer herbeistürzend. Ich habe also durch mein unanständiges Schreien und Poltern doch mein Ziel erreicht, die Frau Fürstin hat mich gehört, und ihr Herz ist gerührt worden.

Er näherte sich der Fürstin, und mit halb wehmü-

thigem, halb zürnendem Gesicht in ihr rosiges, lächeln-
des Antlitz schauend, rief er: Und Sie wollen behaupten, daß Sie nicht schön genug sind? Sie wagen
es, dieses Antlitz so zu beleidigen, daß Sie ihm nach-
sagen, es sei einer Venus nicht würdig? Ich bitte
Sie, Fürst Metternich, stehen Sie mir bei, helfen Sie
mir die Frau Fürstin zu überzeugen, daß sie sich selber
verlästert! Denken Sie nur, Durchlaucht, die Frau
Fürstin will keine Venus sein? Was sagen Sie dazu?
Sie schlägt es aus, eine Venus zu sein?

Die Fürstin blickte mit einem schalkhaften Lächeln
in Metternich's erstauntes Angesicht und brach dann
in ein lautes, fröhliches Lachen aus.

Nein, rief sie, ich will keine Venus sein.

Oh, dieser Olymp tödtet mich noch, seufzte Isabey.
Herr Fürst, Sie sehen in mir den unglückseligsten aller
Götterboten! Diese olympischen Götter bringen mich in
Verzweiflung, und hiermit schwöre ich feierlich, daß,
wenn die Fürstin durchaus nicht Venus sein will, so
lege ich mein Amt nieder, und kümmere mich um den
ganzen Olymp nicht mehr.

Aber ich bitte Sie, haben Sie Erbarmen mit mir,
rief der Fürst, was bedeutet denn dies Alles? Wo
hat sich denn der Olymp auf die Erde niedergelassen,

unb feit wann hat er ben Baron Jfabeh, ben Maler
bes Congreffes, zu feinem Götterboten ernannt?

Ach, feit bie Kaiferin Ludovica fich bie Gefellfchaft
ber Troubadoure gefchaffen, welche lebenbe Bilber auf=
führt, ächzte Jfabeh, unb feit ich Unglücklicher bie Kühn=
heit hatte, bem Wunfch ber Kaiferin gemäß bas Ar=
rangement bes Olymps zu übernehmen.

Ach, rief Metternich lächelnb, jetzt begreife ich. Es
follen morgen bei bem Hoffeft lebenbe Bilber aufge=
führt werben, nicht wahr? Unb wir werben bas Glück
haben, ben ganzen Olymp fich ben Augen ber Sterb=
lichen enthüllen zu fehen?

Ja, Sie werben bas Glück haben, feufzte Jfabeh,
wenn nämlich bie Göttin Eris nicht wieber einen neuen
Zankapfel auf bie Göttertafel rollt. Geftern war biefer
Zankapfel ein Schnurrbart, heute ift es eine römifche
Nafe.

Geftern war es ein Schnurrbart? fragte Metternich
mit einem fo erftaunten Geficht, baß bie Fürftin wieber
ein lautes fröhliches Lachen anftimmte.

Ja, fagte fie, geftern unb auch vorgeftern fchon
war ber olympifche Zankapfel wirklich ein Schnurrbart,
unb nur bas Machtwort einer Kaiferin konnte ihn

10*

verschwinden machen. Denken Sie nur, Fürst, Graf Wrbna, der den Apollo darstellen soll, hatte die Vermessenheit, seinen Apoll mit dem schönen und stattlichen Schnurrbart, der seine Oberlippe beschattet, repräsentiren zu wollen. Denken Sie doch nur, Apollo mit einem Schnurrbart! Selbst der Herzog von Coburg, der den Jupiter darstellt, hat sich seinen Bart abnehmen lassen, obwohl es dem Gott der Götter doch am ersten erlaubt sein könnte, einen Bart zu tragen. Auch Graf Zichy, der den Kriegsgott Mars repräsentirt, hat seinen Bart auf dem Altar der Götter niedergelegt. Und Apoll, der Gott der Künste, der Jugend und der Schönheit, der machte die Prätension, seinen Schnurr= bart conserviren zu wollen.

Und mit einem Eigensinn, der durch nichts, weder durch vernünftige Vorstellungen, noch durch Schelten und Zürnen besiegt werden konnte, seufzte Jsabey. Wahrhaftig, man hätte glauben sollen, Graf Wrbna habe einen Schwur geleistet, sich nur mit dem Leben von seinem Schnurrbart zu trennen. Apoll mit einem Schnurrbart! Sagen Sie, Durchlaucht, ist das nicht ein Gedanke, ganz dazu geeignet, einen Künstler in Verzweiflung zu bringen?

Ja wohl, ein fürchterlicher Gedanke, sagte Metter=

nich lächelnd. Und wie ist es Ihnen denn gelungen, das Entsetzliche abzuwenden?

Wir haben uns endlich in unserer höchsten Noth an die Kaiserin Ludovica gewandt, rief die Fürstin. Wir mußten wohl zu diesem großen Mittel unsere Zuflucht nehmen! Und es half. Die Kaiserin ließ sich herab, die Vermittlerin zu machen, sie wußte den eigensinnigen Grafen Wrbna mit so liebenswürdigem Humor zu verspotten und zu verhöhnen, daß er, verführt von ihrem Lächeln und ihrem Spott, sich für überwunden erklären mußte. Er verließ den Salon und kehrte in einer halben Stunde mit einer Oberlippe, so weiß und zart, wie die eines jungen Mädchens, zurück. Die ganze Truppe der Troubadours, ja die Kaiserin selbst, empfing ihn mit lautem Beifallsjubel, und nie hat der Apollo der Alten einen schönern Sieg gefeiert, als dieser Apollo des Wiener Congresses. *)

Und jetzt, da wir endlich hofften am Ziel zu sein, alle Schwierigkeiten überwunden zu haben, jetzt will die Fürstin Bagration uns neue Hindernisse bereiten, klagte Isabey. Denken Sie, Durchlaucht, ich erhalte so eben ein Billet von der Fürstin, in welchem sie mir

---

*) Comte de la Garde. II. S. 18.

melbet, baß sie die Venus nicht übernehmen könne. Ihr Gesicht sei nicht geeignet dazu, sie habe eine römische Nase, und das gezieme sich nicht für eine Venus.

Ja, rief die Fürstin, eine Venus mit einer römischen Nase ist eine eben so große Unmöglichkeit wie Apoll mit einem Schnurrbart. Da ich mir aber meine Nase nicht, gleich dem Schnurrbart des Apoll abrasiren lassen kann, so bleibt es dabei, ich entsage der Venus.

Das heißt, sagte Metternich mit einem feinen Lächeln, Sie wollen sie nur nicht darstellen?

Nein, ich will sie nicht darstellen, rief die Fürstin. Ich will nicht die Medisance, die Bosheit meiner lieben Freundinnen hervorrufen. Ich bebe zurück vor der Vermessenheit, die Göttin der Schönheit darstellen zu wollen. Die Herzogin von Sagan würde mir das nie vergessen; um sich zu rächen, würde sie sagen, ich sei so alt wie Methusalem, und statt der Mutter des Amor könne ich lieber die Mutter aller Götter dar= stellen! Nein, nein, es bleibt dabei, ich übernehme die Venus nicht.

Gut, dann lege ich auch mein Amt als Ceremonien= meister der Götter nieder, sagte Isabey. Mag die Kai= serin sich einen andern Ceremonienmeister für ihren Olymp suchen. Ich bin es müde, den Göttern zu

bienen, und werde mich darauf beschränken, den Con=
greß zu malen.

Ich kann nicht, nein, ich kann die Venus nicht
übernehmen, sagte die Fürstin. Ich zittere vor der
Kühnheit dieses Unternehmens, und dann, ich gestehe,
es widerstrebt meinem Stolz, so wie auf offenem Scla=
venmarkt mein Antlitz Preis zu geben, Jedermann zu
erlauben, seine Glossen zu machen, und mein Gesicht,
wie eine Waare zu prüfen. Und dazu fordert die un=
glückliche Rolle der Venus heraus, es ist eine provo=
zirende Rolle, — ich übernehme sie nicht.

Ich glaube, es gäbe ein Mittel, die Parteien zu
versöhnen, sagte Metternich lächelnd.

Ein Mittel, rief Isabey, oh, ich beschwöre Sie,
Durchlaucht, nennen Sie dies Mittel!

Ja, nennen Sie es, sagte die Fürstin, und ich gebe Ihnen
mein Wort, wenn ich es vermag, will ich es annehmen.

Herr Baron Isabey, sagte Metternich, Sie haben
Recht, Niemand ist so berufen und so geeignet, die
Venus darzustellen, als die Frau Fürstin Bagration,
und selbst der wirkliche Olymp würde sie mit freudigem
Stolz als solche anerkannt haben. Frau Fürstin Ba=
gration, Sie haben Recht, es ist provozirend, und einer
wahren, hoheitsvollen, reinen Schönheit nicht ganz

würdig, gleichsam ihre Schönheit auszubieten, und ihr
Gesicht, wie Sie sagten, gleich einer Waare prüfen zu
lassen. Die Schönheit der Venus ist über allen Ver=
gleich erhaben, und man hat nicht nöthig, ihr Antlitz
zu schauen, um sie zu erkennen. Und Venus hat nicht
nöthig, ihr Antlitz zu zeigen, um zu siegen. Zudem
ist ein schönes Gesicht nicht eine so gar große Selten=
heit. Auch Juno, auch Minerva glänzen durch die
Schönheit ihres Angesichtes. Aber was die Venus
über alle Göttinnen erhebt, das ist die Schönheit der
Gestalt, das sind die Götterformen! Ich habe alle die
Statuen der Venus gesehen, welche das schöne Hellas
uns überliefert hat, wollen Sie mir erlauben, Ihnen
zu sagen, welche von Allen mir am Schönsten erschie=
nen ist? Die Venus von Milos, die Statue, deren
größte Schönheit in ihrer herrlichen Gestalt, in ihrem
wunderollen Rücken sich darstellt. Ein schöner Rücken
ist aber die größte Seltenheit, viel seltener, als ein
schönes Gesicht, und die Frau Fürstin Bagration, glaube
ich, besitzt diese seltene Schönheit.

Ah, rief Isabey, jetzt begreife ich. Sie meinen,
wir sollten etwas ganz Neues, wunderoll Pikantes
unternehmen. Wir sollten die Venus von der Rück=
seite darstellen?

Ja, das meine ich, sagte Metternich. Sie wollen
die Götter des Olymps bei ihren Tafelfreunden darstellen. Sie werden es also nicht zu vermeiden haben,
einige der an der Tafel Sitzenden von hinten darzustellen. Lassen Sie also die Venus sich darstellen in
der Attitude der Venus von Milos, mit entblößtem
Rücken, die Hüften leicht umschürzt von silberfunkelnden
Gewändern, die nur im leichten Spiel der Bewegung
von den Schultern niedergesunken sind. Machen Sie
Ihre Arrangements so künstlerisch und decent, wie Sie
wollen, nur stellen Sie die Venus dar, die Göttin der
Schönheit, welche nicht ihres Gesichtes bedarf, um zu
siegen. Nun, Fürstin, was sagen Sie, nehmen Sie
meinen Vorschlag an?

Ich sage, daß Sie der größte, der bewunderungs-
würdigste, geschickteste aller Diplomaten sind, rief die
Fürstin lachend. Ich sage, daß ich nun nicht mehr
zweisle, Sie werden auch die Streitigkeiten der Congreß-
herren schlichten, da es Ihnen schon gelungen, die Streitigkeiten der Götter zu versöhnen. Ja, ich nehme Ihren
Vorschlag an. Ich bin bereit, die Rolle der Venus zu
übernehmen, aber ich werde sie von hinten darstellen und
der neugierigen Menschenwelt nur ihren Rücken zeigen. *)

*) Méneval: Mémoires. Vol. III. S. 123.

Aber ich, flüsterte Metternich lächelnd, ich werde mich hinter die Göttertafel schleichen, um das Antlitz der Venus zu sehen!

Gott sei Dank, sagte Isabey aufathmend, Ew. Durchlaucht hat den Olymp gerettet. Aber nun, Fürstin, wage ich, Sie daran zu erinnern, daß heute morgen in den Gemächern der Kaiserin Probe ist. In einer halben Stunde erwartet die Kaiserin die Götter und Göttinnen.

Und die Venus soll ihr nicht fehlen, rief die Fürstin. Ich werde eilen, meine Toilette zu machen. Nach der Probe, sagte sie leise zu Metternich, nach der Probe aber mache ich meine Besuche und es wird mir schon gelingen, diejenigen, welche die Herzogin sich angeworben, wieder in unser Lager herüber zu ziehen.

Ich zweifle nicht daran, denn der Venus gelingt Alles, sagte der Fürst. Und heute Abend, Fürstin?

Heute Abend erscheine ich mit allen meinen Truppen bei Ihrem Fest. — —

Am Abend strahlten die Säle des Metternich'schen Hôtels im vollen Glanz der Kerzen und des reichen Schmucks der Verzierungen. Und in diesen Sälen bewegte sich eine glänzende Gesellschaft, an deren Spitze der Kaiser und die Kaiserin von Oesterreich mit allen

Erzherzogen und Erzherzoginnen sich befanden. Auch
der König von Baiern war da und alle die kleinen
deutschen Herzoge und Fürsten, und alle die berühmten
und unberühmten Diplomaten des Congresses, und
strahlend von Schönheit, Hoheit und freudigem Stolz
stellte sich die Fürstin Bagration dar. Aber das Ge=
folge ihrer Freunde und Freundinnen war nur gering.
Selbst der Ueberredungskunst der Fürstin hatte es nur
bei wenigen ihrer russischen Landsleute gelingen können,
sie zu ermuthigen, daß sie dem Unwillen ihres Kaisers
Trotz zu bieten, und in einer Gesellschaft zu erscheinen
wagten, welche das Stirnrunzeln und Mißfallen des
Kaisers erregt hatte.

Fürst Metternich, strahlend von Heiterkeit, allen
seinen Gästen der aufmerksamste, liebenswürdigste Wirth,
wanderte mit dem Ausdruck unendlicher Befriedigung
und Freude durch die Reihen seiner Gäste dahin und
schien es fast gar nicht zu bemerken, daß fast alle die
vornehmen russischen Familien, gleich dem Kaiser und
der kaiserlichen Familie auf seinem Feste fehlten. Nicht
einen Moment wich das Lächeln von seinen Lippen,
und nur ganz leise sagte er zu sich selber: es ist Alles
gut so wie es ist. Freilich fehlt mir hier Rußland!
Aber Rußland wird mir schon wieder kehren, und dann

soll es mir den heutigen Abend theuer bezahlen! —
Und während er das leise zu sich selber sagte, näherte
er sich der Fürstin Bagration.

Venus, flüsterte er leise, ich danke Ihnen, daß Sie
hier sind. Was kümmert mich Jupiter mit seinem
ganzen Olymp, wenn ich die Venus an meiner Seite
habe?

Auch Jupiter wird Ihnen wiederkehren, sagte die
Fürstin, Venus wird das Herz des Gottes der Götter
zu wenden suchen! Ach, Venus ist Ihnen so viel Dank
schuldig! Der ganze Olymp war heute entzückt von
der neuen pikanten Idee, die Venus von der Rückseite
darzustellen, und ich feierte mit meinem Nacken und
Rücken einen größern Triumph, wie ihn nur je das
schönste Antlitz feiern kann.

Aber um des schönen Nackens willen dürfen wir
doch Ihr schönes Götterantlitz nicht vergessen, flüsterte
Metternich. Die kaiserliche Truppe der Troubadours
ist nicht immer gut geschminkt. Es scheint mir, Ihr
Garderobenmeister legt zu wenig Werth darauf, und
doch kann das schönste Gesicht durch das falsche Auf-
legen der Schminke entstellt werden. Wann ist morgen
die Generalprobe Ihres Olymps?

Um zwölf Uhr.

Darf ich vorher zu Ihnen kommen und Sie schminken?

Kommen Sie, Freund!

Gut, Theuerste, ich komme, und ich werde das Glück haben, meine Venus erröthen zu machen. Niemand versteht es besser als ich, den Damen die Schminke aufzutragen, und wahrhaftig, ich denke, das ist eine Arbeit, ganz würdig eines Diplomaten. *)

*) Fürst Metternich beschäftigte sich zur Zeit des Wiener Congresses in der That sehr viel mit den Arrangements der Hoffeste, und hielt es nicht unter seiner Würde, die Damen mit eigener hoher Hand zu schminken. Der Freiherr vom Stein schreibt darüber an seine Frau: „Metternich's Frivolität zeigt sich ungeachtet der Crisis der großen Angelegenheiten unvermindert. Er beschäftigt sich mit Anordnung der Hoffeste, lebenden Gemälden u. s. w. bis in die größten Kleinigkeiten, sieht dem Tanz seiner Tochter zu, während Castlereagh und Humboldt zu einer Conferenz auf ihn warteten, legt den Damen, die bei den lebenden Bildern erschienen, Roth auf u. s. w." Siehe: Pertz, Leben des Freiherrn vom Stein. IV. S. 258.

IX.

Der Mordversuch.

Endlich jetzt, zu Ende des Monats Februar, begannen die Unterhandlungen des Congresses sich ihrem Ziel zu nähern und eine Einigung unter den streitenden Parteien schien endlich zu Stande kommen zu können.

Fürst Metternich hatte, um die Aufregung Preußens über seine letzte widerspruchsvolle Note zu beschwichtigen, und um sich durch Preußen vielleicht mit Rußland zu versöhnen, es für nöthig erachtet, einige Zugeständnisse zu machen und dem Staatskanzler von Hardenberg einen neuen Plan, behufs einer Theilung Sachsens, übersandt.

Preußen war im Wesentlichen mit diesem Plan einverstanden gewesen, und nachdem man in mehreren Conferenzen der vereinigten Diplomaten über denselben unterhandelt hatte, war man endlich zu einer Art Einigung gelangt.

Preußen hatte sich nachgiebig und bereit gezeigt, den
Wünschen und dem Begehr der übrigen Monarchen
Gehör zu geben und den König von Sachsen nicht ganz
und gar seines Thrones zu berauben. Es hatte sogar
eingewilligt, dem König Friedrich August seine Residenzstadt Dresden nicht allein, sondern auch seine Handelsstadt Leipzig zu lassen. Aber für diese Nachgiebigkeit
war Preußen entschädigt worden durch die Großmuth
des Kaisers Alexander, der dem König von Preußen die
Stadt Thorn, welche Alexander bis dahin für sein
Königreich Polen bestimmt hatte, abzutreten versprach,
wenn Friedrich Wilhelm dafür Leipzig aufgeben wolle.
Preußen nahm dieses Erbieten an und erklärte sich mit
der ihm zugestandenen Hälfte des Königreichs Sachsen,
mit 855,000 Seelen, zufriedengestellt, da es seine andere
Entschädigungen an beiden Ufern des Rheins und durch
Lauenburg erhalten sollte, und ihm dieselbe von allen
Mitgliedern des Congresses feierlich zugesagt worden war.
    Auch die andern Steitigkeiten des Congresses be-
gannen allgemach sich zu schlichten, oder vielmehr, die
Monarchen, des langen Haderns und Streitens müde,
waren bereit den gordischen Knoten, den die gewandten
Hände ihrer Diplomaten nicht zu entwirren vermochten,
zu zerschneiden, das heißt, allen Zwistigkeiten und

Hemmnissen dadurch ein Ende zu machen, daß sie, un=
bekümmert über das Zustimmen oder Ablehnen des
Congresses, unbekümmert um das Wollen und Begeh=
ren der Völker, aus eigener Machtvollkommenheit sich
in Besitz der Länder, Provinzen, Titel und Gerechtsame
setzten, die sie bis dahin vergeblich vom Congreß bean=
sprucht hatten.

Der Kaiser von Rußland hatte also bereits mit
fester Entschiedenheit erklärt, er werde, nicht achtend
des allgemeinen Widerspruchs, ein selbstständiges, con=
stitutionelles Königreich Polen errichten, und sich zu dem
König desselben erklären.

Der Kaiser von Oesterreich hatte eben so entschie=
den und feierlich erklärt, er werde nicht allein die lom=
bardischen Provinzen, welche früher schon dem Hause
Oesterreich unterthänig gewesen, wieder in Besitz neh=
men, sondern er werde sich auch Venedig zu Eigen
geben.

Baiern hatte erklärt, daß es von Baden die Ab=
tretung der Pfalz durchaus verlange, weil es doch einer
Entschädigung für die Provinzen bedürfe, welche Oester=
reich ihm zur Abrundung seiner militairischen Grenzen
fortgenommen.

Hannover hatte bereits vom Congreß eine wichtige

Schenkung empfangen, es hatte die Städte Hildesheim und Goslar erhalten, dazu Ostfriesland, die Grafschaft Lingen und einen Theil des Eichsfeldes.

Auch ein neues Königreich hatte der Congreß jetzt schon geschaffen; das Königreich der Niederlande erhob sich aus dem Chaos der Conferenzen, und ward bei seiner Geburt beschenkt mit einem Theil von Westpha=len, dem Bisthum Lüttich, den wichtigen Maasfestungen und einem Theil der gefürsteten Abteien Stablo und Malmedy, und der Fürst von Oranien durfte sich als König der Niederlande die von dem Congreß geschaffene Krone auf sein Haupt setzen.

Freilich hatte man bei diesem Zerreißen von Län=dern und Provinzen, bei diesem Vertheilen der „See=len" Diejenigen, welche in diesen Ländern und Provin=zen wohnten, die Völker, welche man als Seelen ver=schenkte, gar nicht um ihre Einwilligung gefragt; genug daß man die Fürsten befriedigte, mochten diese es nach=her versuchen, sich mit ihren neuerworbenen Unterthanen zu verständigen und zu einigen!

Auch den König von Sachsen hatte man bis jetzt noch nicht gefragt, ob er die Hälfte seines Königreichs aufgeben, mit der andern Hälfte desselben sich zufrieden erklären wolle.

Aber wo hätte der arme, gebeugte, unglückliche Kö=
nig von Sachsen, der zu Preßburg einsam klagte und
weinte, wohl die Mittel und die Kraft hernehmen sollen,
dem Willen des Congresses zu widerstehen? Wo hätte
das unglückliche gebeugte sächsische Volk, das um seinen
König klagte, Gehör finden können, da der Congreß der
deutschen Fürsten es nicht hören wollte?

Das war es, was der Calatravaritter von Sahla
sich immer wieder fragte, das war es, was ihn mit
Verzweiflung und finsterm Zorn erfüllte: Sachsen war
verloren, denn Niemand war da, der es erretten wollte!
Sachsen sollte zerstückelt, zerrissen werden, die Hälfte
des Volkes sollte gezwungen werden, die beschworne
Treue gegen seinen angestammten König zu brechen,
sollte aufhören, sich Sachsen nennen zu dürfen!

Dieser Gedanke erfüllte ihn mit Wuth und Todes=
pein. Er liebte sein Vaterland, sein Sachsen grenzen=
los, er wäre freudig bereit gewesen, sein Leben, sein
Blut für dasselbe hinzugeben, und er konnte es doch
nicht von seinem Unglück erretten, er konnte seinem Kö=
nig sein Land nicht erhalten!

Aber, sagte Sahla mit dumpfem Groll zu sich sel=
ber, wenn ich Sachsen nicht erretten kann, so kann ich
es doch rächen! Wenn ich für meinen König nicht

mein Blut hingeben kann, so kann ich ihm das Blut seines Feindes wenigstens opfern!

Und nun schien er zu grübeln und zu brüten über finstern Entschlüssen, und wilde Gedanken und Pläne schienen sein Inneres zu durchtoben. Tagelang ver= brachte er einsam, düster vor sich hinstarrend in seinem Gemach. Seine verschlossene Thür öffnete sich für Niemand, selbst den einzigen Freund, den er in Wien gefunden, den jungen Grafen Roß, ließ er vergeblich vor seiner Thür um Einlaß flehen. Er hörte seine lie= bevollen Worte, aber er antwortete nicht auf dieselben, und wie lange derselbe auch vor seiner Thür stand, wie viel er auch bat und drohte, wie lange und heftig er auch an dem Schloß rüttelte, die Thür öffnete sich nicht, und Sahla antwortete mit keinem Liebeswort auf die Beschwörungen seines Freundes.

Aber nach drei Tagen finstern Sinnens, gedanken= voller Schweigsamkeit schien Sahla endlich einen festen Entschluß gefaßt zu haben, endlich mit sich einig ge= worden zu sein, über das, was er zu thun habe.

Hatte er die finstern Gedanken besiegt, welche diese drei Tage her in ihm gekämpft? Oder hatte er von denselben sich besiegen lassen, sie zu seinen Herrn an=

11*

genommen, und sich ihren unheilsvollen Befehlen unter=
worfen? —

Es sei so! rief er mit lauter, machtvoller Stimme,
gleichsam beschwörend die Rechte gen Himmel erhebend,
ich habe geschworen, mein Vaterland und meinen König
zu retten oder wenn mir dies versagt ist, sie zu rächen!

Nun schien wieder Leben und Bewegung ihn zu
durchglühen, nun ging er wieder geschäftig in seinen
Zimmern hin und her, verließ, in seinen Mantel dicht
gehüllt das Haus, welches er bewohnte, und wanderte
rasch und eilig durch die Straßen Wiens, hier und
dort in einen Laden eintretend, und allerlei Einkäufe
machend, die er dann eilig wieder in seine Wohnung
trug und in seinen Koffern verschloß.

Aber nicht blos in die Kaufläden ging er, sondern
auch in den Dom zu St. Stephan. Da knieete er
nieder an den Stufen des Altars und betete lange
und inbrünstig, dann erhob er sich, und ging in einen
der Beichtstühle, in welchem ein ehrwürdiger Priester
bereit saß, die Beichte Derer, welche ihr Herz belastet
fühlten, zu empfangen. Sahla kniete nieder, und das
Haupt verhüllt mit der Kapuze seines langen schwarzen
Mantels flüsterte er durch das Gitter die tiefverborgenen
Geheimnisse seiner Seele in das Ohr des Priesters.

Es war eine lange Beichte, ein langes athemlos hin=
gehauchtes Bekenntniß, das die bleichen Lippen des Ver=
hüllten flüsterten, und je länger er sprach, desto bleicher
ward das Antlitz des Priesters, desto kummervoller und
ängstlicher seine Miene.

Die Abenddämmerung warf schon ihre langen
Schatten durch den Dom, die hohen Hallen, deren
Säulen wie schwarze Riesen emporragten, wurden leer
von Andächtigen, und noch immer lag Sahla mit ver=
hülltem Haupt auf seinen Knieen an dem Gitter des
Beichtstuhls, und immer bleicher, schreckensvoller war
das Antlitz des Priesters geworden, der, während der
Andere sprach, den von seinem Gürtel herabhängenden
Rosenkranz ergriff, und die Perlen desselben durch seine
zitternden Finger gleiten ließ.

Jetzt endlich erhob sich Sahla von seinen Knieen,
und durch die öde Stille des Doms hallte seine Stimme
wie Geistergeflüster wieder in den Kreuzgängen und
Kapellen.

Frommer Vater, sagte er, frommer Vater, gebt
mir Eure Absolution.

Nein, rief der Priester, nein, die kann ich Dir
nicht geben.

So gehe ich ohne dieselbe, rief Sahla, und er

sprang aus dem Beichtstuhl hervor. Aber ebenso schnell trat auch der Priester aus demselben heraus, und mit beiden Armen Sahla umklammernd, flüsterte er: bleibe, mein Sohn bleibe! Ich darf Dich nicht lassen, denn das, was Du beabsichtigst ist ein Verbrechen! Bleibe, bleibe, ich kann Dir die Absolution nicht geben, denn das hieße Gott lästern, und seiner Gebote spotten!

So lästere ich Gott, und so spotte ich seiner Gebote, rief Sahla; mit ungestümer Hand den greisen Priester zurückstoßend, machte er sich von seinen Armen frei, und eilte den weiten Kreuzgang hinunter.

Halt, halt, rief der Priester mit angstvoller Stimme.

Aber schon hatte Sahla die Ausgangsthür erreicht, schon war er jetzt draußen auf der Straße, und stürzte mit unaufhaltsamer Eile vorwärts, sprang dann in einen daherkommenden Fiacre und ließ sich nach dem Hause fahren, in welchem er wohnte.

Keine Absolution! sagte er leise vor sich hin, indem er in sein Zimmer trat. Nun wohl, so mögen mein Vaterland und mein König mich absolviren, wenn es der Priester nicht thun will.

Er warf Hut und Mantel von sich und begann in seinen Zimmern zu ordnen und aufzuräumen. Er

öffnete alle Kaften und Schränke, und that die Dinge,
welche fie enthielten in feine beiden großen Reifekoffer;
es fchien als bereite er fich vor, eine Reife zu machen,
und Wien zu verlaffen, denn faft nichts ließ er in den
Käften und Schränken zurück, Alles packte er forgfältig
in die Koffer, dann verfchloß er diefe, wickelte die
Schlüffel in ein Papier, und legte fie auf den Tifch.

Und jetzt zu meinem letzten Gefchäft, fagte er.
Jetzt bleibt mir nur noch übrig, mein Teftament zu
machen, und an meine Mutter zu fchreiben!

Er fetzte die fechs Leuchter mit den dicken Wachs=
kerzen, welche fich in feinen beiden Zimmern befanden,
alle zufammen auf feinen Schreibtifch, drei zu beiden
Seiten, und zündete fie an. Diefe feierliche Beleuch=
tung des öden, ftillen Zimmers hatte etwas Unheim=
liches, Schreckenerregendes, und Sahla felber mochte
das finden, denn mit einem feltfamen Lächeln flüfterte
er: ich zünde die Kerzen an für mich, denn ich bin ja
nur noch die Leiche Meiner felber!

Zwifchen den Lichtern fetzte er fich jetzt nieder und
fchrieb. Schrieb die ganze Nacht hindurch, und zu=
weilen, während des Schreibens rollten zwei Thränen
langfam aus feinen Augen nieder, und ein leifes
Aechzen und Stöhnen kam aus feiner Bruft hervor.

Aber immer wieder bezwang er seine Schwäche, schüt=
telte die Thränen aus seinen Augen fort und schrieb
weiter.

Als der Morgen dämmerte, hatte er sein Werk
beendet, lagen zwei große gesiegelte und adressirte
Briefe und ein kleines Billet vor ihm auf dem Tisch.

Jetzt bin ich zu Ende, sagte er leise vor sich hin,
jetzt will ich meinen letzten Schlaf thun!

Er ging in sein Schlafzimmer, warf sich, ohne in=
dessen sich zu entkleiden, auf sein Bett, und bald ver=
kündeten seine lauten, gleichmäßigen Athemzüge, daß er
in einen tiefen ruhigen Schlaf gefallen sei.

Die Sonne stand schon hoch am Himmel, als
Sahla erwachte. Rasch richtete er sich vom Bett em=
por und sah nach der Uhr.

Zehn Uhr! sagte er erschrocken. Es ist die höchste
Zeit!

Mit hastigen Schritten eilte er in sein Wohnzim=
mer, und ordnete vor dem Spiegel seinen Anzug und
sein langes Haar.

Jetzt bin ich fertig, und jetzt ist es Zeit, sagte er
dann, indem er mit, vielleicht vor Eile, zitternden Hän=
den die unter dem Spiegel stehende Commode aufzog,
und die einzigen Dinge, welche er in derselben gelassen,

und nicht in die Koffer gepackt, aus derselben hervor nahm.

Diese Dinge, das waren zwei Pistolen und ein Dolch.

Sahla untersuchte mit ruhigem, festem Blick die Pistolen, die er schon am Tage zuvor geladen hatte, zog den Dolch aus der Scheide und prüfte an den Fingern seine Schärfe und Spitze. Dann nahm er aus der Commode einen breiten, ledernen, zierlich ge= stickten Leibgurt hervor, schnallte ihn um seine Taille und schob die Pistolen und den Dolch hinein.

Jetzt auf zum letzten Gange, sagte er, den langen, schwarzen Mantel überwerfend und den Hut aufsetzend. Ich habe geschworen, mein Vaterland zu retten, oder es zu rächen! Auf also, auf!

Er stürzte zur Thür hin, schob den Riegel zurück und eilte mit hastigem Schritt die Treppe hinunter, über den Hausflur dahin. Plötzlich blieb er stehen.

Die Briefe! Er hatte die Briefe vergessen, die er, bevor er seinen letzten Gang antrat, in der Woh= nung seines Freundes, des Grafen Roß abgeben und diesem zur Besorgung anvertrauen wollte.

Hastig kehrte er wieder um, eilte die Stiegen hin= auf, und trat wieder in sein Zimmer, das er dies Mal

nicht hinter sich verschloß. Da auf dem Tisch lagen
sie noch, die Briefe, die letzten Zeugnisse seines Lebens,
die letzten Grüße seiner Liebe.

Er nahm sie empor, und ganz zufällig fiel sein
Auge auf die Abresse des einen der Briefe. An meine
Mutter! flüsterte er. Oh, meine arme, geliebte Mutter! Trübsal wird mit diesem Brief in Dein Haus
einziehen, und Deine lieben Augen werden Bäche von
Thränen vergießen! Oh, meine Mutter, meine Mutter,
verzeihe mir den Kummer, den ich Dir bereiten muß,
und nimm von diesem Papier den letzten Kuß der
Liebe, den ich jetzt auf dasselbe presse!

Er drückte den Brief lange und inbrünstig an seine
Lippen, dann schob er ihn mit den beiden andern Briefen in seinen Busen.

Und jetzt fort, fort, flüsterte er, sorgfältig seinen
Mantel wieder über der Brust zusammen ziehend und
sich dann der Thür zuwendend.

Aber nun schreckte er zusammen und starrte nach
der Thür hin, und eine dunkle Purpurgluth schoß einen
Moment über seine fahlen Wangen hin.

In dieser Thür stand eine männliche Gestalt, das
Antlitz ihm zugewandt, die forschenden, großen Augen mit
einem ernsten, fast trotzigen Ausdruck auf Sahla gerichtet.

Graf Roß! murmelte Sahla in sich hinein, und einen Moment stand er unschlüssig und gesenkten Haup= tes da. Aber dann richtete er sich wieder entschlossen empor, und gerade auf die Thür zuschreitend, wollte er, als habe er den Freund, der da stand, gar nicht bemerkt, an ihm vorüber und zur Thür hinausgehen.

Aber Graf Roß legte seine Hand fest und schwer auf seine Schulter und blickte ihn entschlossen an.

Herr von Sahla, fragte er, sehen Sie mich nicht? Wollen Sie mir nicht zum Gruß die Hand reichen?

Sahla schüttelte unwillig das Haupt. Ich habe jetzt nicht Zeit zum Plaudern und zum Hände= drücken, sagte er hastig. Ein wichtiges Geschäft ruft mich von hinnen, und Tod und Leben hängt davon ab, daß ich zur rechten Zeit zur Stelle bin. Ich wollte aber an Ihrem Hause vorübergehen, einige Briefe bei Ihnen abgeben und Sie um deren Besorgung bitten. Hier sind sie, der eine an meine Mutter, der andere an meinen Rechtsbeistand.

Er zog die beiden Briefe vorsichtig, bemüht den Mantel nicht zu öffnen, aus seinem Busen hervor. Aber mit diesen Briefen kam auch das kleinere, in Billetform zusammengelegte Papier hervor, und fiel zur Erde nieder.

Da ift noch ein dritter Brief, fagte Graf Roß, fich bückend und das Papier aufhebend, foll ich diefen nicht auch beforgen? Ah, dies Billet ift an mich adreffirt und —

Ja, dies Billet war an Sie, fagte Sahla ver= wirrt, ich wollte es an Ihren Diener mit den andern Briefen abgeben, und ich bat Sie darin, diefe Briefe zu beforgen. Jetzt, da ich Sie felbft gefprochen, be= darf es keiner fchriftlichen Worte mehr, und ich bitte alfo, geben Sie mir das Billet zurück.

Ich bitte aber, es behalten zu dürfen, fagte Graf Roß, den Freund mit prüfenden Blicken an= fchauend. Dies Billet ift an mich adreffirt, und da ich es einmal in Händen halte, ift es mein Eigenthum geworden.

Nun wohl, behalten Sie es denn, rief Sahla, aber jetzt bitte ich, geben Sie die Thür frei und laffen Sie mich gehen, ich habe die höchfte Eile!

Er näherte fich wieder der Thür, aber Graf Roß wehrte ihm den Ausgang.

Sagen Sie mir zuvor, wohin Sie gehen wollen? bat er mit eindringlicher, ernfter Stimme.

Ich bin Niemand Rechenfchaft fchuldig über meine Wege, rief Sahla unwillig.

Doch, sagte der Graf ernst und feierlich, Sie sind Gott über Ihre Wege Rechenschaft schuldig. Glauben Sie, daß Sie vor ihm sich zu rechtfertigen vermögen?

Ah, rief Sahla mit einem rauhen Lachen, Sie wollen die Rolle eines Beichtvaters übernehmen. Unnöthig, mein Freund, ich habe gestern schon gebeichtet! Treten Sie zurück von der Thür, lassen Sie mich hinaus!

Nein, ich lasse Sie nicht! rief der Graf, und mit einer raschen Bewegung schob er den Riegel vor die Thür, und stellte sich mit gekreuzten Armen vor die= selbe hin.

Sahla stieß einen Schrei der Wuth aus, und stürzte auf den Grafen hin. Ihn mit beiden Armen umschlin= gend, versuchte er, ihn von der Thür fortzuziehen.

Aber dieser, ihm überlegen an Stärke, Kraft und Gewandtheit, wehrte ihn zurück. Schweigend, bleich Beide vor Aufregung und Zorn, ächzend und keuchend vor Anstrengung rangen sie mit einander, Sahla, immer bemüht den Grafen von der Thür fortzuziehen, dieser, den Rücken an die Thür gelehnt, mit festem Fuß sich da behauptend.

Nun im heftigen Ringkampf sank der Mantel von Sahla's Schultern nieder.

Sahla, rief der Graf, ihn mit einer Geberde des

Entsetzens zurückstoßend, Sahla, jetzt weiß ich, wohin
Sie gehen wollten. Sie wollten einen Mord verüben!

Und mit aufgehobenem Arm deutete er auf die
Pistolen und den Dolch hin, die Herr von Sahla in
seinem Gürtel trug.

Dieser sagte kein Wort, bleich, mit bebenden Lippen
wich er zurück und griff nach seinem Mantel, um ihn
wieder um die Schultern zu ziehen.

Während er das that, wandte Graf Roß sich der
Thür zu, verschloß sie, zog den Schlüssel aus, und steckte
ihn in seinen Busen.

Jetzt, sagte er, von der Thür zurücktretend, jetzt
wissen Sie, was Sie zu thun haben! Nehmen Sie eine
Ihrer Pistolen, ermorden Sie mich, und dann ziehen
Sie den Schlüssel aus meiner Brusttasche, denn ich
schwöre es Ihnen, so lange ich lebe, werden Sie ihn
nicht von mir erhalten, werden Sie dies Zimmer nicht
ohne mich verlassen!

Und aus seinem Antlitz sprach so viel Festigkeit
und Entschlossenheit, daß Sahla wohl fühlte, es sei ihm
vollkommen Ernst mit seinen Worten.

Oh, Sie wissen nicht, was Sie thun, murmelte
er, nicht, daß Sie mir den letzten Trost meines elenden
Daseins rauben!

Ihre Rache, nicht wahr? fragte der Graf, ihn mit funkelnden Augen betrachtend. Ah, Sie erröthen, Sie schlagen die Augen nieder! Sie sehen, ich habe Sie errathen! Ja, ich ahnte Ihr furchtbares Vorhaben. Deshalb habe ich in diesen letzten drei Tagen Sie immer bewacht, bin Ihnen immer gefolgt, deshalb stand ich stundenlang vor Ihrer Thür und flehte um Einlaß, deshalb lauerte ich heute wieder drunten auf dem Hausflur, hinter der Hausthür verborgen. Ich sah Sie die Stiegen herunter kommen, sah bei einer Bewegung ihres Mantels die Pistolen in Ihrem Gürtel, und errieth Alles. Als Sie die Stiegen wieder hinauf gingen, folgte ich Ihnen, als Sie, Ihrer sonstigen Vorsicht vergessend, die Thür nicht hinter sich verschlossen, trat ich hinter Ihnen in Ihr Zimmer ein, und hier bin ich jetzt, und so wahr ein Gott über uns ist, schwöre ich Ihnen, Sie werden Ihr grauenvolles Vorhaben nicht ausführen, ich werde es nicht dulden, daß Sie Ihr Gewissen mit einem Mord beladen!

Wer sagt Ihnen, daß ich das will? fragte Sahla mit unsicherer Stimme.

Sie selber haben es mir verrathen, sagte der Graf ernst. Haben Sie vergessen, was Alles Sie mir sagten, als wir uns das letzte Mal sprachen? Sie hatten so

eben erfahren, daß der König von Preußen jetzt mit
den übrigen Mitgliedern des Congresses sich geeinigt
habe, und entschlossen sei, die Hälfte des Königreichs
Sachsen als Kriegsbeute für sich zu nehmen. In
Ihrem zornigen Schmerz verriethen Sie Ihre innersten
Gedanken, und mit flammenden Augen riefen Sie:
„Jetzt bleibt nur noch Ein Weg der Rettung! Gesegnet
sei Der, der ihn wandeln will, der den kühnen Muth
hat, dem König von Preußen die Pforten des Elysiums
zu öffnen! Denn wenn Er todt ist, wird Sachsen nicht
das Unglück haben, Preußisch werden zu müssen."*)
Dieser Worte erinnerte ich mich, sie tönten immer
wieder vor meinen Ohren, sie zwangen mich Ihnen zu
folgen, Sie zu bewachen! Ich habe Sie in diesen drei
Tagen niemals aus den Augen verloren. Als Sie
ausgingen, bin ich Ihnen von fern gefolgt, überall hin,
endlich auch in den Dom von St. Stephan. Während
Ihrer langen Beichte wartete ich, hinter einer Säule
verborgen, auf Ihr Hinausgehen. Ich war Zeuge
Ihres Streits mit dem Priester, der Sie zurückzuhalten
suchte. • Als Sie von dannen stürzten, eilte ich zu dem

---

*) v. Sahla's eigene Worte. Siehe: Erlebtes aus den
Jahren 1813—1820. Von Dr. Wilhelm Dorow. II. 62.

Priester hin, und beschwor ihn mir zu sagen, was Sie
ihm gebeichtet, welche Freveltfat Sie ihm bekannt hätten.
Er rief weinend: Die Kirche verbietet es mir, das Ge=
heimniß des Beichtstuhls zu verrathen. Aber wenn Sie
den Unglücklichen kennen, so folgen Sie ihm, so lassen
Sie ihn nicht aus den Augen, so bewachen Sie ihn,
denn es gilt ein Verbrechen zu verhüten. — Ich
stürzte Ihnen nach, ich saß hinten auf dem Fiacre, in
welchem Sie nach Hause fuhren, ich war die ganze
Nacht hier im Hause und jetzt bin ich hier, und jetzt
sage ich Ihnen: fallen Sie auf Ihre Kniee nieder, und
danken Sie Gott, daß er mich zu seinem Werkzeug er=
wählt, um Sie von einem Verbrechen zurückzuhalten.
Sahla, unglücklicher Mann, was wollten Sie beginnen!
Sich selber, Ihr Haus, Ihre Familie wollten Sie
schänden. Sie wollten Ihre Seele belasten mit einer
Greuelthat! Sie wollten den König von Preußen er=
morden!

Das ist nicht wahr, rief Sahla, nein, nein! Wer
kann es mir beweisen! Wer kann mich überführen?

Ich kann es! Warum wollten Sie mir vorher das
Billet entreißen? Warum erzitterten Sie, als Sie es
in meinen Händen sahen? Es war doch an mich ge=
richtet? Aber Sie meinten, ich solle es erst erhalten,

wenn es zu spät sei, Sie an Ihrem Vorhaben zu verhindern. Ich habe das Billet noch nicht gelesen, aber
ich ahne seinen Inhalt, und jetzt in Ihrer Gegenwart,
jetzt will ich es lesen!

Nein, nein, Sie sollen es nicht lesen, rief Sahla,
auf den Grafen zustürzend, und bemüht ihm das Papier zu entreißen.

Aber dieser, ihn an Größe weit überragend, hielt
die Hand, in welcher er das Papier hatte, hoch empor,
daß Sahla es nicht erreichen konnte.

Ermorden Sie mich erst, und dann nehmen Sie
es, sagte er.

Ach, Sie wissen wohl, daß ich Sie nicht ermorden
werde, seufzte Sahla. Sie wissen, daß ich Sie liebe,
und kein Haar Ihres Hauptes verletzen möchte. Aber
ich bitte Sie um Erbarmen. Geben Sie mir das
Billet zurück, lesen Sie es nicht.

Graf Roß schüttelte sein Haupt. Ich muß den
Inhalt des Billets kennen, ich muß Sie überführen
können, sagte er. Rückwärts gehend, immer Sahla mit
den Augen bewachend, näherte er sich der Thür, lehnte
sich gegen dieselbe, und sicher jetzt in dem Gefühl,
den Rücken gedeckt zu haben, öffnete er das Papier
und las.

Oh Gott, mein Gott, murmelte Sahla, Du willſt
alſo nicht, daß ich dieſe That vollbringe. Du hältſt
den ſchon erhobenen Rächerarm auf, und ſtatt ihn zu
ſtrafen, zerſchmetterſt Du mich!

Und ganz zerbrochen, und zerknirſcht, ſank er auf
einen Stuhl nieder, und ſtarrte mit vorwurfsvollen
Blicken zum Himmel empor.

Graf Roß hatte jetzt geleſen, und mit dem offenen
Papier in der Hand ſchritt er zu Sahla hin.

Unglücklicher, ſagte er, da ſteht es geſchrieben,
von Ihrer eigenen Hand geſchrieben: „Ich bin
hingegangen, um das Werk der Rache zu vollfüh=
ren. Wenn Sie dieſe Zeilen leſen, iſt die That viel=
leicht ſchon gethan, habe ich den König von Preußen
ermordet.“ Sehen Sie, das ſind die Worte, mit be=
nen Ihr Brief an mich beginnt. Wollen Sie nun noch
leugnen?

Nein, ich leugne nicht, rief Sahla, ſich gewaltſam
emporraffend. Ich wollte den König von Preußen er=
morden, ich wollte mein Vaterland, meinen König
rächen.

Sie wollten ſich erniedrigen zu einem elenden, ge=
meinen Meuchelmord.

12*

Ich wollte thun, was Brutus auch gethan hat, rief
Sahla. Ich wollte mein Vaterland befreien von dem
Thrannen, der es unterjochen wollte.

Hochprahlerische Redensarten, mit denen Sie ver=
geblich versuchen, Ihr Verbrechen aufzuputzen, und aus
einer nicht blos ganz gemeinen, sondern auch ganz un=
sinnigen That eine edle patriotische Heldenthat zu ma=
chen. Es ist aber gemein, als Meuchelmörder zu han=
deln, es ist unsinnig, daß Sie glaubten, sich Ihr
Sachsen zu erretten, wenn Sie den König von Preußen
mordeten. Sie konnten den König ermorden, aber
Preußen blieb, und der König hatte seinen Nachfolger,
und dieser Nachfolger, dieser neue König würde gleich
seinem Vater, kraft des Eroberungsrechtes, kraft des
historischen Vergeltungsrechtes, Sachsen, das eroberte
Sachsen beansprucht, und sich zu Eigen gemacht haben.
Ihre That wäre also nicht blos verbrecherisch, sondern
auch nutzlos gewesen. Oder glaubten Sie vielleicht,
man würde Ihnen gestatten, immer hinter dem König
von Preußen, hinter jedem seiner Nachfolger zu stehen,
und jeden neuen König zu ermorden, der die Hand
nach Ihrem geliebten Sachsen ausstreckte? Ah, ich
denke doch, man würde sich gleich nach seiner ersten
fluchwürdigen That des blutigen Meuchelmörders ver=

ſichert, und ihn auf dem Schaffot ſein Verbrechen haben büßen laſſen.

Nein, man würde mich nicht auf das Schaffot geführt haben, rief Sahla triumphirend. Für den König
waren dieſe geladenen Piſtolen, für mich war dieſer
Dolch!

Aber jetzt, ſagte Graf Roß, ihn mit drohenden Blicken
anſtarrend, jetzt iſt für Sie das Schaffot, und der Meuchelmörder wird es beſteigen.

Was wollen Sie damit ſagen? fragte Sahla entſetzt.

Ich will damit ſagen, daß ich es ſein werde, der
Sie den Gerichten überliefert, daß ich dieſen Brief hier
den Gerichten übergeben werde, und daß man Sie, kraft
Ihrer eigenen Handſchrift, die Sie nicht ableugnen können, einer beabſichtigten Mordthat anklagen, Sie als
einen Mörder verurtheilen wird. Sie werden das
Schaffot beſteigen, und Ihre unglückliche Mutter wird
des verbrecheriſchen Sohnes fluchen, und Ihre Landsleute, und Ihr König werden ſich ſchaudernd abwenden
und keine Gemeinſchaft haben wollen mit dem Mörder,
der ihr Unglück entweihete, und deſſen Mitſchuldige
ſie nicht ſein wollen. Die ganze Welt wird Sie verlachen um Ihre Narrheit und Thorheit, die ſich Größe
dünkte, und doch nichts war, als die Eitelkeit eines

Wahnsinnigen, der sich vermaß, Gott habe ihn zu sei=
nem Werkzeug erwählt, und der jetzt inne wird, daß
Gott ihn, gleich den Menschen, verwirft!

Ah, ich werde das Schaffot nicht besteigen, meine
Mutter wird mir nicht fluchen, rief Sahla, und mit
einer raschen Bewegung zog er den Dolch aus seinem
Gürtel.

Aber rascher noch als er, stürzte Graf Roß sich
auf ihn, entwand seinen zitternden Händen den Dolch,
riß die Pistolen aus seinem Gürtel, und stand jetzt
drohend mit aufgehobenen, bewaffneten Armen ihm
gegenüber.

Oh, meine Mutter, meine arme Mutter, murmelte
Sahla in sich zusammenbrechend. Sie wird es erleben
müssen, daß ihr Sohn als Verbrecher das Schaffot
besteigt. Jetzt kann ich es nicht mehr verhindern.

Sie können es verhindern, sagte Graf Roß, immer
noch drohend, mit erhobenem Arm vor ihm stehend.

Wie kann ich es verhindern? fragte Sahla, erstaunt
zu ihm aufblickend.

Hören Sie! Wir sind allein, Niemand weiß bis
jetzt von Ihrem verbrecherischen Vorhaben, Niemand
als Gott, ein Priester, der das Beichtgeheimniß, und
ich, der die Gesetze der Freundschaft ehren wird.

Schwören Sie mir also bei dem Andenken an das
Grab Ihres Vaters, der ein ehrenwerther Mann war,
bei dem Andenken an Ihre Mutter, die eine tugendhafte
Frau ist, schwören Sie mir bei Allem was Ihnen auf
Erden und im Himmel theuer ist, daß Sie Ihr
frevelhaftes Vorhaben aufgeben wollen, daß Sie für
ewig und immer davon abstehen wollen, dem König
von Preußen nach dem Leben zu trachten, oder sonst
irgend einem Menschen mörderisch nachstellen zu wollen,
schwören Sie das, und keines Menschen Ohr soll
Jemals hören, was hier zwischen uns vorgefallen,
keines Menschen Auge soll diese von Ihrer Hand ge-
schriebenen Zeilen lesen, die Sie verurtheilen. Schwören
Sie also, Ihre Hand nicht zu einer Mordthat zu erheben, in dieser Stunde noch Wien zu verlassen, und
Sie sind frei, und ich selbst werde Ihnen diese Thür
öffnen.

Sahla schwieg, und blickte, kämpfend vielleicht und
ringend mit seinem eigenen Herzen vor sich nieder.

Weigern Sie den Schwur, rief Graf Roß mit
mächtiger Stimme, verharren Sie bei Ihrer verbrecherischen Absicht, so öffne ich das Fenster, rufe
Menschen herbei, rufe, daß man Wache und Polizei
holen soll, um einen Mörder zu ergreifen, und so

übergebe ich Sie den Gerichten, der Schande, dem Schaffot!

So sprechend trat der Graf zu dem Fenster hin, und da Sahla immer noch schwieg öffnete er es.

Halten Sie ein, rief Sahla aufspringend, rufen Sie Niemand! Ich schwöre!

Was schwören Sie? fragte der Graf, immer noch die Hand an den Fensterriegel gelegt.

Ich schwöre, mein Vorhaben aufzugeben, sagte Sahla düster, ich schwöre, daß ich dem König von Preußen nicht mehr nach dem Leben trachten will, denn Gott hat meinen Arm verworfen, und er will nicht, daß ich meines Vaterlandes Rächer sei!

Schwören Sie auch, daß Sie in dieser Stunde Wien verlassen wollen, um nicht wieder dahin zurück= zukehren, so lange der König von Preußen noch hier ist? Schwören Sie das bei Allem, was Ihnen heilig ist?

Ich schwöre es bei Allem, was mir heilig ist, sagte Sahla mit zitternder Stimme.

Graf Roß trat vom Fenster zurück.

Ich glaube Ihrem Schwur, sagte er, denn Sie sind ein Edelmann, und ich habe Sie bis heute immer auch als einen Ehrenmann gekannt. Kommen Sie also! Lassen Sie uns gehen!

Er näherte sich der Thür, zog den Schlüssel wieder aus seinem Busen und schob ihn in das Schloß.

Wohin wollen wir gehen? fragte Sahla verwundert und mißtrauisch.

Zur Post wollen wir gehen, sagte der Graf ruhig. Zur Post, um Extrapost zu bestellen. Ich bleibe bei Ihnen, bis Sie den Wagen bestiegen haben und abgereis't sind.

Aber eine so schnelle Reise, stammelte Sahla, ich bin nicht vorbereitet, ich —

Waren Sie nicht vorbereitet, eine viel größere Reise zu unternehmen? unterbrach ihn Graf Roß. Wollten Sie nicht die Reise in das Jenseits machen? Und haben Sie nicht für diese große Reise Alles geordnet? Was bedarf es also jetzt anderer Vorbereitungen? Ihre Koffer sind gepackt, ich sende sie Ihnen nach! Kommen Sie!

Aber wohin soll ich reisen? fragte Sahla.

Reisen Sie zu Ihrer Mutter, sagte der Graf feierlich. Retten Sie Sich an das Herz Ihrer Mutter, flüchten Sie zu ihr, stürzen Sie vor ihr nieder auf die Kniee, und sagen Sie: „Mutter, erbarme Dich mein! Klammere Dich an mich mit Deiner Liebe, bete für mich, auf daß die böse Versuchung von mir weiche!"

Ja, rief Sahla, ich will zu meiner Mutter. Ich
will mich retten an ihr treues, edles Herz! Aber jetzt,
fuhr er fort, während Thränen seinen Augen entstürzten,
jetzt haben Sie Dank! Ich bringe Ihnen denselben dar
aus zerknirschtem, verzweifeltem Herzen! Sie haben
mich vor der Schande, vor dem Verbrechen bewahrt.
Möge Gott Sie segnen, möge Gott Sie belohnen!
Leben Sie wohl! Oh, ewig, ewig wohl!

Er stürzte sich in des Freundes Arme, und ihn
mit beiden Armen fest umschließend, lehnte er sein
Haupt an des Grafen Brust und weinte laut.

Und jetzt fort, fort von hier, sagte er dann, sich
wieder emporrichtend. Mir ist, als würden die Häuser
über mir zusammenbrechen, als würde die Luft mein
Geheimniß verrathen, und es ausschreien in alle Welt:
„er ist ein Mörder! Ein Königsmörder! Wehe über
ihn!" Ich muß fort, oder ich sterbe!

Er faßte heftig des Freundes Arm, und zog ihn
fort, aus dem Zimmer hinaus und hinunter auf die
Straße. —

Eine halbe Stunde später fuhr von dem kaiserlichen
Posthause zu Wien eine Extrapost ab, in welcher
Niemand weiter saß, als ein junger Mann mit todes-
bleichem Angesicht, mit traurigen, schmerzvollen Mienen.

Diefer junge Mann, das war der Calatravaritter von Sahla, der vor den Mordgedanken feiner Seele fich flüchtete.*)

---

*) Diefer beabfichtigte Mordverfuch des Calatravaritters von Sahla auf den König Friedrich Wilhelm III. ift keine müßige Erfindung. Ich habe ihn genau fo wiedergegeben, wie der Graf Roß ihn erzählt. Diefer, angftvoll beforgt um das Leben des Königs, und dem Schwur Sahla's nicht trauend, hielt es doch für nöthig, den Staatskanzler von Hardenberg in fein Vertrauen zu ziehen, damit er den König warne und damit vor allen Dingen Sahla überall fcharf überwacht und beobachtet werde. Der Staats-kanzler dankte fowohl mündlich wie fchriftlich dem Grafen Roß, durch deffen kluges und muthiges Einfchreiten das Leben des Königs vor der Hand eines Mörders bewahrt worden, und da der Graf Roß mit edlem Unwillen die unter feinem Vorwand angebotene Belohnung von zehntaufend Thalern ablehnte, ver-ficherte ihn Hardenberg nochmals fchriftlich in gerührten Worten feiner Dankbarkeit und überfandte ihm als Andenken an feine rettende That einen Ring mit einem fehr fchönen Solitair. Siehe: Erlebtes aus den Jahren 1813—1830 von Dr. Wilhelm Dorow. Th. II. S. 60 folgb. und: Eylert, Leben des Königs Friedrich Wilhelm III. Th. II. (Der Erftere, Dorow, theilt diefe ganze Begebenheit mit den eigenen Worten, und nach der eigenhändig niedergefchriebenen Erzählung des Grafen Roß mit.) — Herr von Sahla felbft fand ein unglückliches und fchreckliches Ende. Er ging, als der Krieg mit dem heimgekehrten Kaifer Napoleon begonnen, nach Paris. Die deutfchen Schriftfteller und Hiftoriker fagen, er habe die Abficht gehabt, einen abermaligen Mordverfuch auf das Leben Napoleons zu machen. Die franzöfifchen behaupten,

er sei nach Paris gekommen, um Napoleon's Hülfe für Sachsen anzuflehen und ihn zu unterstützen, indem er ihm die Stellungen und Streitkräfte der Verbündeten verrieth. Gewiß ist, daß er sich mit Knallsilber, das er bei sich trug, furchtbar verwundete und verstümmelte, und mit zerrissenen, zerschmetterten Gliedern in Paris in das große Lazareth gebracht ward, wo er eines qual-vollen Todes starb. Die deutschen Autoren sagen, er habe einen Versuch gemacht, Napoleon mit diesem Knallsilber zu tödten und habe dabei durch Unvorsichtigkeit nur sich selber getroffen. Die französischen Autoren behaupten, er habe dies Knallsilber nur zu-fällig bei sich getragen, sei auf der Straße ausgeglitten und gerade auf dies Knallsilber gefallen, das explodirte und ihn zerschmetterte. Siehe: Bourienne, Mémoires. Vol. VIII. S. 364 folgb. — Der Staatskanzler von Hardenberg, der von dem jammervollen Zustand Sahla's bei seiner Anwesenheit in Paris Kunde erhielt, sandte den Hofrath Dorow zu ihm und sorgte großmüthig für seine Pflege bis zum Tode des Unglücklichen. Siehe: Dorow, Erlebtes. Th. I. S. 161 und Th. II. S. 60.

Sechstes Buch.

Napoleons Rückkehr von Elba.

I.

Die Hiobspost.

Der Monat März des Jahres 1815 hatte schon be=
gonnen, und noch immer war der Congreß zu Wien
nicht beendet, noch immer feierte er Tag um Tag seine
glänzenden Feste, ergötzte sich an Redouten, Schauspielen,
lebenden Bildern, hielt seine Conferenzen, berieth über
die Schenkungen, Grenzen der Länder, und vertheilte
„Seelen" und Provinzen hierhin und dorthin an die
begehrlichen Fürsten.

Aber noch immer waren die großen Fragen des
Congresses nicht zur Entscheidung gelangt.

Preußen hatte freilich den Entschluß gefaßt, mit der
Hälfte von Sachsen sich zu begnügen, aber der König
von Sachsen, welcher in Preßburg seine traurigen, ein=
samen Tage durchweinte, der König von Sachsen wei=

gerte sich, diese Acte zu unterschreiben, welche ihn der Hälfte seines Königreichs beraubte.

Der Kaiser von Rußland hatte, immer noch zurück= gehalten von dem Widerstreben aller Congreßmächte, sein Vorhaben noch nicht ausgeführt, und sich laut und feierlich zum König des constitutionellen Polens erklärt.

Oesterreich hatte sich immer noch nicht zum Herrn von Venedig machen können, denn England's eifersüch= tiges Auge erkannte sehr wohl die Vortheile, welche für Oesterreich aus dem Besitz dieser, das adriatische Meer beherrschenden Handelsstadt erwachsen müßten, und Eng= land weigerte sich daher, für Oesterreich in die Besitz= nahme Venedigs zu willigen.

Auch die deutsche Kaiserfrage schwebte noch immer als dunkle Wolke an dem diplomatischen Himmel des Congresses. Die kleineren deutschen Fürsten und die Mediatisirten begehrten die Wiederherstellung des deut= schen Kaisers, weil sie dadurch zugleich die Wiederher= stellung der eigenen Rechtsame und Würden, die Wie= derherstellung ihrer Reichsunmittelbarkeit, ihrer Standes= herrlichkeit, Reichsgrafenschaft und Souverainetät er= warteten; aber die großen deutschen Fürsten konnten sich nicht einigen über die Frage, wem von ihnen die deutsche Kaiserwürde zufallen solle. Freilich hatte Oesterreich ein historisches Recht auf dieselbe, und dies um so mehr, da Kaiser Franz von allen deutschen Fürsten als deutscher Kaiser anerkannt gewesen, und nur freiwillig dieser Würde entsagt hatte. Aber weder Preußen noch Baiern und Würtemberg waren geneigt, Oesterreich die Oberherrschaft, wenn auch nur die nominale, über sie zuzugestehen und sich unter den Scepter des deutschen Kaisers zu beugen.

Aber alle diese Wolken, welche noch immer an dem politischen Horizont des Wiener Congresses aufgethürmt standen, sie unterbrachen doch nicht die Feste und Vergnügungen, denen man nach wie vor mit ungeschwächter Freudigkeit, mit immer regem Frohsinn sich hingab.

Auch war ein neuer Anstoß zu erhöhetem Eifer, neue Feste zu ersinnen, dem Congreß und der hohen Gesellschaft von Wien gegeben worden. Eine neue Persönlichkeit war als glänzender Stern an dem Congreßhimmel aufgegangen. Der Herzog Wellington war als Ersatz für den heimberufenen Lord Castlereagh nach Wien gekommen, um England bei dem Congreß als Gesandter zu vertreten. Man mußte also die Anwesenheit dieses berühmten Feldherrn durch glänzende Feste feiern, um vor ihm und vor ganz Europa Zeugniß abzulegen, wie sehr man den Herzog ehre und bewundere, wie freudig man bereit sei, ihn zu feiern und ihm zu huldigen.

Feste also, immer neue Feste bei Hof, bei den Diplomaten und der hohen Aristokratie! Der Strudel der Vergnügungen rauschte und brauste immer fort, Jedermann fühlte sich davon fortgerissen, berauscht, und sann immer auf neue Feste, um ja nicht aus dieser Berauschung zu erwachen, und zum nüchternen Nach= denken zu gelangen.

Gestern hatte der Kaiserhof eine sogenannte Pracht= fahrt veranstaltet, das heißt, das glückliche, neugierige Wien hatte die Freude gehabt, sämmtliche in Wien an= wesende Monarchen und Fürsten in glänzenden Carossen, die Damen in prachtvoller Toilette, die Herren in den reichsten Uniformen, geschmückt mit allen ihren Orden spazieren fahren zu sehen.

- Heute, am siebenten März, sollte bei der Kaiserin Ludovica wieder eine von ihrer „Truppe der Trouba= dours" veranstaltete theatralische Aufführung stattfinden. Man wollte zuerst eine Oper „der Barbier von Se= villa" aufführen, und dieser sollte das reizende Vau= deville: „der unterbrochene Tanz" folgen. In diesem letztern Stück wollte eine neue junge Schauspielerin der aristokratischen Truppe ihr erstes Debüt feiern, wollte

die Frau von Périgord, die Nichte Talleyrands zum
ersten Male die Bretter des kaiserlichen Liebhaber=
Theaters betreten. Jedermann war gespannt auf dies
Ereigniß, und schon am Tage zuvor sprach man im
Abendcirkel der Kaiserin Ludovica mit der lebhaftesten
Theilnahme nur von der morgenden Theater=Vorstellung
und dem seltenen Talent der jungen Debütantin, der
Frau von Périgord.

Dieser Abendcirkel der Kaiserin hatte bis spät in
die Nacht gedauert, und nach demselben hatte der Fürst
Metternich, damit die Geschäfte nicht ganz und gar
von dem Vergnügen verdrängt würden, in seinem Hôtel
mit den Diplomaten Frankreichs, Preußens und Eng=
lands eine Conferenz gehalten.

Erst beim Beginn des Tages war dieselbe beendet
gewesen, und Fürst Metternich hatte sich in sein Schlaf=
zimmer begeben, dem Kammerdiener den Befehl erthei=
lend, ihn nicht zu wecken, wenn auch am frühen Mor=
gen vielleicht schon Couriere mit Depeschen eintreffen
sollten.

Die Häupter aller Cabinette waren ja in Wien
versammelt, es konnten also von keinem Lande her so
wichtige Depeschen kommen, daß man um derentwillen

13*

nöthig gehabt hätte, sich in dem so wichtigen Schlaf zu unterbrechen.

Fürst Metternich schlief also, und nach so vielen Anstrengungen, Zerstreuungen, Freuden und Geschäften des vergangenen Tages war sein Schlaf ein tiefer, erquicklicher und genußvoller.

Auf einmal ward er aus seinen süßen Träumen durch die Stimme seines Kammerdieners geweckt, der vor dem Bett des Fürsten stand, und mit ehrfurchtsvoller, flehender Stimme um Gehör bat.

Was giebt es? rief der Fürst, erschrocken emporfahrend. Was ist geschehen?

Durchlaucht, nichts ist geschehen, sagte der Kammerdiener, aber es ist so eben ein Courier eingetroffen mit Depeschen für Ew. Durchlaucht.

Ein Courier, rief Metternich unwillig. Aber habe ich Ihnen nicht gesagt, daß man mich wegen eines Couriers nicht wecken soll?

Zu Befehl, Durchlaucht, aber diese Depesche trägt auf dem Umschlag die Bezeichnung „sehr dringlich,“ und deshalb glaubte ich —

Woher kommt die Depesche? unterbrach ihn der Fürst. Geben Sie her, und lassen Sie mich sehen.

Der Kammerdiener reichte dem Fürsten die De=

peſche dar, und beeilte ſich dann, das auf dem Tiſch neben dem Bett ſtehende Nachtlicht zu nehmen, um ſeinem Gebieter beim Leſen zu leuchten.

Aber Fürſt Metternich las nur die Adreſſe der De=peſche. Ah, vom kaiſerlich=königlichen General=Conſu=lat in Genua, ſagte er geringſchätzend, indem er die Depeſche auf den Nachttiſch warf. Es wäre nicht nöthig geweſen mich um deretwillen im Schlaf zu ſtören. Es wird Zeit ſein, ſie ſpäter zu leſen. Gehen Sie, und ſtören Sie mich nicht mehr um ſolcher Bagatelle willen! Was iſt die Uhr?

Durchlaucht, es iſt ſechs Uhr!

Gut, dann wird es mir vergönnt ſein noch drei Stunden zu ſchlafen. Wecken Sie mich um neun Uhr, dann will ich dieſe Depeſche leſen.

Der Kammerdiener ſchlüpfte leiſe auf den Zehen hinaus, und Fürſt Metternich ſenkte ſein Haupt wieder in die Kiſſen um weiter zu ſchlafen. Wieder war Alles ſtill in dem Schlafzimmer des Fürſten. Nur das Nachtlicht kniſterte zuweilen und warf aufflackernd einen hellern Schein auf das große weiße Briefcouvert mit dem feierlichen Amtsſiegel, das da auf dem Nachttiſch in gemüthlicher Ruhe lag und ſich gleich dem Fürſten erholte von den Strapazen des verfloſſenen Tages.

Aber Fürst Metternich, einmal in seinem Schlafe gestört, konnte seine Ruhe nicht wiederfinden. Vergebens schloß er die Augen, sie öffneten sich immer wieder und fielen wie von einem Zauber bestrickt immer wieder auf die unglückselige Depesche vom General=Consulat in Genua hin.

Wie thöricht, mich um solche Kaufmannsdepesche zu wecken, murmelte der Fürst, sein Haupt nach der andern Seite wendend, um das unleibliche Couvert nicht mehr zu sehen.

Nun fielen seine Augen wieder müde zu, seine Gedanken begannen sich zu verwirren und sich in Träumen aufzulösen. Aber seltsame, wunderliche Träume, in denen immer die Depesche eine Hauptrolle spielte! Bald schien es dem Fürsten, als erhebe sie sich von dem Tisch und lege sich wie eine kalte Marmorhand auf seine Stirn. Bald verwandelte sie sich in eine große Riesengestalt, die ihn anschauete mit zürnendem Geisterangesicht und drohend die Hand gegen ihn erhob. Dann wieder träumte er, daß die Buchstaben, welche auf der Adresse standen, sich plötzlich ablöseten und sich in kleine Soldaten verwandelten, die mit wunderbaren Grimassen um das Nachtlicht einen Rundtanz hielten und sich dann zappelnd und ermüdet wieder auf das

- Papier hinstreckten, um wieder als Buchstaben da fest zu kleben.

Fürst Metternich schlief wohl wieder und träumte, aber es war ein unruhiger Schlaf; die Depesche, die unglückselige Depesche hatte seine Ruhe gestört, und machte seine Träume wüst und unerquicklich.

Ach, sagte er nach anderthalb Stunden des Kämpfens zwischen Wachen und Schlafen, ach, ich werde diese abscheuliche Depesche am Ende nur lesen müssen, um endlich Ruhe vor ihr zu haben.

Er setzte sich im Bett aufrecht, schob das Licht näher zu sich heran und nahm das Papier von dem Tisch empor.

Eben schlug die Pendüle die achte Stunde. Zwei Stunden hatte die Depesche auf dem Nachttisch des Fürsten sich ausgeruht.

Mit vollkommener Gelassenheit erbrach der Fürst das Siegel, schlug das Papier auseinander und schickte sich an zu lesen.

Aber kaum hatte er die ersten Zeilen gelesen, als der Fürst, wie von einem elektrischen Schlage getroffen, zusammenzuckte und einen Schrei des Entsetzens ausstieß.

Noch einmal heftete er die Augen auf das Papier, noch einmal las er die sechs Zeilen, die es enthielt.

Dann griff er nach der silbernen Handklingel, die auf dem Nachttisch stand, und schellte so heftig und unaufhörlich, daß der Kammerdiener ganz entsetzt hereinstürzte.

Anspannen, man soll sogleich anspannen, rief der Fürst, eilen Sie Sich! In zehn Minuten muß der Wagen bereit sein.

Der Kammerdiener stürzte hinaus, und als er nach einigen Secunden wieder in das Schlafzimmer eintrat, hatte der Fürst schon das Bett verlassen, und war eifrig damit beschäftigt, seine Toilette zu machen.

Genau nach zehn Minuten war die Equipage des Fürsten vorgefahren, und Metternich, sorgsam und elegant wie immer gekleidet, begab sich hinunter an den Wagen.

Es ist jetzt ein Viertel nach acht Uhr, sagte er zu dem neben dem Schlag stehenden Kammerdiener. Um halb zehn Uhr werde ich wieder hier sein. Eilen Sie also zu dem Staatskanzler von Hardenberg, dem Herzog von Wellington, dem Fürsten Talleyrand und dem Grafen von Nesselrode, sagen Sie den Herren, ich ließe sie dringend ersuchen, die Güte zu haben, um zehn Uhr zu einer sehr wichtigen Conferenz zu mir zu kommen, und mit unvorhergesehenen Ereignissen meine plötzliche Einladung zu entschuldigen.

Dann stieg er in den Wagen, und sich in die Pol-
ster lehnend befahl er dem Lakayen, der die Wagenthür schloß: In die Kaiserburg! So rasch die Pferde
jagen können!

Die Pferde brausten von dannen und bald war das
Ziel erreicht, der Wagen hielt in dem Hof der Burg,
Fürst Metternich eilte die breiten Stiegen hinauf und
begab sich in den vom Kaiser bewohnten Flügel des
Schlosses.

Mit raschem Schritt durchwandelte er die Corridore
und Säle. Niemand wagte es, ihn aufzuhalten, denn
Jedermann wußte, daß der Fürst zu jeder Stunde
freien Zutritt zu dem Kaiser hatte, und daß er sogar
unangemeldet in das Kabinet des Kaisers eintreten
dürfe.

Schläft Se. Majestät noch? fragte der Fürst den
Kammerhusaren, den er im Vorzimmer des kaiserlichen
Schlafgemaches traf.

Nein, Durchlaucht, aber Se. Majestät sind noch
im Schlafrock, und sind beim Dejeuner.

Melden Sie mich Sr. Majestät, sagen Sie, ich
käme in wichtigen Geschäften. —

Zwei Minuten später trat der Fürst in das Wohnzimmer des Kaisers, der ihn, auf dem Divan sitzend,

und seine Chocolade schlürfend, mit ziemlich verdrieß=
lichem Gesicht empfing.

Nun, Herr Fürst, sagte er, was ist denn paffirt,
daß Sie halt mir nit einmal mehr meine Frühstücks=
stund' ungestört lassen können? Hat's gestern Abend
wieder Zank in der Conferenz gegeben? Giebt's wie=
der Streit mit Kaiser Alexander, daß Sie gar so be=
denklich drein schauen?

Nein, Majestät, sagte Metternich, es giebt jetzt viel
ernstere Dinge, als die Conferenzen. Ich habe so eben
eine Depesche aus Genua erhalten. Hier ist sie, wenn
Eure Majestät die Gnade haben wollen, sie zu
lesen!

Nein, sagte der Kaiser, lesen Sie mir die Depesche
immerhin vor, und lassen's mich dabei mein Chocolad'
austrinken.

Er setzte die Tasse mit der dampfenden Chocolade
an die Lippen, und während er sie behaglich hinunter
schlürfte, entfaltete der Fürst das Papier.

Kaiserlich königliches General=Consulat in Genua,
las der Fürst jetzt. „Ew. Durchlaucht haben wir zu
melden, daß so eben ein englisches Schiff in den Hafen
von Genua eingelaufen ist, mit Sir Colin Campbell
an Bord. Derselbe kam sofort auf das k. k. General=

Consulat, um zu melden, daß der Kaiser Napoleon von der Insel Elba verschwunden sei."

Ah, rief der Kaiser, mit einem heftigen Ruck die noch nicht geleerte Tasse wieder hinsetzend, und den Fürsten mit großen Augen anstarrend. Der Bonaparte ist von der Insel Elba verschwunden?

Fürst Metternich verbeugte sich und las weiter: „Sir Colin Campbell fragte an, ob Napoleon sich vielleicht in Genua habe blicken lassen? Er habe sich mit seiner Kriegsmannschaft auf sechs Schiffen in Elba eingeschifft, und sei nordwärts steuernd von dem englischen Schiff gesehen worden. Als das General-Consulat erklärte, nichts von Napoleon zu wissen, nichts gehört zu haben, entfernte sich Sir Colin Campbell, und die englische Fregatte ging sofort wieder in See."

Geben Sie her, ich muß das selbst lesen, rief der Kaiser, und heftig die dargereichte Depesche ergreifend las er sie langsam, jedes Wort genau betrachtend. Immer ernster und fester ward sein Angesicht, immer mehr schwand der Ausdruck gleichgültiger Gelassenheit aus seinen Zügen, die einen gespannten, energischen Ausdruck annahmen, und als er dann sprach, war seine Stimme fest und entschieden, und nichts von dem Wienerischen Jargon, dessen sich der Kaiser im gewöhnlichen

Leben so gern bediente, mischte sich, da es sich um so ernste Dinge handelte, mehr in seine Rede.

Es scheint, Napoleon beabsichtigt jetzt noch ein wenig den Abenteurer zu spielen, sagte der Kaiser ernst. Nun, das ist seine Sache, und er mag zusehen, wie weit er damit kommt. Unsere Sache ist es, die Ruhe, welche Napoleon jahrelang gestört hat, der Welt zu sichern. Gehen Sie ohne Verzug zu dem Kaiser von Rußland und dem König von Preußen, und sagen Sie ihnen, daß ich bereit bin, meiner Armee sofort den Rückmarsch nach Frankreich zu befehlen. Ich zweifle nicht, daß die beiden Monarchen mit mir einverstanden sein werden.*) Und Sie, Metternich, Sie sind auch einverstanden?

Ich wiederhole nur die edlen Worte Ew. Majestät; Napoleon hat Jahre lang den Frieden Europa's gestört, und es ist unsere Sache, diesen Frieden endlich der Welt zu sichern. Es ist möglich, daß Napoleon noch einige Tage des Sieges feiert, aber Oesterreich, Rußland und Preußen vereint, werden ihn doch über= winden, und dann wird seine Rolle für immer ausge=

---

*) Des Kaisers eigene Worte. Siehe: Varnhagen v. Ense. Denkwürdigkeiten des eigenen Lebens. Th. III. S. 335.

spielt sein, denn jetzt wird man ihm auch nicht den
Schatten seiner vergangenen Größe mehr erhalten kön=
nen, jetzt ist er wirklich ein todter Mann.

Aber es wird wieder viel Blut und Geld kosten,
ehe wir ihn wieder besiegt haben, sagte der Kaiser ge=
dankenvoll. Doch Eins erfüllt mich bei der Sache fast
mit Freude: der Congreß wird nun wohl zu Ende ge=
hen und die unaufhörlichen Feste und Vergnügungen,
die Einem Tag und Nacht keine Ruhe lassen, werden
nun wohl ausgetobt haben. Es ist nichts Gescheidtes
herausgekommen bei dem Congreß, hat uns aber beinah
eben so viel Geld gekostet, als wenn wir eine Armee
auf dem Kriegsfuß halten mußten. Jetzt lassen wir
die Armee marschiren, und der Frieden, an dem der
Congreß fünf Monate vergeblich arbeitet, den werden
wir nun weit leichter auf dem Schlachtfeld zu Stande
bringen. Gehen Sie also! Fragen Sie die Monar=
chen von Rußland und Preußen, ob sie meiner Mei=
nung sind, ob Sie ihre Armeen, die auch schon auf
dem Heimweg waren, wieder umkehren lassen wollen
nach Frankreich.

Majestät, ich gehe, und ich bin überzeugt, daß die
Monarchen es wollen, sagte Metternich. Alles kommt
darauf an, daß wir rasch und thatkräftig gewaffnet

dastehen und nicht zaudern und überlegen, bis dem Kaiser Napoleon vielleicht irgend ein Coup de main gelingt.

Gehen Sie also, rief der Kaiser. Aber hören's! Noch Eins! Weiß meine Tochter, die Marie Louise, schon Etwas von der Geschicht'?

Nein, Majestät, es müßte denn sein, daß sie auf geheimen Wegen Nachricht erhalten hätte.

Das glaub' ich halt nit, denn sie wird gut bewacht. Aber erfahren muß sie's. Wer soll's ihr auf eine kluge und vorsichtige Weise sagen?

Wenn Ew. Majestät erlauben, werde ich dem General Grafen Neipperg den Auftrag ertheilen.

Thun Sie's. Aber der Neipperg soll sein' Sach' so machen, daß die Marie Louise keine Hoffnungen schöpft, und nicht etwa meint, ich könnt mich nochmals entschließen, den Bonaparte als meinen Schwiegersohn anzuerkennen.

Majestät, sagte Metternich mit einem feinen Lächeln, Graf Neipperg würde gewiß der Letzte sein, welcher der Frau Erzherzogin solche thörigte Hoffnungen einzuflößen wagte. Ich werde ihm außerdem noch meine besondere Instructionen ertheilen.

Thun's das, rief der Kaiser, und jetzt eilen Sie zu den beiden Monarchen!

Der Fürst verabschiedete sich und eilte von dannen.

Es war kaum neun Uhr, als Fürst Metternich schon wieder in sein Hôtel zurückkehrte. Er hatte dem Kaiser Alexander und dem König Friedrich Wilhelm die unheilsvolle Depesche mitgetheilt, und beide Monarchen hatten, ganz im Einvernehmen mit Kaiser Franz, erklärt, daß der Krieg auf's Neue beginnen, daß man nicht eher ruhen müsse, als bis man nun Napoleon für immer besiegt und unwirksam gemacht habe.

Neun Uhr, sagte Metternich, als er in sein Cabinet eintrat und nach der großen Pendüle über dem Kamin hinblickte. Ich habe also, bis zum Beginn der Conferenzen noch eine Stunde Zeit. Diese Stunde werde ich benutzen, um Neipperg rufen zu lassen, und ihn zu instruiren, und um mit dem Feldmarschall Fürsten Schwarzenberg mich zu besprechen.

Er klingelte und befahl dem eintretenden Kammerdiener, sofort zwei Boten, den einen an den Grafen Neipperg, und den andern an den Fürsten Schwarzenberg zu senden und sie zu einer sofortigen Conferenz einzuladen.

Sie waren auch bei den anderen Herren, welche ich hierher einladen ließ? fragte der Fürst.

Zu Befehl Durchlaucht. Sie werden Alle kommen, bis auf den Herrn Fürsten Talleyrand. Sein Kammerdiener sagte mir, der Fürst sei erst gegen Morgen zu Bette gegangen und habe Befehl ertheilt, ihn nicht zu wecken. Wenn eine Conferenz angesagt würde, so solle bestellt werden: der Herr Fürst ließe sich entschuldigen, er könne wegen Unwohlseins heute nicht an der Conferenz Theil nehmen.

Senden Sie erst Ihre Boten ab und dann kommen Sie wieder, sagte Metternich, ich habe Ihnen noch einen Auftrag zu ertheilen.

Oh, der Herr Fürst von Benevent ist unwohl und kann heute nicht an der Conferenz Theil nehmen, sagte Metternich, als er allein war. Nun, ich werde sein Arzt sein und ihm ein Recept verschreiben, das ihn sofort gesund und conferenzfähig machen wird.

Er trat zu seinem Schreibtisch, warf hastig einige Zeilen auf das Papier, siegelte und adressirte sie und reichte sie dem eintretenden Kammerdiener dar.

Dieses Billet sofort an den Fürsten von Benevent, befahl er. Tragen Sie es selbst hin und lassen Sie sich nicht abweisen. Sagen Sie dem Kammerdiener, der Fürst müsse das Billet nothwendigerweise lesen und Sie dürften nicht ohne Bescheid heimkeh-

209

ren. Nehmen Sie einen Fiacre, um rascher fortzu=
kommen.

Talleyrand hatte sein Lager noch nicht verlassen,
obwohl die Pendule schon die neunte Stunde geschlagen
hatte. Er fühlte sich wirklich leidend und abgespannt,
und hatte daher auch im Bett sein Dejeuner ein=
genommen.

Die Gräfin Edmonde von Perigord, die junge Ge=
mahlin seines Neffen, welche zugleich in Wien im Hotel
des Fürsten als Dame des Hauses die Honneurs
machte, hatte mit eigenen schönen Händen ihrem Oheim
die Chocolade eingeschenkt und präsentirt, und hatte
dann, während Talleyrand frühstückte auf dem Fauteuil
neben dem Bett Platz genommen, um mit ihrem heitern
und geistvollen Geplauder dem Dejeuner seine wahre
Würze und Poesie zu geben.

Sie hatte dem Fürsten alle die kleinen Begebenheiten,
welche sich auf der gestrigen Generalprobe des Veau=
deville's ereignet hatten, mitgetheilt, und Talleyrand
hatte herzlich mit ihr gelacht über die kleinen Zwistig=
keiten und ehrgeizigen Zänkereien, welche die Truppe
der kaiserlichen Troubadours ebenso gut beunruhigten
als die Truppen gewöhnlicher engagirter Schauspieler.

Lieber Oheim und Fürst, sagte die Gräfin jetzt,

Mühlbach, Napoleon. 4. Abthl. III.   14

indem ihr schönes lachendes Gesicht auf einmal einen ernsten Ausdruck annahm, nun habe ich noch eine schwere und ernste Frage an Sie zu richten. Wollen Sie mir gnädigst versprechen, dieselbe der Wahrheit gemäß, und nach bestem Gewissen zu beantworten?

Bezieht sich diese Frage auf Ihr heutiges Theaterspiel in der kaiserlichen Soirée, meine schöne Nichte?

Ja, mein Oheim!

Dann verspreche ich Ihnen Ihre Frage nach bestem Gewissen, und der Wahrheit gemäß zu beantworten!

Nun denn, mein Oheim: Sie wissen, ich werde heute in dem Beaudeville: „der unterbrochene Ball" als neu engagirtes Mitglied der kaiserlichen Truppe der Troubadours mein erstes Debüt haben. Sie waren gestern so gütig der Generalprobe beizuwohnen. Sie haben mich also spielen sehen. Nun sagen Sie mir, lieber gütiger Fürst, ist es Ihre Ansicht, daß ich mit meinem Spiel Ehre einlegen kann? Wird man mich nicht verspotten, wird man nicht sagen, daß ich eine Rolle übernommen, die zu spielen ich nicht fähig sei? Oh, ich bitte, lassen Sie Sich nicht von Ihrer gütigen Nachsicht für mich zu einer wohlmeinenden Antwort hinreißen, sondern überlegen Sie erst und antworten

Sie dann als strenger, unparteiischer Richter. Denn noch ist es Zeit, ein Wort, ein Kopfschütteln von Ihnen, und ich trete zurück, ich setze mich nicht der Gefahr aus, heute Abend Fiasco zu machen, sondern ich bleibe daheim, lasse mich krank melden, und entsage ein für alle Mal dem ehrgeizigen Wunsch, noch andere Triumphe zu feiern, als diejenigen, welche mir dadurch zu Theil werden, daß ich mich die Nichte des edlen, weltbe= rühmten und gefeierten Fürsten von Benevent nennen darf. Entscheiden Sie also jetzt, theuerster Fürst! Sagen Sie, habe ich Talent? Darf ich es wagen, heute Abend in dem Veaudeville als Schauspielerin zu debütiren? Werden Sie nicht nöthig haben, Sich meiner zu schämen?

Sie blickte den Fürsten mit so erregtem, angst= zuckenden Gesicht an, als handle es | sich hier in der That um die Entscheidung einer gewichtigen Le= bensfrage.

Talleyrand sah es und lächelte. Ah, wie glücklich Sie doch sind, Edmonde, sagte er seufzend, Ihr Himmel ist so hell und klar, daß selbst der kleinste Nebelhauch von Ihnen bemerkt werden kann! Mein Gott, ich habe in so vielen und schweren Gewittern gestanden, daß ich die Zahl der aufgethürmten Wolken gar nicht zu er=

14*

meſſen vermochte! Ich glaube aber, das erſte Mi-
niſterportefeuille, das ich erwartete, hat mein Herz nicht
halb ſo ſehr beunruhigt, wie Sie Ihre erſte theatra-
liſche Vorſtellung.

Sie beantworten meine Frage nicht, rief die Gräfin
händeringend. Das heißt alſo, Sie verurtheilen mich?
Ich ſoll heute Abend nicht ſpielen?

Nein, Theuerſte, Sie ſollen ſpielen! Sie ſollen
Ihrem Oheim die ſtolze Freude gönnen, dem Triumph
einer Debütantin beizuwohnen, welche die reizendſte,
bezauberndſte Schauſpielerin iſt, die ich je geſehen, und das
will viel ſagen, denn ich glaube, ich habe alle Schau-
ſpielerinnen geſehen, welche in den letzten zwanzig Jahren
auf den Bühnen Europa's geglänzt haben.

Sie meinen alſo, rief die Gräfin, wie ein glückliches Kind ihre kleinen weißen Hände aneinander ſchla-
gend, Sie meinen, daß ich Talent habe? Daß ich
heute Abend ſpielen ſoll?

Ja, meine theure Edmonde, Sie ſollen ſpielen, und
Sie ſollen den Herren und Damen des Congreſſes beweiſen, daß Frankreich überall die erſte Rolle ſpielt,
ſowohl im Leben als auf der Bühne, und daß —

Die Thür des Vorzimmers ward haſtig geöffnet,
und der eintretende Kammerdiener brachte auf einem

goldenen Teller ein versiegeltes Billet, das er dem Fürsten präsentirte.

Von Sr. Durchlaucht, dem Fürsten Metternich, sagte der Kammerdiener. Der Bote ist beauftragt auf Antwort zu warten.

Ah, er wird mich auffordern, eine andere Stunde zu einer Conferenz zu bestimmen, sagte Talleyrand gleichgültig, indem er das Billet nahm und es der Gräfin darreichte. Lesen Sie doch, meine Theure, und sagen Sie mir den Inhalt; meine Augen sind so müde, daß sie noch ein wenig der Erholung bedürfen.

Die Gräfin nahm das Billet und erbrach es lächelnd. Auf einmal stieß sie einen lauten, durchdringenden Schrei aus, und ließ wie zerschmettert die Hand, welche das Billet hielt, niedersinken.

Was giebt es, was erschreckt Sie auf einmal so sehr? fragte Talleyrand erstaunt, und als er sah, wie der Gräfin entsetztes Auge nach dem Diener hinüberflog, sagte er: Hippolite, gehen Sie hinaus. Warten Sie im Vorzimmer, bis ich klingeln werde.

Und jetzt, rief Talleyrand, als der Kammerdiener sich entfernt hatte, jetzt sagen Sie mir, was für eine schreckensvolle Nachricht enthält denn dieser Brief?

Oh, mein Oncle, rief die Gräfin mit kläglicher

Stimme, Fürst Metternich schreibt Ihnen, daß Bonaparte die Insel Elba verlassen hat, ohne daß Jemand
weiß, wohin er gegangen ist. Was soll nun heute
Abend aus meinem Debüt werden?

Talleyrand nahm das Billet, das die Gräfin in
ihrer kleinen Hand zerknittert hatte, und las es auf-
merksam, aber mit vollkommener Gelassenheit.

Muß dieser Bonaparte auch gerade jetzt von Elba
fortlaufen, klagte die Gräfin, und gerade heute muß
die Nachricht hierher kommen, und mich an meinem
Debüt verhindern, denn natürlich wird heute Abend
keine Theater-Vorstellung bei Hofe stattfinden.

Im Gegentheil, sagte Talleyrand, die Theater-Vorstellung bei Hofe wird stattfinden, und Sie, meine
theure Nichte, werden heute Abend Ihr Debüt feiern.
Warum sollten wir um solcher Kleinigkeit willen uns
auch in unsern Vergnügungen stören lassen? *) Aber
jetzt haben Sie die Gnade mich zu verlassen, denn ich
muß sogleich aufstehen, und zur Conferenz beim Fürsten
Metternich fahren! —

Es schlug eben zehn Uhr, als der Fürst von Be-

---

*) Talleyrand's eigene Worte. Siehe: Comte de la Garde.
Vol. IV. S. 122.

nevent in dem Hôtel Metternich anlangte, und den Salon betrat, in welchem er die Diplomaten schon versammelt fand.

Fürst Metternich selber nur war noch nicht anwesend, er hatte sich noch für einige Minuten wegen einer wichtigen Conferenz mit dem Fürsten Schwarzenberg entschuldigen lassen.

Niemand von den Diplomaten, außer Talleyrand, wußte die Veranlassung dieser unerwarteten Conferenz, zu welcher Fürst Metternich sie entboten hatte, und leise flüsternd theilten sie einander ihre Vermuthungen mit, als die Thür sich hastig öffnete, und Metternich ruhigen, lächelnden und heiteren Angesichtes, wie immer, eintrat.

Eine wichtige Nachricht, meine Herren, sagte er, eine Depesche, welche das kaiserliche General-Consulat aus Genua uns gesandt hat.

Und er reichte mit einer leichten Verbeugung dem Staatskanzler von Hardenberg seine Depesche dar. Dieser las sie, und gab sie dann ohne ein Wort zu sagen, an seinen Nachbar, und Alle lasen sie schweigend, mit echt diplomatischer Ruhe diese inhaltsvollen Zeilen, welche die Depesche enthielt.

Talleyrand war der Letzte, welcher das Papier

empfing. Er las beſſen Inhalt unb blickte bann mit ruhiger Gelaſſenheit auf Metternich hin.

Wiſſen Sie, wohin Napoleon ſich wenden wird? fragte er.

Der Rapport ſagt nichts bavon, erwieberte Metternich.

Er wirb ſich nach Italien wenden, ſagte Talleyrand ruhig, er wirb an irgenb einer Stelle Italiens an's Land ſteigen, unb ſich in bie Schweiz werfen.

Nein, rief Metternich, nein, er wirb gerabe nach Paris gehen!*)

Nun, bann hoffe ich, baß wir ihm ba begegnen werben, rief Harbenberg lebhaft. Ich bächte, bie Verbünbeten hätten wohl ein Recht, Bonaparte bie Honneurs bon Paris zu machen, unb wenn er wieber borthin kommt, werben auch w i r uns beeilen müſſen nach Paris zu gehen.

Das iſt auch bie Anſicht ber Monarchen von Oeſterreich, Rußlanb unb Preußen, ſagte Metternich. Es fragt ſich nur, ob ber eble Herzog von Wellington im Namen Englanbs bieſer Anſicht beipflichten wirb?

---

*) Barnhagen v. Enſe: Denkwürbigleiten bes eigenen Lebens. III. S. 235.

Ich pflichte ihr bei, sagte der Herzog feierlich, ich habe von meinem Regenten genügende Vollmacht in seinem Namen zu entscheiden. Im Namen Englands erkläre ich also, daß England Theil nehmen wird an dem erneuerten Kriege gegen Napoleon, und nicht dulden wird, daß er auf's Neue die Welt beunruhige.

Die Monarchen haben mich bevollmächtigt, ihren Ministern anzuzeigen, daß sie den Krieg beschlossen haben, sagte Metternich. Es ist also jetzt nur noch nöthig, über die Maßregeln der Ausführung zu verhandeln. Einig im Hauptprincip werden wir uns bald verständigen, und wohin Napoleon sich auch wenden möge, überall wird er die europäischen Mächte bereit finden, mit den Waffen in der Hand ihn zurückzudrängen.

II.

Marie Louise.

Auf dem innern Schloßhof von Schönbrunn stand die Equipage bereit, und erwartete die Kaiserin, welche heute nach Wien fahren wollte, um dort in der kaiserlichen Familie den ganzen Tag zuzubringen. Heute zum ersten Mal wollte sie, den dringenden Bitten des Grafen Neipperg nachgebend, auch an einem der kaiserlichen Feste Theil nehmen, und der Theater-Vorstellung in den Gemächern der Kaiserin Ludovica beiwohnen. Auch ihr Sohn, der kleine Prinz Napoleon sollte bei diesem Fest erscheinen, und in feierlicher Repräsentation zum ersten Mal öffentlich als Mitglied der kaiserlichen Familie vorgestellt werden.

Marie Louise hatte so eben ihre Toilette beendet, und ließ sich von der Gräfin Montesquiou den Shawls über die Schultern werfen. Dabei traf ihr Blick ganz

von ungefähr das Antlitz der Gräfin, und der trübe,
schwermuthvolle Ausdruck desselben überraschte Marie
Louise.

Sie sehen traurig aus, Gräfin? fragte sie theil=
nahmsvoll. Fehlt Ihnen etwas? Haben Sie Kummer?

Nein, Majestät, sagte die Gräfin, ich habe nur den
Kummer, den ich alle Tage empfinde. Nur ist er
etwas geschärfter, denn ich sehe meine Kaiserin bereit,
als Erzherzogin wieder an den Hof zu gehen, und ihre
Vergangenheit zu verleugnen.

Es ist wahr, seufzte Marie Louise, es ist ein schwe=
rer Schritt, und er hat mich viel Ueberwindung ge=
kostet. Aber mein Vater wünscht, ich möchte den
Souverainen, in deren Händen die Entscheidung mei=
nes Schicksals liegt, beweisen, daß ich nicht mehr trauere
über die Vergangenheit, und daß meine Wünsche sich
nicht mehr rückwärts wenden, sondern nur noch auf
das Herzogthum Parma gerichtet sind. Ich habe also
mein widerstrebendes Herz überwunden, ich habe mein
Haupt gebeugt, und ich gehe zu diesem Fest, um mir
mit diesem Opfer meine Freiheit zu erkaufen. Denn
einmal erst zur Herzogin von Parma ernannt, werde
ich das Recht haben, dort zu residiren, werden die
Pforten meines Gefängnisses von Schönbrunn sich vor

mir aufthun, und die Welt, das Leben, die Gedanken, der Wille wird wieder mein Eigen sein. Oh, sagen Sie nicht, daß ich aus eitler Zerstreuungssucht mich heute zu diesem Feste begebe, ich kenne alle die De= müthigungen, welche mir heute bevorstehen, ich weiß, daß meine erhabene Stiefmutter, die Kaiserin Lu= dovica sich nicht bemühen wird, die Dornen aus dem Rosenkranz zu ziehen, den man mich heute zwingt in mein Haar zu flechten. Aber ich werde meine Schmerzen unter einem Lächeln verbergen, meine Thrä= nen in mich hinein weinen, und es über mich gewinnen, heiter zu erscheinen. Ich werde mir immer wieder= holen: nimm das Joch auf Dich, damit Du frei werdest. Beuge Dein Haupt, damit man wenigstens eine Herzogskrone darauf befestige.

Und weshalb, Majestät, geht der König von Rom mit zu dem Fest? fragte die Gräfin.

Ich bitte Sie, liebe Gräfin, rief Marie Louise, einen ängstlichen Blick umher werfend, ich bitte Sie, wollen Sie meinen Sohn nicht mehr mit einem Titel nennen, den er für immer verloren hat. Wir müssen es vermeiden, hier Aergerniß zu erregen, und ich weiß, daß es meinem Vater sehr unangenehm ist, daß man noch so oft meinem Sohn einen Titel giebt, der ihm nicht gebührt. Aber es ist die höchste Zeit, unsere Fahrt anzutreten. Holen Sie gefälligst meinen Sohn, und —

Sr. Excellenz der General Graf Neipperg, meldete der eintretende Lakay, und ehe Marie Louise noch Zeit fand, zu einer Erwiederung, erschien der Graf auf der Schwelle der offenen Thür.

Ah, Sie kommen ohne Zweifel, um sich zu über-zeugen, daß ich Wort halte, rief Marie Louise, daß ich wirklich mein Gefängniß verlasse, und nach Wien gehe?

Nein, Majestät, sagte der Graf mit feierlichem Ernst, nein, ich komme, Ew. Majestät um eine Au-dienz zu bitten.

Eine Audienz? fragte Marie Louise erschrocken. Das heißt, Sie haben mir etwas Wichtiges zu sagen? Es ist irgend Etwas vorgefallen?

Ich bitte Ew. Majestät um eine geheime Audienz, sagte der Graf, sich tief verneigend.

Marie Louise, ganz verwirrt und beklommen, blickte die Gräfin an, und winkte dann nach der Thür hin.

Gräfin Montesquiou verneigte sich tief, und verließ das Gemach.

Jetzt, Herr Graf, sagte Marie Louise, jetzt sind wir allein, jetzt haben Sie Ihre geheime Audienz.

Was giebt es? Weshalb sehen Sie mich so traurig
an? Ah, ich errathe! All' meine Demüthigungen,
mein Bitten und Flehen ist vergeblich gewesen, und
jetzt in der letzten Stunde noch nehmen Alle ihr Wort
zurück! Ich werde nicht Herzogin von Parma werden,
ich werde zu ewiger Abhängigkeit von meinem Vater,
zu ewiger Gefangenschaft in Schönbrunn verurtheilt.
Nicht wahr, das ist es, was Sie mir zu sagen haben?
Oh, fürchten Sie sich nicht, es zu gestehen, denn Sie
sehen, ich bin vorbereitet, und auf Alles gefaßt. Ich
habe so viel erduldet, daß nichts mich mehr überrascht.
Sprechen Sie also! Ist es das?

Nein, Majestät, das ist es nicht, seufzte Graf Neip=
perg. Ich hoffe noch immer, daß die edle und erha=
bene Stirn Ew. Majestät, welche so würdig ist einer
Kaiserkrone, mindestens mit einer Herzogskrone sich
schmücken wird, und mehr als Jemals hängt dies jetzt
von dem Willen und den Entschlüssen meiner erhabenen
Herrin ab. Beweisen Sie es, daß Sie mit der Ver=
gangenheit gebrochen haben, geben Sie jetzt vor aller
Welt ein Zeugniß, daß die Bande, welche Sie einst,
den Befehlen des Kaisers Ihres Vaters gehorsam,
schließen mußten, jetzt für immer zerrissen sind, und
daß Sie dieselben niemals wieder anknüpfen wollen,

223

und man wird der Tochter des Kaisers von Oesterreich, der heimgekehrten deutschen Fürstin, jetzt freudig und bereitwillig die Krone von Parma, die allein ihr bescheidener Sinn erstrebt, darreichen. Oh, Fürstin, ich beschwöre Sie, haben Sie den Muth, feierlich vor ganz Europa mit Ihrer Vergangenheit zu brechen, und Alles wird gut werden, und der gesegnete Hafen der Ruhe, des Friedens wird sich endlich Ihnen öffnen.

Graf, fragte Marie Louise bleich und zitternd vor innerer Aufregung, was ist geschehen? Sagen Sie es mir schnell, ohne Umschweife! Ich will es wissen!

Wohlan Majestät, Sie sollen es erfahren, sagte Graf Neipperg, und dicht zu der Kaiserin herantretend, und ihr mit einem unaussprechlichen Ausdruck tief und lange in das erregte Antlitz schauend, sagte er leise: Napoleon ist von Elba entflohen!

Marie Louise stieß einen lauten Schrei aus, eine dunkle Purpurröthe flog über ihr Antlitz hin, ein freudiger Glanz strahlte in ihren Augen auf, ein glückliches Lächeln umspielte ihre Lippen. *)

---

*) Ueber die aufrichtige Freude, die Marie Louise bei der ersten Nachricht von der Flucht Napoleons äußerte, berichtet Gneisenau an die Prinzessin Louise Radziwill. Siehe: Pertz, Bd. IV.

Er ist entflohen, rief sie, er ist wieder frei, er ist wieder der Kaiser! Wohin ist er gegangen? Oh, sa= gen Sie mir, wo ist Napoleon?

Niemand weiß das bis jetzt, sagte Neipperg mit trauriger Stimme. Niemand weiß, wohin der Kaiser sich gewandt hat und was er unternehmen wird.

Oh, ich weiß es, rief Marie Louise mit blitzenden Augen und einem seligen Lächeln. Ich weiß, wohin Napoleon sich wenden und was er unternehmen wird! Nach Frankreich wendet sich sein heldenkühnes Herz, nach Paris wird er gehen und den König wieder ver= jagen, und wird wieder Kaiser von Frankreich werden. Oh, und dann wird er mich wieder zu sich rufen, und ich werde wieder Kaiserin von Frankreich sein, und die Fürsten, die jetzt in ihrem Hochmuth so stolz mir ge= genüber stehen, die werden sich wieder vor mir beugen! Oh, mein Gott, mein Gott, ich danke Dir, Du hast meine Gebete erhört, Du hast mir endlich Erlösung gesandt! Napoleon ist wieder da, er wird mich wieder zur Kaiserin machen, und mein Sohn, mein armer ge= liebter, kleiner Napoleon, dem man seinen Rang, seinen Titel, ja sogar seinen Namen rauben wollte, er wird jetzt wieder der König von Rom werden, und freudig und stolz kann ich es aller Welt sagen: er heißt wie

fein Vater, er heißt Napoleon! — Oh, Graf, freuen
Sie fich doch mit mir, Sie, der Sie fo oft mir ge-
fchworen haben, daß Sie Antheil nähmen an meinem
Mißgefchick, freuen Sie fich jetzt mit mir meines
Glückes, und — Aber wie, unterbrach fie fich auf
einmal felbft, Sie fehen bleich aus, Sie, — mein
Gott, ich glaube, Sie weinen fogar?

Ja, rief der Graf, in heftiger Bewegung feine
Hände an feine Bruft drückend, ja ich weine, und da
drinnen in meiner Bruft wühlen unfägliche Schmerzen.
Oh Thor, erbarmungswürdiger Thor der ich war, von
einem Glück, einem Paradiefe zu träumen, für mich
zu träumen! Das Schickfal ftraft mich für meine
Vermeffenheit, und weil mein fündiges Herz gewagt
hat zu hoffen, wird es zerfchmettert. Ich hatte Strafe
verdient und ich habe fie empfangen, denn ich bin
Zeuge gewefen von der Freude Ew. Majeftät. Jetzt
habe ich nichts mehr zu fagen, darf ich nichts mehr
fagen; von diefer Stunde an habe ich nicht mehr das
Recht, vor Ew. Majeftät zu erfcheinen, denn Sie werden mich wieder haffen, wieder Ihren Feind nennen.
Leben Sie alfo wohl, Majeftät, leben Sie ewig wohl!
Oh, könnte ich mein Herzblut zu Ihren Füßen hin-
ftrömen, um Ihnen zu beweifen, daß Sie nie einen

treuern, ergebeneren Diener gehabt haben, als ich es
bin, ob könnte ich für Sie in den Tod gehen! Aber
das Schicksal hat mir diese letzte Gnade versagt, ich
darf nicht einmal zu Ihren Füßen sterben. Leben Sie
also wohl, und möge Gott mir gnädig sein, möge er
mir eine mitleidige Kugel senden, die mich erlös't!

Er stürzte zu der Kaiserin hin, und in gewaltiger
Bewegung vor ihr niedersinkend, umklammerte er ihre
Füße, lehnte er sein Haupt an ihre Knice und küßte
mit glühender Inbrunst ihr Gewand. Dann sprang
er empor, und ohne ein weiteres Wort, einen weitern
Blick eilte er nach der Thür hin.

Aber Marie Louise eilte ihm nach, sie legte ihre
Hand auf seinen Arm, und zog ihn von der Thür
zurück.

Wo wollen Sie hingehen? fragte sie mit bebenden
Lippen. Warum sagen Sie mir Lebewohl?

Weil ich Wien verlasse, und zur Armee abgehe,
sagte er fast trotzig.

Zur Armee? fragte Marie Louise athemlos. Soll
denn der Krieg auf's Neue beginnen?

Ja, rief Neipperg mit wilder Freude, ja der Krieg
soll auf's Neue beginnen! Die Monarchen haben geschworen, nicht eher das Schwert wieder in die Scheide

zu stecken, bis die Welt für immer von Bonaparte be=
freit ist. Schon sprengen die Couriere und Staffetten
nach allen Seiten hin, um den Armeen der Verbün=
deten, welche Alle schon auf dem Rückmarsch von Frank=
reich waren, den Befehl zu bringen, umzukehren und
wieder vorwärts zu rücken an die Grenzen Frankreichs.
Ja, Gott sei gelobt und gepriesen, die Monarchen sind
einig, sie haben den Krieg beschlossen, sie haben ge=
schworen, die Waffen nicht eher wieder niederzulegen,
als bis sie die Welt für immer von dem Ungeheuer
befreit haben, welches, nachdem es schon das Blut von
Millionen Männern vergossen hat, noch nicht zufrieden
ist, den erschöpften Nationen noch nicht den Frieden
gönnen will.

Und das wagen Sie mir zu sagen? rief Marie
Louise mit blitzenden Augen. In meiner Gegenwart
wagen Sie es, meinen Gemahl, den heimgekehrten Kai=
ser zu schmähen?

Ja, das wage ich, sagte Neipperg, sie mit stolzem
trotzigem Blick anschauend. Für mich ist Bonaparte
nicht der heimgekehrte Kaiser, sondern ich sage von ihm,
was heute Morgen der Kaiser Franz sagte, als Fürst
Metternich ihm die Nachricht von der Flucht Napoleons

15*

brachte: „er ist ein Abenteurer, der jetzt seine letzte
Rolle spielt."

Oh, mein Gott, murmelte Marie Louise, schweigen
Sie doch! Gönnen Sie mir doch die Hoffnung auf die
Zukunft.

Nein, rief Neipperg, mit einem grausamen Lächeln,
nein, ich will nicht schweigen. Sie haben vorher kein
Erbarmen mit mir gehabt, jetzt will ich auch keins
haben. Sie haben vor mir gejubelt über die Rückkehr
Napoleons, jetzt sollen Sie auch von mir den Jubel
über das Ende dieses Abenteurers hören müssen. Und
ich sage Ihnen, Madame, dieses Ende wird anders sein,
wie Bonaparte in seinem stolzen Hochmuth es vermeint, es wird den schmachvollsten Fluch an seiner
Stirn tragen, den Fluch der Lächerlichkeit! Statt daß
man bisher den gestürzten Kaiser bewunderte und fast
beklagte, wird man von jetzt an den flüchtigen Abenteurer, welcher mit seinen tollen Theatercoups Fiasco
macht, verlachen und verhöhnen, und er wird für ganz
Europa die Zielscheibe des Spottes, der Bosheit und
des Witzes werden. Ew. Majestät sagen, Napoleon
werde sich nach Paris wenden, nach Frankreich gehen.
Nun wohl, möge er es thun! Das französische Volk
wird ihn mit Verwünschungen empfangen, die Armee,

welche mit enthufiaftifcher Liebe an dem guten König hängt, dem fie Treue gefchworen, die Armee wird ihm ihre Waffen entgegenftrecken, und fich nicht noch einmal von den leeren Verfprechungen des Mannes verlocken laffen, der feit zwanzig Jahren fie von Krieg zu Krieg gefchleppt hat, indem er immer verficherte, daß er nur den Frieden begehre und erkämpfe. Frankreich war gefaßt auf folchen Handftreich des Abenteurers Napoleon, und es ift bereit, ihn mit Gewalt zurückzuweifen. Schon feit Wochen ift die ganze Küfte Frankreichs mit einem ftarken Militair-Cordon befetzt, und mächtige Kriegsfchiffe kreuzen unfern der Ufer. Kein Schiff, kein Boot kann unbemerkt fich Frankreich nähern, und wenn Napoleon mit feinen hundert Garden und drei Schiffen daher kommt, wird das Hohngelächter, welches ihn von den franzöfifchen Schiffen und von dem Ufer her empfängt, ihm. beffer als rollende Kanonenkugeln das Scheitern feines abenteuerlichen Kaiferunternehmens anzeigen. Aber nehmen wir an, daß es ihm gelingt zu landen, daß er unter einer Verkleidung den Boden Frankreichs betritt, daß er einige Abenteurer findet, welche fich ihm anfchließen, fo wird doch die ganze Nation fich wider ihn erheben, und auf ihre Wittwen und Waifen zeigend, wird fie rufen: wir wollen

Dich nicht, Dich, den Mörder unserer Söhne und Männer, wir verwünschen Dich, den Menschenschlächter! Wir wollen Frieden, Frieden, und den giebt und erhält uns unser König. Hebe Dich weg von uns! Frankreich verwirft den Tyrannen, der es so lange unterjocht, so lange seine Freiheit unterdrückt hat. Frankreich will frei sein, und es schaudert zurück vor Deiner despotischen Hand!"

Nein, rief Marie Louise trotzig, nein, Sie irren sich, mein Herr! Frankreich wird des Ruhmes gedenken und der Siege, mit welchen der Kaiser es wie mit einer Glorie umstrahlt hat, Frankreich wird der Liebe gedenken, welche sein großer Kaiser ihm stets bewiesen hat, und es wird ihm seine Arme entgegenstrecken, und wird ihn jubelnd willkommen heißen, und ihn anerkennen als seinen Kaiser!

Nun wohl, nehmen wir an, daß es so sei, sagte General Neipperg, glauben wir, daß die Hoffnungen Eurer Majestät sich verwirklichen, daß Napoleon's abenteuerliches Unternehmen von Erfolg gekrönt wird, der sich wieder zum Kaiser von Frankreich erhebt. Sein erster Schritt auf dem Thron ist für ganz Europa eine Kriegserklärung und alle Mächte sind entschlossen, diese Kriegserklärung anzunehmen und den Friedensstörer zu

bekämpfen auf Leben und Tod. Schon haben die Regenten von Oesterreich, Rußland, England und Preußen
sich hier zum neuen Kampf verbündet, schon rufen sie
ihre Heere, und jubelnd werden ihre Soldaten zu den
Fahnen eilen und wieder hinziehen nach Frankreich.
Und inmitten dieser Heere, die voll Siegesmuth von
allen Seiten herbeiströmen, steht Napoleon allein, ohne
Bundesgenossen, ganz Europa gegen sich gewaffnet.
Wird er die Kraft haben, er mit seinem geschwächtem
Heer, das den Glauben an seine Unüberwindlichkeit und
das Glück des Kaisers schon auf den Schneefeldern von
Rußland eingebüßt hat, wird er die Kraft haben, den
Armeen aller europäischen Mächte die Stirn zu bieten?

Marie Louise senkte traurig ihr Haupt. Ich sehe
wohl, seufzte sie, er ist verloren.

Ja, rief General Neipperg triumphirend, ja er ist
verloren. Zum zweiten Mal werden wir ihn vernichten, zum zweiten Mal werden wir ihn herabstürzen von
seinem geraubten Thron, zum zweiten Mal werden wir
ihn seines Theaterputzes, seiner Kaiserkrone und seines
Kaisermantels entkleiden. Aber dies Mal wird man
weniger großmüthig, weniger respectvoll sein. Vor
einem Jahr war Napoleon noch der Kaiser, welchen
man besiegt hatte und dem man Rücksicht schuldig zu

fein glaubte, jetzt wird er der gefangene Abenteurer sein, den man verurtheilt und richtet.

Sie wollen ihn hinrichten? rief Marie Louise entsetzt.

Nein, sagte Neipperg ruhig, mag er leben, ein Leben der Demüthigung, der Erniedrigung, des Hohns und der Schande. Verbannt auf irgend eine wüste Insel im Ocean, oder in einem Käfig umhergeführt, um den Völkern gezeigt zu werden als die Geißel Gottes, die einst gesandt worden, um die Völker zu strafen, die Gott aber jetzt bei Seite geworfen hat. Er wird bei Gott und Menschen kein Erbarmen finden, er wird allein sein, ganz allein. Doch nein, ich irrte mich, seine Gemahlin wird bei ihm sein und auch sein Sohn. Sie werden seine Schmach, seine Demüthigung mit ihm theilen, sie werden mit ihm in der Wüste des Weltmeers oder im Gefängniß leben. Oh, Marie Louise wird sich unsterblich machen, und wenn man auch dereinst von ihr sagen wird: „sie war eine schlechte Patriotin, denn sie verrieth ihr deutsches Vaterland, sie war eine undankbare Tochter, denn sie verließ ihren Vater", so wird man doch bewundernd hinzusetzen: „aber sie war eine treue Gattin, denn sie folgte dem Feind ihres Vaterlandes, ihres Hauses, in das Elend und die Schande, sie bewunderte ihn, obgleich ganz Frankreich ihn verhöhnte, sie liebte ihn, ob-

gleich Er sie selber Niemals geliebt, ihr immer die
Treue gebrochen und es ihr nie vergeben hat, daß sie
ihm nicht nach Elba gefolgt war, sondern diese Ehre
seinen Geliebten überlassen hatte." — Oh, zu denken,
daß Marie Louise, meine Herrin, die geliebte Tochter
ihres Vaters, die von Oesterreich angebetete deutsche
Fürstin, daß diese edle, stolze, tugendhafte Frau dazu
verurtheilt ist, an der Seite eines corsischen Abenteurers
durch die Welt zu ziehen ohne Heimath, ohne Vater=
land, ohne Namen und ohne Ehre! Denn täuschen
Sie Sich nicht, Fürstin, an dieser Stunde hängt ihre
ganze Zukunft, in dieser Stunde entscheiden Sie über
den Rang, den Sie künftig in der Welt einnehmen, den
Sie Ihrem Sohne geben wollen!

Was sagen Sie? fragte Marie Louise entsetzt.
Wie kann ich jetzt entscheiden über meine Zukunft, ich,
eine arme, willenlose Frau?

Sie sollen in dieser Stunde einen Willen haben,
sagte Neipperg feierlich. Ihr Herr Vater, der Kaiser,
ermächtigt Sie dazu. Fürstin, ich komme im Auftrag
des Kaisers. Er legt Ihre Zukunft in Ihre Hand,
und gleich den Monarchen von Rußland und Preußen,
gleich ganz Europa, wartet er auf Ihre Entscheidung.
Die Mächte haben sich vereint zum Kriege gegen Na=

poleon, und in diesem großen europäischen Kriege wollen und dürfen sie keine Neutralität dulden. Wer mit
Napoleon geht, der ist ihr Feind, den sie angreifen,
wer wider ihn ist, der ist ihr Bundesgenosse, den sie
beschützen und für dessen Wohlfahrt sie sorgen. Sie
fragen jetzt die einstige Kaiserin von Frankreich, die
einstige Gemahlin Napoleons, auf welche Seite sie sich
stellen will, — auf die Seite Napoleons, oder auf die
Seite der Verbündeten? Auch für Sie ist die Zeit
der Neutralität vorüber, und auch Sie müssen vor
ganz Europa sich offen erklären. Wollen Sie zu Napoleon stehen, wohlan, der Kaiser Franz gestattet es
Ihnen, er will die Feindin Deutschlands nicht mehr
zwingen, sich seine Tochter zu nennen und in seinem
Hause zu wohnen.

Das heißt, er will mich verstoßen, rief Marie
Louise entsetzt.

Das heißt, er gestattet Ihnen mit Ihrem Sohne
zu Ihrem Gemahl zurückzukehren, und er wird vergessen, daß die Gemahlin des Abenteurers Napoleon
einst seine Tochter war und daß er ihren Sohn als
seinen Enkel geliebt hat. Die Monarchen, welche
sich einst für die Tochter des Kaisers Franz, für die
deutsche Erzherzogin, die entthronte Kaiserin verwandten,

und ihre Zukunft sichern, und sie zur Souverainin
eines schönen und reichen Herzogthums machen wollten,
die Monarchen geben es auf, für Diejenige zu sor=
gen, welche sich laut zu ihrer Feindin bekennt, und
einem Manne anhängt, welcher der Feind Deutschlands,
der Feind ganz Europa's ist; sie ziehen ihre Hand
zurück von der Gemahlin Napoleons, und sie mag sein
Loos mit ihm theilen, aber nimmer wird sie Herzogin
von Parma werden, nimmer wird sie als Erzherzogin
von Oesterreich in die Staaten ihres Vaters zurück=
kehren dürfen.

Oh Gott, Gott, schrie Marie Louise in Todesangst,
was soll ich denn thun, um dies Unheil von mir ab=
zuwenden? Was kann ich beginnen, um meinem Vater,
um den Monarchen zu beweisen, daß ich nicht eine
Feindin meines Vaterlandes und meines Kaisers bin?

Madame, ich sagte Ihnen erst, was der Kaiser von
Oesterreich, was die Verblündeten thun werden, wenn
Sie Sich auf Napoleon's Seite stellen wollten. Es
bleibt mir noch übrig zu sagen, was sie thun werden,
wenn Sie sich als deutsche Prinzessin, als Erzherzogin
von Oesterreich, als die Tochter Ihres kaiserlichen
Vaters offen und frei zu den Alliirten, zu den Gesin=
nungen Ihres Vaters, Deutschlands und ganz Europa's

bekennen wollen. Geben Sie ein Zeugniß, daß Sie
dies thun, sagen Sie sich feierlich los von Napoleon,
und der Kaiser, Ihr Vater, wird Sie mit Thränen des
Entzückens in seine Arme schließen und er wird Ihren Sohn
als seinen Enkel segnen und behüten, und Sie Beide
lieben und heilig halten. Sagen Sie Sich heute, in
dieser Stunde los von Napoleon, und die Monarchen
und alle Mitglieder des Congresses werden morgen
schon in feierlicher Sitzung es für ihre erste, ihre hei-
ligste Pflicht erachten, die Zukunft der Erzherzogin
Marie Louise zu sichern; sie werden Sie einstimmig
und unabänderlich zur Herzogin von Parma erklären,
und morgen schon wird Marie Louise die freie, selbst-
ständige und unabhängige Souverainin eines Herzogthums, gesichert gegen alle Wechselfälle des Schicksals, sein.

Und mein Sohn? fragte Marie Louise lebhaft.

Der Kaiser von Oesterreich wird seinem Enkel, dem
er die Erbfolge in Parma nicht zugestehen darf, eine
glänzende Dotation in Böhmen geben, und ihm den
Titel eines Herzogs von Reichstadt verleihen, wie er
das schon früher beschlossen hat.

Aber wie soll ich mich feierlich lossagen von Napoleon, fragte Marie Louise, wie muß ich es anfangen,

damit man mir glaubt, daß ich keine ehrgeizigen Wünsche mehr hege und kein Gelüste mehr trage nach der
französischen Kaiserkrone?

Setzen Sie Sich dort an Ihren Schreibtisch, Madame. Schreiben Sie ein kurzes, zärtliches Billet an
den Kaiser, Ihren Vater. Schreiben Sie Sr. Majestät, daß Sie ihn bitten, was auch Napoleon fordern möge, Sie und Ihren Sohn unter keiner Bedingung wieder an ihn auszuliefern. Versichern Sie ihn
mit heiligem Schwur, daß Sie dem Unternehmen Napoleons ganz fremd sind, daß Sie nichts gewußt haben
von seinen Plänen und stellen Sie Sich und Ihren
Sohn unter den Schutz des Kaisers und seiner
Alliirten.

Warten Sie, rief Marie Louise, zu ihrem Schreibtisch stürzend und sich vor demselben niederlassend,
wiederholen Sie mir das noch einmal, sagen Sie mir,
was ich schreiben muß. Dictiren Sie mir!

Nun wohl denn, haben Ew. Majestät die Güte zu
schreiben: „Mein gnädigster Vater! Noch ganz bewegt
und erschüttert von der furchtbaren Nachricht, die ich
so eben erhalten, eile ich, Ew. Majestät zu beschwören,
mir Ihre Gnade nicht zu entziehen und Ihre unglückliche
und gehorsame Tochter nicht von Ihrem Herzen zu

verstoßen. Ich schwöre Ew. Majestät, daß ich dem Unternehmen Napoleons ganz fremd bin, nichts gewußt habe von seinen Plänen, und nichts wünsche und begehre, als aus den Händen meines kaiserlichen Vaters allein meine Zukunft zu empfangen. Ich beschwöre Ew. Majestät, mich und meinen Sohn unter Ihre Obhut zu nehmen, und ich stelle mich hiermit feierlich unter den Schutz Ew. Majestät und der alliirten Souveräne. Zugleich ersuche ich Ew. Majestät, meinem mütterlichen Herzen einen Wunsch zu erfüllen, und mir gnädigst zu gestatten, daß ich meinem Sohn das herrlichste und ehrenvollste Geschenk mache, daß ich ihm den Namen seines Großvaters gebe, und ihn von heute an Franz benenne, auch meine Dienerschaft anweise, ihn von jetzt an nicht anders zu benennen. Mögen Ew. Majestät dies als einen kleinen Beweis der treuen und kindlich ergebenen Gesinnung betrachten, mit der ich bin Ew. Majestät ganz gehorsame Tochter

Marie Louise.*)

Ach, rief Marie Louise, nachdem sie zu Ende geschrieben, die Feder bei Seite werfend, jetzt bin ich Herzogin von Parma.

---

*) Ménéval: Memoires. III. 142.

Mit haftigen Händen faltete sie das Papier zu=
sammen und adressirte es. Dann stand sie auf, und
mit dem Papier in der Hand näherte sie sich dem
Grafen, der mit strahlendem Angesicht ihr entgegen
schauete.

Hier, General, sagte sie, mit einem sanften Lächeln
ihm das Billet darreichend, tragen Sie dies Billet zu
meinem Vater. Ich selber werde ihm sagen, daß Sie
heute den schwersten und größten Ihrer Siege gefeiert
haben, den Sieg über ein menschliches Herz. Sie
haben meinem rebellischen Herzen eine tüchtige Schlacht
geliefert, und zwar mit scharfen zweischneidigen Waffen,
aber Sie haben damit die übermüthige, ehrgeizige
Kaiserin besiegt, und sie in eine gehorsame Erzherzogin
verwandelt. Sie haben mich besiegt, General, und
dennoch, ja dennoch danke ich Ihnen, und werde dieser
Stunde nie vergessen!

Graf Neipperg erwiederte nichts, er kniete vor Marie
Louise nieder und preßte die Hand, welche ihm das
Billet darreichte, an seine glühenden Lippen und
schaute dann zu ihr auf mit einem seligen entzückten
Ausdruck.

Auch ich werde dieser Stunde nie vergessen, flüsterte
er, sie wird das schönste Besitzthum meines Lebens bleiben!

240

Stehen Sie auf, Graf, sagte Marie Louise beklommen, der Kaiser wird Sie erwarten. Bringen Sie
ihm mein Billet.

Graf Neipperg erhob sich, verneigte sich tief und
wandte sich der Thür zu.

Graf, rief Marie Louise, noch ein Wort.

Sofort wandte der Graf sich um, und kehrte zu
ihr zurück.

Ich bemerke, daß Sie einen schwarzen Flor um
ihren Arm tragen, sagte Marie Louise hastig. Sie
haben also Trauer? Wer ist Ihnen denn gestorben,
und wen haben Sie zu beweinen?

Ew. Majestät, sagte der Graf mit seltsam bewegtem
Ton, ich erhielt heute Morgen eine ganz unerwartete
Nachricht. Ich bin Wittwer, meine Gemahlin ist nach
zweitägiger Krankheit plötzlich gestorben.*)

Marie Louise zuckte zusammen, eine tiefe Purpurgluth flog über ihre Wangen hin, und vor dem glühend auf sie gehefteten Blicke des Grafen schlug sie
befangen die Augen nieder.

Graf Neipperg trat noch dichter zu ihr hin, und
mit zitternder bewegter Stimme flüsterte er: Ew. Ma-

*) Méneval: Memoires. III. 221.

jeſtät fragten mich, wer mir geſtorben, und wen ich
beweinte. Geſtorben iſt mir die Gemahlin, aber ich
beweine ſie nicht, und als ich die Trauerbotſchaft erhielt, jauchzte mein ſündiges Herz, und ich rief freudig:
ich bin frei. Mein Herz darf ſein Idol lieben und
anbeten, und Niemand darf ſagen, daß meine Liebe ein
Verbrechen iſt! Ich bin frei! —

Er neigte ſich auf die Hand Marie Louiſens,
drückte einen flammenden Kuß auf dieſelbe, und eilte
hinaus.

Marie Louiſe ſchaute lange noch nach der Thür
hin, durch welche er verſchwunden war. Dann hob
ſie die großen blauen Augen mit einem vorwurfsvollen
Ausbruck zum Himmel empor.

Er iſt frei, flüſterte ſie. Er darf lieben ohne
Sünde, — aber ich? Oh mein Gott, ich?

III.

Das unterbrochene Fest.

Fünf Tage der Ruhe und des Schweigens waren
diesem ersten Donnerschlag des über Europa herein=
brechenden Gewitters gefolgt, und keine weitern Nachrichten von dem Unternehmen Napoleons waren bis
jetzt nach Wien gelangt. Dennoch konnte man an der
Kunde von der Flucht Napoleons nicht mehr zwei=
feln, denn an jenem ersten Tage waren noch zwei
weitere Couriere von Genua angelangt, und sie hat=
ten die Nachricht bestätigt.

Napoleon hatte wirklich Gelegenheit gefunden, der
Wachsamkeit der englischen Schiffe zu entgehen und die
Insel Elba zu verlassen. Freilich war der Commodore
Sir Colin Campbell in der letzten Zeit mit ganz andern
Dingen beschäftigt gewesen, als mit der Bewachung
Napoleons, und statt den Blick auf Elba geheftet zu

halten, hatte er ihn nach Livorno hingewandt, nach Livorno, wo die Frau jetzt weilte, welche er liebte, nach
Livorno, wo die schöne Gräfin Ildefonse wohnte, und
Sir Colin Campbell zu sich lockte mit ihrem bezaubern-
den Angesicht. Der Commodore hatte nicht die Kraft
gefunden, den Liebesblicken der Zauberin zu widerstehen,
und statt mit seinem Schiff die Insel Elba zu bewachen, hatte er es immer wieder nach Livorno gelenkt,
um dort in den Zaubergärten seiner Armida alles Andere zu vergessen, außer seine Liebe. *)

Diese häufige Abwesenheit von den Küsten Elba's
hatte die Flucht des Kaisers außerordentlich begünstigt,
und es ihm möglich gemacht, die hohe See zu erreichen, ohne von irgend einem Unfall aufgehalten zu
werden.

Das waren die Nachrichten, welche die beiden andern Couriere von Genua nach Wien gebracht, und
welche wie ein Blitz in allen Gemüthern gezündet hatten.
Jedermann kannte jetzt die große, welterschütternde
Neuigkeit, Jedermann war in lebhafter Spannung die
weitere Entwickelung dieses großen Drama's, das Napoleon der Welt darstellen wollte, zu schauen, und mit

*) Memoires du Duc de Rovigo. VII. S. 350.

16*

glühender Neugierde wandten sich aller Blicke dem
Kaiserhofe zu, suchten sie in den Angesichtern der Monarchen und der Diplomaten den Eindruck zu lesen,
den das große Ereigniß auf sie gemacht.

Aber der Kaiserhof bot immer noch das Bild des
sorglosen Glückes, der ungetrübten Festlichkeit dar, und
immer noch schienen die Monarchen und Diplomaten
nur darauf bedacht, ihre „Ferien in Wien" möglichst
heiter und in glänzender Festlichkeit zu durchjubeln.
Nichts hatte sich daher geändert in der Physiognomie
des Congresses und der Gesellschaft.

Am Abend des Tages, an welchem die Nachricht
von der Flucht Napoleons in Wien eingetroffen, hatte
wirklich das von der Kaiserin veranstaltete Fest statt-
gefunden, und die Gräfin Edmonde von Perigord hatte
wirklich, wie ihr Talleyrand das am Morgen prophe-
zeihte, als junge Debütantin in dem Vaudeville, „der
unterbrochene Tanz" einen glänzenden Triumph gefeiert.
Der Theater-Aufführung war ein Ball gefolgt, und
man hatte sich dem Tanz und den Vergnügungen des
Abends mit derselben sorglosen Heiterkeit hingegeben,
mit der man bis hieher jeden Tag hatte scheiden, jeden
neuen Tag hatte kommen sehen.

Das Publikum sah nur die Oberfläche, nur den

heitern Schein, Niemand konnte das Geheimniß der Conferenzen durchbringen, Niemand konnte Nachricht geben von dem, was Talleyrand, der Minister Frank- reichs täglich mit den Ministern von Oesterreich, Preußen, Rußland und England besprach und verabredete.

Die Diplomaten beobachteten ein tiefes Schweigen, sie legten den sternfunkelnden Schleier der Feste und Zerstreuungen über ihre ernsten Angesichter, sie beriethen sich in der Stille, und vergnügten sich vor aller Welt.

Fünf Tage also, wie gesagt, waren vergangen seit jenem ersten Blitzstrahl, der von Elba herübergeflammt war, und noch immer waren keine weitern Nachrichten angelangt.

Man schien also in Wien ganz heiter und unbesorgt zu sein und vielleicht um der Welt zu beweisen, daß man es sei, hatte Fürst Metternich für heute, den zwölften März, ein großes glänzendes Ballfest arrangirt.

Alle diese glänzenden Säle waren heute wieder fest- lich decorirt und leuchteten wieder im Glanz der Lichter, der Spiegel und der Goldverzierungen, und lächelnd, ruhig und heiter wie immer, durchschritt Fürst Metter- nich in seiner goldgestickten Staatsuniform, die Brust bedeckt mit funkelnden Orden, die Säle, mit liebens- würdiger Beflissenheit seine Gäste empfangend. Er hatte

wieder die ganze glänzende hocharistokratische Gesellschaft
eingeladen, welche sich täglich hier und dort in den Salons, oder in den Kaisersälen zusammentraf. Alle
Diplomaten des Congresses, der ganze hohe Adel, alle
in Wien anwesenden Fürsten hatten von Metternich zu
dem heutigen Ballfest eine Einladung erhalten, und sie
angenommen. Kaiser Franz mit seiner Gemahlin und
seinem ganzen Hof hatte sein Erscheinen zugesagt, der
König von Preußen hatte durch seinen General-Adju-
tanten dem Fürsten seinen Besuch anmelden lassen und
der König von Baiern war seinem Beispiel gefolgt.
Jedermann wollte der Welt Zeugniß geben von dem
guten Einvernehmen, welches unter den Mächten herrscht,
von dem freudigen Zusammengehen und Zusammen-
tanzen mit dem österreichischen Minister, dem Präsi-
denten des Congresses.

Fürst Metternich aber sollte heute noch eine andere
Genugthuung empfangen. Er hatte sich wohl gehütet,
den Kaiser von Rußland oder irgend ein Mitglied der
kaiserlichen Familie einzuladen, er hatte es sogar vermieden, an die russischen Großen seine Invitationen zu
senden. Sie waren bei seinem letzten Ballfeste trotz
der angenommenen Einladung nicht erschienen, weil
Kaiser Alexander sein Kommen verweigert hatte. Fürst

Metternich wollte also ihnen und sich einen abermaligen
Refus ersparen, und da er den Kaiser Alexander nicht
einzuladen wagte, hatte er den Russen überhaupt keine
Einladungen gesandt.

Aber auf einmal öffneten sich die Thüren des ersten
Salons, und man sah da die Kaiserin Elisabeth, die
Großfürstin Katharina in reicher, glänzender Toilette,
strahlend von Brillanten, neben ihnen den Kaiser Alexander
in der Uniform seines österreichischen Regiments und
hinter ihm das glänzende Gefolge der Hofdamen, Ge-
neräle und Adjutanten des Kaisers.

Fürst Metternich war eben, in der Mitte des zweiten
Salons stehend, mit dem König von Preußen und dem
Herzog von Wellington in einem lebhaften Gespräch
begriffen, und ganz zufällig richtete sich sein Blick
nach dem ersten Salon hin, da sah er durch denselben einherschreiten die hohe, glänzende Gestalt des
Kaisers Alexander, neben ihm die beiden Damen,
welche ihm entgegenschauten mit einem holden, gütigen
Lächeln.

Fürst Metternich unterbrach sich mitten in einem
angefangenen Satze; sich vor dem König Friedrich Wilhelm verneigend und um Entschuldigung bittend, eilte er
dem Kaiser entgegen.

Alexander trat rascher, den Damen vorauseilend, auf ihn zu und reichte ihm mit einem freundlichen Kopfneigen die Hand dar. Fürst Metternich, sagte er laut genug, um von der lauschenden, athemlosen Gesellschaft verstanden zu werden, Fürst Metternich, ich komme mit meinen Damen, um mir mit ihnen Entschädigung zu suchen für das vorige Ballfest, bei dem wir nicht gegenwärtig waren. Aber werden Ihnen auch die ungebetenen Gäste willkommen sein?

Sire, rief Metternich mit strahlendem Angesicht, ich finde keine Worte, um Ew. Majestät zu danken für die gnädige Auszeichnung, die Ew. Majestät mir widerfahren lassen, und ich bin noch so berauscht davon, daß ich kaum weiß, ob ich wache oder ob dies nur ein goldener Feentraum ist.

Oh, ich dächte, der Herr Bonaparte hat uns schon einmal wieder aus allen Feenträumen aufgeschreckt, rief Alexander, und wir, Metternich; wir wollen jetzt zusammen wachen und handeln. Alles sei vergessen, und so lange wir leben, soll von diesem Gegenstand, der uns veruneinte, niemals wieder die Rede sein. Wir haben jetzt wichtigere Dinge zu thun, Napoleon ist zurückgekehrt, und unsere Allianz muß fester sein, denn je.*)

*) Alexander's eigene Worte. Siehe: Memoiren des Freiherrn von Wolzogen. S. 280.

Nicht wahr, wandte er sich dann mit einem sanften Lächeln an den Kaiser von Oesterreich, der eben zu ihnen trat, jetzt sind Sie mit mir zufrieden, und es freut Sie, mich mit dem Fürsten Metternich wieder ausgesöhnt zu sehen?

Sire, sagte der Kaiser Franz, indem er seine Hand auf die Hand des Kaisers legte, lassen Sie mich, wie der Schiller in seinem Gedicht sagt, lassen Sie mich in Ihrem Bunde der Dritte sein!

Und ich? fragte der König von Preußen, zu ihnen tretend, soll ich nicht auch meinen Theil haben an diesem Bunde und diesem Handschlag?

Ach, Sire, rief Alexander, Sie haben Theil an allem Guten, Edlen und Großen, und wenn Sie zu uns stehen, wird uns auch Segen und Erfolg nicht fehlen, denn über Ihnen wacht der Genius, der unsere Schwerdter segnet, der Genius Louise! — Aber wir vergessen, daß wir zu einem Feste und nicht zur Conferenz versammelt sind, und daß wir das Wort des Fürsten Ligne immer noch bewahrheiten müssen: „A Vienne l'unique affaire est, de traiter le plaisir."

Und jetzt schien sich die ganze glänzende und auserlesene Gesellschaft ganz und gar nur noch dieser einzigen Angelegenheit, dem Vergnügen, hinzugeben. Ueberall

begegnete man nur heitern, frohen Gesichtern, überall
lachte und scherzte man, und als endlich in dem großen
glänzenden Tanzsaal die Musik begann und ihre berau=
schenden, jubelnden Klänge ertönen ließ, sah man bald
die Fürsten und Diplomaten mit den reizenden Damen
im Tanz dahin schweben.

Freilich bildeten sich auch hier und da einzelne Grup=
pen, in denen man nicht bloß schäkerte und lachte, frei=
lich begegnete man unter dieser glänzenden frohlockenden
Menge auch zuweilen bedenklichen Gesichtern, und man=
ches ernste Gespräch durfte sich, begleitet von den
schmetternden Tönen der Musik in den Tanzsaal wagen.

Hier und da in den Fensternischen standen die Di=
plomaten und Staatsmänner bei einander, die Zukunft
mit einander berathend und immer wieder zurückkom=
mend auf die große Frage, auf welche man noch immer
keine Antwort wußte, die große Frage: wohin ist Na=
poleon gegangen? Wo wird er landen?

Er wird nicht nach Frankreich gehen, sagte Tal=
leyrand, welcher da drüben mit dem König von Baiern
und dem Staatskanzler von Hardenberg in der Fenster=
nische stand.

Wohin er auch gehen möge, rief der König von
Baiern, wo er auch den Hexentanz wieder beginnen

möge, ich werde zu den Mufifern gehören, welche ihm
auffpielen.*)

Und ich denke, wir werden mit dem Herrn Bonaparte den Kehraus tanzen, fagte Hardenberg lächelnd.
Aber was ift das? Sehen Ew. Majeftät nur, mit
welcher Lebhaftigkeit der Kaifer Franz fich da dem Kaifer
Alexander nähert, während Fürft Metternich zu dem
König von Preußen hineilt. Es muß Etwas gefchehen
fein, irgend eine Nachricht —

In diefem Augenblick näherte General Hardegg fich
den Herren.

Sire, fagte er, fich dem König von Baiern zuwendend, Sire, fo eben find zwei Couriere aus Frankreich
angelangt, der eine an den Fürften Metternich, der andere an den Kaifer Alexander. Sie bringen Beide
diefelbe Nachricht: Napoleon ift in Frankreich gelandet.

In Frankreich, rief der König, und weiß man, wo
er gelandet ift?

Ja, Sire, ungefähr auf derfelben Stelle, an welcher
er aus Aegypten heimkehrend, landete. Bei Cannes ift
Napoleon an das Land geftiegen und als er den Fuß

---

*) Méneval: Mémoires. III. 131.

auf den Boden Frankreichs ſetzte, war ſein erſtes Wort:
der Wiener Congreß iſt aufgehoben.*)

Und wie hat die Bevölkerung ihn empfangen?

Sire, wie man ſagt, mit wahrem Enthuſiasmus!

Ach, ich muß die Herren ſprechen, rief der König,
raſch aus der Fenſterniſche hervortretend und zu den
Monarchen hineilend, welche in der Mitte des Saals
ſtanden und lebhaft mit einander ſprachen.

Die luſtige Tanzmuſik rauſchte noch immer, die
Paare hatten ſich bis jetzt in wirbelnden Kreiſen ge=
dreht. Aber jetzt auf einmal war es, als ob ein Zauber=
wort ſie Alle bannte, jetzt auf einmal verſtummte das
heitere Geplauder, verblich das Lächeln auf allen Ge=
ſichtern. Mit erſchrockenen Blicken ſchaute man einander
an, die zitternden Lippen flüſterten: er iſt in Frankreich!

Die Muſik jauchzte und klang immerfort und rief
mit ihren jubelnden Tönen die Ballgäſte zum Tanz.
Aber die Paare ſtanden wie gefeſſelt da und der Raum
für die Tanzenden blieb leer. Alle Geſichter waren
bleich und entſetzt, es ſchien, als ſei ein Geſpenſt durch
den glänzenden Ballſaal dahingegangen und habe Alles
angehaucht mit ſeinem eiſigen Todesathem; ſelbſt die

*) Comte de la Garde: Memoires. IV. 124.

Lichter auf den Kronleuchtern schienen trüber zu bren=
nen, die Diamanten der Damen matter zu funkeln, und
die Musik schien Allen nur noch entgegenzukreischen:
„Napoleon ist in Frankreich!"

Niemand mochte mehr tanzen nach dieser fürchter=
lichen Musik. Sie schmetterte an Aller Ohren wie die
Drommete des jüngsten Gerichtes.

Endlich, da die Musici sahen, daß ihre Klänge ver=
geblich die Tänzer lockten und riefen, endlich verstummten
auch sie, und bei diesem unerwarteten, überraschenden
Schweigen hörte man die Stimme des Kaisers Alexander,
welcher, Talleyrand gegenüber stehend, soeben zu diesem
sagte: ich hatte es Ihnen vorher gesagt, daß die Dinge
nicht lange so fortgehen könnten, und daß Napoleon
nicht, wie Sie meinten, ein todter Mann sei.*)

Talleyrand, bleich und sichtbar erschüttert, verneigte
sich, und fand kein Wort der Erwiderung.

Alexander wandte sich von ihm und zu dem Kaiser
Franz hintretend, flüsterte er: jetzt ist es Zeit, daß wir
uns öffentlich gegen Napoleon aussprechen. Ein Glück,
daß Ihre Frau Tochter sich feierlich für uns erklärt,
und Bonaparte entsagt hat. Wir haben also keine

*) Comte de la Garde. IV. 123.

Rückſicht zu nehmen. Die Herzogin von Parma wird
uns nicht zürnen, wenn wir den Bannſtrahl gegen
Bonaparte ſchleudern. Sind Ew. Majeſtät nicht auch
der Meinung, daß wir jetzt ſprechen müſſen?

Ja, ſagte Kaiſer Franz gelaſſen, das Gewitter muß
losbrechen. Der Bonaparte hat geblitzt, jetzt wollen
wir donnern, und ganz Europa ſoll uns vernehmen
Kommen Sie, Sire.

Er nahm den Arm Alexanders, und verließ, gefolgt
vom Fürſten Metternich den Saal. In dieſem Moment
ſah man den König Friedrich Wilhelm dem Herzog
von Wellington und dem Staatskanzler von Harden=
berg mit der Hand einen Wink geben, und ſich dann
auch der Thür zuwenden. Die beiden Herren folgten
ihm und entfernten ſich mit ihm, und jetzt ſchlich auch
Talleyrand mit ſeinen franzöſiſchen Begleitern leiſe und
ſchnell von dannen, und hier und dort ſah man jetzt
auch andere Diplomaten durch die Säle dahin ſchlüpfen
und dem Ausgang zueilen.

Immer ſtiller, immer leerer ward es in den Sälen,
ohne Wort und ohne Gruß eilte man fort, und das
Vaudeville, das man an jenem Abend, als die Nach=
richt von Napoleons Flucht anlangte, zum erſten Mal
im Scherz aufgeführt hatte, das Vaudeville: „der unter=

brochene Tanz," es fand jetzt bei der Nachricht von
Napoleons Heimkehr nach Frankreich seine zweite Wie=
derholung, aber sehr im Ernst, und die Gesichter
aller der unfreiwilligen Mitspieler waren bleich und
verstört.

Der Congreß in Wien, er war von dieser Stunde
an wirklich ein „unterbrochener Tanz", und jetzt konnte
man nicht mehr sagen: A Vienne, l'unique affaire
est de traiter le plaisir!

Napoleon hatte wohl dafür gesorgt, daß man end=
lich auf dem Wiener Congreß sich auch mit ernsten
Dingen beschäftigen mußte, und dem „tanzenden Con=
greß" hatte er ein Ende gemacht.

Das Gewitter war wieder über Europa heraufge=
zogen. Napoleon hatte, wie Kaiser Franz sagte, geblitzt,
und jetzt mußten die Alliirten den Donner vernehmen
lassen.

Dieser Donner erdröhnte am Morgen des drei=
zehnten März, und in der Nacht des unterbrochenen
Ballfestes beim Fürsten Metternich hatten die Alliirten
ihn vorbereitet.

Am dreizehnten März erschien die feierliche Procla=
mation der verbündeten Monarchen, in welcher sie vor
ganz Europa Napoleon in die Acht erklärten.

256

Diese Proclamation lautete:

„Die Mächte, welche den Tractat von Paris unter=
zeichnet haben, jetzt beim Congresse in Wien vereinigt,
und unterrichtet sind von der Entweichung Napo=
leons, wie auch von seinem Einbruch in Frankreich mit
bewaffneter Hand, die Mächte erachten es ihrer Würde
und des Interesses der öffentlichen Ordnung wegen für
ihre Pflicht, eine feierliche Erklärung abzulegen über die
Gefühle, welche dies Ereigniß in ihnen hervorge=
rufen hat."

„Bonaparte hat durch den Bruch der Convention,
welche ihn auf der Insel Elba einsetzte, den einzigen
gesetzlichen Anspruch vernichtet, an welchen seine Existenz
geknüpft war. Durch sein Wiedererscheinen in Frank=
reich, das verbunden ist mit Plänen der Verwirrung
und des Umsturzes alles Bestehenden, hat er sich selbst
des Schutzes der Gesetze beraubt und der ganzen Welt
gegenüber an den Tag gelegt, daß man nicht
im Stande ist, Ruhe und Frieden mit ihm zu
haben."

„Demgemäß erklären die Mächte, daß Napoleon
Bonaparte sich außerhalb aller bürgerlichen und gesell=
schaftlichen Beziehungen gesetzt hat, und daß sie ihn
als Feind und Störer des Weltfriedens der öffentlichen

Acht überliefern. Sie erklären zu gleicher Zeit, daß, fest entschlossen, den Tractat von Paris vom dreißigsten März 1814 aufrecht zu halten, sie alle ihnen zu Gebote stehenden Mittel anwenden wollen, damit der allgemeine Frieden, dieser Gegenstand der Wünsche von ganz Europa, dieses beständige Ziel aller ihrer Arbeiten, nicht auf's Neue gestört werde, und damit er gesichert sei gegen jedes Attentat, das droht, die Völker wieder in die Unordnungen und das Unglück der Revolutionen zurückzustoßen."

„Obwohl innig überzeugt, daß ganz Frankreich, sich um seinen legitimen Herrscher schaarend, diesen letzten Versuch eines verbrecherischen und ohnmächtigen Deliriums unverzüglich in das Nichts schleudern werden, erklären doch alle Souveräne Europa's, daß sie, belebt von denselben Gefühlen, und geleitet von denselben Principien, auf den Fall, daß gegen alle Berechnung aus diesem Ereigniß eine wirkliche Gefahr irgend einer Art entstehen könnte, bereit sein werden, dem König von Frankreich und der französischen Nation, oder jeder anderen angegriffenen Regierung, sobald es gefordert wird, den nöthigen Beistand zu leihen, um die öffentliche Ruhe wieder herzustellen, und gemein-

schaftliche Sache zu machen gegen alle Diejenigen, die es versuchen wollen, sie zu compromit-
tiren."*)

---

*) Fleury de Chaboulon: Mémoires etc. Vol. II. 182.

IV.

Die Siegesbotschaft.

Tiefe Stille, ununterbrochene Ruhe herrschte nach wie
vor in den Räumen des Schlosses von Schönbrunn.
Einen Moment nur war diese Stille von der Nach=
richt, welche aus Elba und Frankreich herübertönte, un=
terbrochen worden, dann war wieder Alles schweigend
und lautlos geworden und keine weiteren Nachrichten
waren bis zum Ohr der Kaiserin gelangt.

Keine einzige französische Zeitung durfte mehr die
Schwelle des Schlosses überschreiten, und die öster=
reichischen Zeitungen beobachteten ein strenges unver=
brüchliches Schweigen über Alles, was in Frankreich
geschah. Der Umgebung Marie Louisens war es vom
Kaiser Franz streng untersagt, ihre Gebieterin von den
Gerüchten zu unterhalten, welche in Wien coursirten, oder
auch nur vor ihr den Namen des Kaisers Napoleon

17*

zu nennen; und da man wußte, daß es überall auch in
Schönbrunn Späher und Aufpasser gab, und da man
vor allen Dingen fürchtete, Marie Louise würde das,
was man ihr sagen möchte, dem Grafen Neipperg ver=
rathen, hütete man sich wohl, dem Befehl des Kaisers
Franz zuwider zu handeln.

Marie Louise wußte daher nichts von all' den Din=
gen, die man sich in Wien erzählte, sie wußte nur, daß
sie jetzt als Herzogin von Parma, Piacenza und Gua=
stalla von den Monarchen anerkannt worden, daß der
Kaiser Franz im Namen Marie Louisens vorläufig ihr
neues Herzogthum administriren lasse, und daß sie nach
wiederhergestelltem Frieden in Begleitung ihres ersten
Ministers, des Generals Grafen Neipperg, nach Parma
sich begeben würde.

Keine Kunde, wie gesagt, von den Ereignissen, welche
sich in Frankreich begeben, war an ihr Ohr gedrungen;
nur die Achtserklärung, welche die Alliirten gegen Na=
poleon geschleudert, war Marie Louise von dem Gene=
ral Neipperg mitgetheilt worden, und nur aus dieser
hatte sie erfahren, daß Napoleon in Frankreich gelan=
det war.

Seit diesem Tage indeß war Marie Louise schweig=
sam und traurig geworden, das Lächeln war von ihren

261

purpurnen Lippen gewichen, ihre Wangen waren erblaßt,
oft saß sie zu ganzen Stunden, gedankenvoll vor sich
hinstarrend, da, und achtete nicht auf das liebevolle Zu=
reden ihrer Damen und hörte nichts von dem heitern
Geplauder ihres Sohnes.

Was war es, das Marie Louise so befangen und
traurig machte?

War es diese furchtbare Achtserklärung, welche ihren
Gemahl, den Vater ihres Sohnes, außerhalb des Ge=
setzes und der Menschenrechte erklärte?

War es die Sorge um das Schicksal Napoleons,
die ihre Augen oft wie mit trüben Schleiern verhüllte?

Niemand wußte das zu sagen. Marie Louise sprach
zu Niemand, sie schien angstvoll jede Aeußerung zu ver=
meiden über das, was ihre Seele beschäftigte, und ver=
brachte viele Stunden des Tages einsam und allein in
ihren Gemächern.

Nur wenn Graf Neipperg kam, schien sie sich ge=
waltsam aus ihrem dumpfen Hinbrüten aufzuraffen und
bemüht, ihre traurige, schwermuthsvolle Stimmung zu
überwinden, nur dann kehrte ein Lächeln auf ihre Lippen
zurück, ward sie gesprächig und heiter. Mit dem Grafen
machte sie täglich weite Spazierritte, mit ihm musicirte
sie und lauschte mit einem sanften Lächeln seinem herr=

lichen Clavierspiel. Aber sobald er sie wieder verlassen, legten sich die Schatten wieder über ihr Antlitz, wich das Lächeln von ihren Lippen, überließ sie sich wieder ihrem schweigenden Trübsinn.

So waren vierzehn Tage vergangen und Marie Louise war immer stiller, immer schweigsamer geworden, und ihre Augen, welche sonst so heiter glänzten, waren jetzt geröthet, doch hatte Niemand ihre Thränen gesehen, und Niemand wußte, ob Marie Louise weine.

Es war noch früh am Morgen und die Gräfin Mon= tesquiou hatte so eben, wie sie das jeden Morgen zu thun pflegte, den jungen Prinzen zu seiner Mutter ge= führt, um ihr seinen Morgengruß darzubringen.

Marie Louise empfing den Sohn mit einem trüben Lächeln, und ihn dicht zu sich heranziehend, legte sie ihm leise die Hand auf die goldenen Locken und schaute ihm lange und tief in die Augen.

Hast Du mich lieb, Napoleon? fragte sie mit leiser, zitternder Stimme.

Der kleine Prinz stieß einen Freudenschrei aus und warf mit glühendem Ungestüm seine beiden Arme um den Hals seiner Mutter. Ach, rief er dann, sich leb= haft wieder emporrichtend, haben Sie gehört, liebe Quiou? Meine liebe Mama Kaiserin hat mich doch

Napoleon genannt, und der kleine böse Erzherzog hat doch gelogen.

Oh, Sire, rief die Gräfin von Montesquiou, man darf Niemand einer Lüge beschuldigen, besonders in seiner Abwesenheit.

Ich will's ihm aber auch in's Gesicht sagen, daß er gelogen hat, rief der Prinz trotzig. Ja, er hat gelogen, meine Mama Kaiserin hat mich so eben Napoleon genannt, und es ist also nicht wahr, daß sie den Kaiser von Oesterreich gebeten hat, er solle ihr er= lauben, daß sie mir den häßlichen Namen Franz geben darf.

Aber Sire, das ist kein häßlicher Name, sagte die Gräfin, es ist ja der Name Ihres Herrn Großvaters.

Aber ich will nicht heißen, wie Er, rief der Prinz. Ich will heißen, wie mein Papa Kaiser, ich will Napoleon heißen, Napoleon!

Marie Louise zuckte zusammen, und eine dunkle Röthe überflog ihre Wangen.

Sprich nicht so laut, mein Sohn, sagte sie, angst= voll um sich blickend. Du weißt, Dein Großvater hört den Namen Napoleon nicht gern.

Aber Du, nicht wahr, meine liebe Mama Kaiserin, Du hörst ihn gern?

Nenne mich nicht mehr Mama Kaiserin, sagte Marie Louise ausweichend, ich bin keine Kaiserin, sondern nur eine Herzogin.

Das Kind sah sie mit großen staunenden Blicken an, und allgemach flammten seine Augen auf. Du eine Herzogin? rief er. Nein, das ist nicht wahr! Die Marschälle, welche meinen Papa Kaiser verriethen, das waren Herzoge, aber Du kannst nicht sein, was die Verräther waren! Du bist die Kaiserin, denn mein Papa, das ist der Kaiser, und ich weiß recht wohl, warum der Herr Großvater von Oesterreich den Namen Napoleon nicht gern hat. Das kommt daher, daß ihm der Kaiser Napoleon so viele Schlachten ab= gewonnen hat!

Schweig, rief Marie Louise heftig, und sich an die Gräfin Montesquiou wendend, fuhr sie in strengem Ton fort: Sie sollten um Ihrer Selbst willen dafür Sorge tragen, daß der Prinz nicht von Dingen hört, die seiner Jugend und seiner Stellung wenig ange= messen sind, und welche den Kaiser, meinen Vater, in dem Verdacht bestärken, daß Sie auf das Gemüth meines Sohnes in einer Weise influiren, die seiner Zukunft schädlich sein könnte.

Maman, rief der Prinz mit Thränen in den Augen,

und sich angstvoll an die Gräfin anklammernd, oh, Maman, schilt meine liebe Quiou nicht. Sie hat mir nichts er= zählt, sie ist gar nicht Schuld daran, daß ich meinen Papa Kaiser noch immer lieb habe, und ihn gar nicht ver= gessen kann. Oh, sieh mich nur nicht so böse an, liebe Mama! Ich will still sein, ganz still. Laß mich nur noch ein wenig bei Dir. Nur so lange, bis der Herr Graf Neipperg kommt, und Dich zum Spazieren= reiten abholt. Ah, er kommt recht oft, der Herr Graf, und seit er so viel im Schloß ist, sehe ich meine liebe Maman so sehr selten, und darf niemals wie sonst mehr in ihrem Zimmer spielen. Sieh doch, liebe Maman, da drüber in der Fensternische, da steht mein Spieltisch mit den schönen Soldaten. Es ist so lange her, daß ich hier nicht mit ihnen spielen durfte, denn immer kam der Graf Neipperg, und ich durfte nicht stören. Aber heute ist er nicht hier, und nicht wahr, Maman, heute erlauben Sie Ihrem kleinen Napoleon, daß er hier bleibt und noch ein wenig spielen darf?

Bleibe, mein Sohn, sagte Marie Louise seufzend, und Sie, Frau Gräfin, wollen Sie, wenn Sie den Prinzen an seinem Tisch installirt haben, so gütig sein, zu mir zurückzukehren!

Gräfin Montesquiou verbeugte sich schweigend, und

dann die Hand des Prinzen nehmend, führte sie ihn
zu dem letzten Fenster des Salons, in dessen tiefer
Nische ein kleiner Tisch mit allerlei Spielgeräth und
ein Stuhl sich befanden. Die Gräfin half dem Prinzen
seine Regimenter aus den Schachteln hervorzuheben,
und bald war der kleine Napoleon so ganz vertieft in
sein Soldatenspiel, daß er es kaum bemerkte, als die
Gräfin ihn verließ, um zu der Kaiserin zurückzu=
kehren.

Marie Louise saß in ihren Lehnstuhl zurückgesunken,
und starrte düster vor sich hin. Die Gräfin näherte
sich ihr, und schauete sie lange mit theilnahmsvollen
Blicken an.

Ew. Majestät leiden? fragte sie dann mit leiser zit=
ternder Stimme.

Marie Louise zuckte erschrocken in sich zusammen
und hob ihr Antlitz mit einem trüben Schmerzensaus=
druck zu der Gräfin empor. Ja, sagte sie seufzend, ich
leide, oh, ich leide sehr!

Ew. Majestät sollten den Arzt rufen lassen, sagte
die Gräfin.

Ach, meine liebe Gräfin, seufzte Marie Louise, es
ist nicht mein Körper, welcher leidet, sondern meine
Seele, und kein Arzt weiß ein Mittel dafür.

Vielleicht doch, flüsterte die Gräfin leise und schnell. Ich errathe, was die Seele meiner Kaiserin bewegt, ich begreife, wem Ihre Seufzer gelten, wohin Ihre von Thränen gerötheten Augen gerichtet sind. Ew. Majestät sehnen Sich gleich uns Allen nach Frankreich, Ew. Majestät möchten Kunde erhalten von den großen Dingen, welche dort geschehen.

Still, oh, mein Gott, wenn uns Jemand hörte, sagte Marie Louise, angstvoll umher schauend und ihre scheuen Blicke mit einem forschenden Ausdruck auf die Pendüle heftend.

Majestät, flüsterte die Gräfin, es ist noch früh und erst in einer Stunde wird der Graf Neipperg kommen, um Ew. Majestät zu dem gewöhnlichen Spazierritt abzuholen. Ach, ich beschwöre Ew. Majestät, wollen Sie in dieser Stunde Ihren Getreuen Gehör schenken? Wollen Sie dem Grafen Montbrun eine Audienz gewähren?

Dem Grafen Montbrun? fragte Marie Louise überrascht. Ist der hier in Wien?

Majestät, er ist seit Monaten hier, aber unter falschem Namen, und er hat es nicht gewagt, sich Eurer Majestät darzustellen, um nicht die Augen der Polizei auf sich zu lenken und nicht in seiner angenommenen

Rolle als glühender Legitimist sich ein Dementi zu ge=
ben. Aber heute ist er hierher gekommen und fleht um
eine Audienz. Er sagt, er bringe Eurer Majestät Nach=
richten von der größten Wichtigkeit. Wollen Sie die
Gnade haben, ihn zu empfangen?

Marie Louise schwieg und blickte gedankenvoll vor
sich hin. Ja, sagte sie endlich, entschlossen ihr Haupt
emporrichtend, ja, ich will ihn annehmen. Ich habe
mich, gedrängt von den Umständen und Verhältnissen,
bewegen lassen zu einem grausamen Schritt gegen mei=
nen Gemahl. Ach, sagen Sie kein Wort, Gräfin, ich
weiß sehr wohl, daß ich Sie Alle betrübt habe, — ach,
ich selber bin seitdem auch betrübt, ich bereue und
möchte wieder gut machen! Vielleicht kann ich meinem
Gemahl nützlich sein, vielleicht ist er in Noth, flüchtig,
verfolgt und ich kann ihm von meinem Vater ein Asyl
erflehen. — Ja, führen Sie den Grafen herein, aber
geben Sie wohl auf die Uhr Achtung, damit er geht,
bevor der Graf Neipperg kommt.

Der Graf ist in meinem Zimmer und ich werde
ihn, sobald es Zeit ist, auch dahin wieder zurückführen,
sagte die Gräfin hastig. Erlauben Ew. Majestät jetzt,
daß ich den Grafen hierher führe.

Sie verließ eilig das Gemach und kehrte nach eini=

gen Minuten schon zurück, gefolgt von dem Grafen Montbrun.

Marie Louise ging ihm lebhaft einige Schritte entgegen. Sie haben mich sprechen wollen, sagte sie, Sie haben mir wichtige Nachrichten zu bringen sagt mir die Gräfin? Von wem sind diese Nachrichten?

Majestät, die sind von dem Kaiser Napoleon, sagte Graf Montbrun feierlich.

Er lebt also noch? rief Marie Louise bebend. Man hat ihn noch nicht eingefangen? Ach, sagen Sie schnell, er ist noch frei?

Graf Montbrun schauete die Kaiserin mit erstaunten Blicken an. Ew. Majestät wissen also nichts? fragte er. Sie haben keine Botschaft aus Frankreich erhalten?

Ich weiß gar nichts, rief Marie Louise, man hält jede Nachricht von mir fern. Ich weiß nur, daß der Kaiser Napoleon von Elba geflüchtet, in Frankreich eingebrochen, von den Monarchen geächtet ist, und daß er sich, um der Wuth des französischen Volkes, der Rache der Alliirten zu entgehen, mit den wenigen Getreuen, die ihn nicht verlassen haben, in die Pyrenäen geflüchtet hat.

Ach, das hat man gewagt, Eurer Majestät zu erzählen, rief Montbrun, zu solchen Mitteln der Lüge hat

man seine Zuflucht genommen, um die Gemahlin des
Kaisers zu hintergehen. Ach, ich beschwöre Ew. Maje=
stät, wollen Sie mir erlauben, Ihnen zu erzählen, was
sich in Frankreich begeben? Darf ich Ihnen der reinen
lautern Wahrheit gemäß von den Ereignissen Bericht
erstatten?

Marie Louise warf einen spähenden Blick durch das
Zimmer, als fürchte sie, es möchte sich irgendwo ein
Lauscher verborgen halten. Aber Niemand war da, als
die Gräfin Montesquiou, welche neben ihrem Lehnstuhl
stand; den kleinen Napoleon, der da drüben in der Fen=
sternische saß, den hatte Marie Louise ganz vergessen,
an den dachte sie gar nicht mehr, nur auf die Uhr hef=
tete sie die Augen.

Wir haben noch eine halbe Stunde Zeit, sagte sie.
Eilen Sie sich, erzählen Sie schnell. Was ist geschehen,
seit der Kaiser in Frankreich gelandet ist?

Majestät, es sind Dinge geschehen, welche mehr
einem erhabenen Heldenepos, als der Wirklichkeit anzu=
gehören scheinen, und doch haben sie sich wirklich be=
geben, und doch schwöre ich, daß ich es nicht wagen
werde, auch nur mit einem einzigen Wort zu übertreiben
oder auszuschmücken. Die Weltgeschichte hat hier ein
Epos geschrieben, das größer ist, als alle Heldengedichte

Homer's. — Man hat Ihnen also nur gesagt, Ma=
jestät, daß der Kaiser mit seinen achthundert Soldaten
im Hafen Juan bei Cannes gelandet ist, und vielleicht
hat man noch hinzugefügt, daß ein Theil der Garden
nach Antibes marschirte, und dort von dem Gouver=
neur gefangen genommen ward?

Ja, man hat mir dies gesagt, und daß, erschreckt
von diesem Fehlschlag, die andern Soldaten den Kaiser
verließen, und er sich in das Gebirge flüchtete.

Montbrun zuckte die Achseln. Man hat also ge=
glaubt, daß die hell glänzende Wahrheit die Augen Eurer
Majestät verblenden würde, und darum hat man zu der
finstern farblosen Lüge seine Zuflucht genommen! Nein,
Majestät, Napoleon floh nicht in's Gebirge, seine Ge=
treuen verließen ihn nicht! Sie zogen muthig mit ihrem
Kaiser durch die Nacht dahin, und der Mond leuchtete
ihm auf seinem Pfad, und behütete den heimkehrenden
Kaiser, als er durch die schneegefüllten Gebirgsschluchten
dahin zog. Bei Grasse machte er am Morgen Halt,
und die Einwohner der kleinen Stadt strömten herzu,
um ihn zu begrüßen, und ihm zu klagen, wie viel
Unrecht sie erduldet während seiner Abwesenheit. Der
Kaiser hörte sie gütig an, und versprach ihnen baldige
Abhülfe. Dann zog er weiter, vorüber an Antibes,

das ihm seine Thore geschlossen hatte, den Weg nach Grenoble dahin. Die Straße war verödet, der Regen goß in Strömen nieder, tiefe Einsamkeit umgab den Kaiser und seine kleine Armee. So zogen sie dahin fünf Tage lang, ohne Menschen auf ihrem Wege zu finden, ohne irgend Soldaten zu begegnen. Aber jetzt, unfern von Grenoble bei dem Dorf La Frète, kommt ihnen ein Detaschement Soldaten entgegen; sie machen Halt, ihre Blicke richten sich drohend auf den anmarschirenden Feind. Der Hauptmann tritt vor die Front seiner Soldaten und commandirt: Anlegen! — Die Soldaten, gehorsam dem Befehl ihres Obern, heben die Gewehre, — da tritt Napoleon vor, Er ganz allein, mit dem kühnen Feldherrnauge schauet er zu seinen Soldaten hin. „Meine Freunde, sagt er, erkennt Ihr mich nicht mehr? Ich bin Euer Kaiser. Wenn in Euren Reihen sich ein Soldat befindet, der seinen General tödten will, so mag er es thun! Hier bin ich!" — Die Soldaten, bezaubert von dem Blick, der Stimme ihres Feldherrn, die Soldaten setzten ihre Gewehre ab, und riefen, während Thränen der Wonne ihren Augen entströmten: Es lebe der Kaiser! Und Napoleon grüßte sie mit einem freundlichen Lächeln, und commandirte mit lauter Stimme: rechts um! — Und rechts um schwenkte das Bataillon, und stellte sich als Avantgarde vor den Kaiser hin.

Oh, welch' ein Glück! murmelte Marie Louise hoch= aufathmend, und in ihrer eigenen Aufregung sah sie nicht, daß dicht neben ihr, von dem Rücken des Fau= teuils versteckt, der kleine König von Rom stand, das Köpfchen vorwärts geneigt, das rosige Antlitz strahlend von Entzücken, und die großen blauen Augen, denen helle Thränen entstürzten, mit dem Ausdruck glänzender Freude auf den Erzähler gerichtet. Sie sah auch nicht auf die Gräfin Montesquiou, die auf der andern Seite ihres Fauteuils stand, die Hände gefalten, bleich vor Erregung, die von Thränen umdunkelten Augen gen Himmel erhoben, mit bebenden Lippen ein Gebet des Dankes zu Gott emporflüsternd. Marie Louise sah, wußte, dachte nichts, ihre ganze Seele lag in den Blicken, welche sie auf den Grafen heftete, in dem Ton, mit welchem sie jetzt flüsterte: weiter! Oh, erzählen Sie weiter!

Montbrun verneigte sich, und hoch aufathmend fuhr er fort:

Der Kaiser mit seiner neu gewonnenen Avantgarde zog weiter. Vor Grenoble stellte sich ihm das siebente Regiment entgegen, ausgesandt, den Kaiser mit seinen

Truppen zu bekämpfen, zu vernichten. Aber der Kaiser reitet ihm entgegen, sein Auge heftet sich auf den An= führer des Regiments, auf seinen früheren Abjutanten Carl von Labedoyère, und dieser, hingerissen von der Freude des Wiedersehens, schwenkt seinen Degen, und ruft: Vive l'Empereur! Und jubelnd brüllt das ganze Regiment ihm nach: vive l'Empereur! und die Sol= daten werfen ihre Gewehre hin und knieen nieder und Thränen entströmen den Augen ergrauter Krieger, sie heben ihre Arme empor, als wollten sie Alle, Alle den Kaiser an ihr Herz drücken, sie rufen ihn mit zärt= lichem Liebeswort, sie grüßen ihn als ihren geliebten heimgekehrten Herrn. Dann springen sie auf, um mit einer Bewegung des Zorns die weiße Cokarde von ihren Czako's zu reißen, die geliebte Tricolore, die sie bis dahin sorgfältig in ihrem Tornister verborgen gehalten, wieder anzuheften, und dann die Luft zu erfüllen mit dem erneuerten Jubelgeschrei: vive l'Empereur! Bei La Frète hatte er ein Bataillon erobert, jetzt, bei Gre= noble, eroberte er ein Regiment! — So zog der Kaiser weiter gen Grenoble hin. Die Thore der Festung waren geschlossen, und General Marchand wollte die Stadt vertheidigen. Aber die Soldaten auf den Wällen riefen gleich den Soldaten außen vor den Mauern,

vive l'Empereur, fie nahmen ihre Aexte und Hämmer,
und hämmerten und schlugen gleich denen da braußen
gegen die Thore und Pallifaden, um fie zu zerftören,
und dem Kaiſer die Feſtung zu öffnen, und Taufende
von Menſchen ftanden auf den Wällen, und jubelten
Napoleon ihr vive l'Empereur entgegen. Endlich fiel
das Thor krachend zuſammen, der Kaiſer ritt in die
Stadt ein, und aus dem andern Thor floh der Ge=
neral Marchand hinaus. Grenoble war gewonnen ohne
Schwerdtftreich. Unter dem Jubel der Bevölkerung
zog der Kaiſer nach dem Gaſthof hin, um kurze Raſt
zu halten. Als er in der Frühe des Morgens weiter
zog, folgte ihm ſchon ein Heer von zwölftauſend Mann,
und überall, wohin er kam, zog ihm das Militair mit
klingendem Spiel, mit freudigem Jauchzen entgegen,
rief ihm die herbeiſtrömende Landbevölkerung ihren
Willkomm zu und grüßte ihn als den Erretter und Be=
freier.

Und dies Alles iſt wahr, wirklich wahr? fragte
Marie Louiſe mit leuchtenden Augen. Es iſt kein
Mährchen, was Sie mir da erzählen? Mein Gott,
man hat mir doch die franzöſiſchen Zeitungen gezeigt,
in welchem der Kriegsminiſter Marſchall Soult den
Pariſern meldet, daß das „Ungeheuer," wie er den

18*

Kaiser nennt, eine völlige Niederlage erlitten, daß
überall die Landleute sich bewaffneten, um den „elen=
ben Abenteurer" einzufangen, den „corsischen Wehrwolf"
zu erschießen.

Man hat Ew. Majestät also mit denselben Mitteln
täuschen wollen, mit denen man die Bevölkerung von
Paris täuschen wollte, sagte Graf Montbrun mit einem
verächtlichen Lächeln. Ja, der Minister Soult gab im
Moniteur solche Schimpf= und Kriegsberichte, und suchte
die Pariser über das Schicksal des Kaisers zu täuschen.
Aber die Pariser konnten doch an dem Ton der Mo=
niteurberichte selbst zwischen den Zeilen die Wahrheit
herauslesen, und sie ergötzten sich an dem immer milder
werdenden Ton der Zeitungsberichte. Die erste Nach=
richt, welche der Moniteur enthielt, bezeichnete Napo=
leon als den „von der Insel Elba entwischten Unhold."
Die zweite Nachricht berichtete, daß „der corsische
Wehrwolf" bei Cap Juan gelandet sei. Dann kam
die Kunde, der „Tiger" habe sich zu Gap gezeigt, und
am andern Tage berichtete der Moniteur, „der elende
Abenteurer" zöge in den Gebirgen umher und könne
nicht „entwischen." Doch mußte man nachher zugeben,
daß „das Ungeheuer" dennoch entwischt sei, und sich
zu Grenoble gezeigt habe. — Von nun an jedoch

wurden die Ausdrücke milder; der Moniteur meldete,
„der Tyrann" habe in Lyon seinen Einzug gehalten,
und „der Usurpator" wage es, sich der Hauptstadt zu
nähern. Aber nach einigen Tagen berichtete der Mo=
niteur: „Bonaparte" nähere sich mit starken Schritten
der Hauptstadt, dann meldete er, „Napoleon" werde
morgen in Paris erwartet, und am nächsten Tage stand
mit großer Schrift im Moniteur zu lesen: „Se. Ma=
jestät der Kaiser und König Napoleon habe am zwan=
zigsten März seinen Einzug in die Tuilerieen ge=
halten." *)

Wie? rief Marie Louise, von ihrem Fauteuil auf=
springend, wie, der Kaiser ist in die Tuilerieen einge=
zogen?

Ja, Majestät, sagte Montbrun, der Kaiser ist in
die Tuilerieen heimgekehrt. Der König ist entflohen.
Frankreich hat Napoleon wieder als seinen Herrn an=
erkannt, und jetzt ruft der Kaiser mit sehnsuchtsvoller
Liebe nach seiner Gemahlin, und nach seinem Sohn,
dem König von Rom.

Oh, mein Papa Kaiser ruft mich, rief der Prinz
mit einem glückseligen Lächeln. Mein Papa Kaiser

_____

*) Geschichte Napoleons. Von **r. II. 467.

ruft mich. Ach, mein lieber, lieber Papa, ich will zu
Dir! Ich will wieder nach meinem schönen Paris,
nach den lieben Tuilerieen. Mein Papa Kaiser ist da,
und er ruft seinen kleinen König von Rom! Ach,
er wird mich wieder auf seinen Arm nehmen, und mit
mir spielen, und mir seinen Hut aufsetzen, und mich
exerciren lassen, und ich werde wieder das schöne Lied
singen, das Niemand singen durfte, als sein kleiner
König von Rom. Oh, lieber, lieber Papa, ich kann's
noch singen, und kann noch exerciren. Sie haben's
mir hier wohl verboten, und ich habe nicht von meinem
Papa sprechen dürfen, aber ich habe immer an ihn
gedacht, und ihn immer lieb gehabt, und immer Abends
zum lieben Gott gebetet: „lieber Gott, gieb, daß mein
Papa wieder kommt und seinen kleinen König von Rom
wieder an sein Herz nimmt und ihn aus diesem häß=
lichen Schloß erlös't, und nach Paris abholt." Und
nun ist mein Gebet erhört, und mein Papa ist in den
Tuilerieen, und er ruft mich! Mama, wann reisen
wir ab? Wann fahren wir nach Paris? Der Papa
hat Dich gerufen, und Du mußt gehorsam sein, denn
er ist Dein Kaiser! Wann reisen wir ab?

Still, Napoleon still, hat die Gräfin Montesquiou,
sich die Thränen trocknend, Ihro Majestät hat mit

dem Herrn Grafen zu reden, und Sie dürfen sie nicht stören.

Sie zog den Prinzen von der Kaiserin fort, und wollte ihn wieder zu dem Tisch mit dem Spielzeug hinführen, aber er riß sich los, und sprang vorwärts in die Mitte des Zimmers hinein.

Ich will exerciren, damit ich Alles kann, wenn ich zu meinem Papa komme, rief der Prinz. Und jetzt nahm er eine ernste militairische Haltung an, und hob die beiden Finger der rechten Hand salutirend gegen seine Stirn, als säße da auf dem in golbigen Locken herniederringelnden Haar der militairische Czako.

Vive l'Empereur! rief er, und im militairischen Schritt vorwärts marschirend, sang er mit lauter, jubelnder Stimme:

> Allons, enfants de la patrie
> Le jour de gloire est arrivé.

Majestät, flüsterte währenddeß der Graf Montbrun, der Kaiser ruft nach seiner Gemahlin und nach seinem Sohn. Wird der Ruf seiner Liebe vergeblich ertönen? Wird die Kaiserin Marie Louise nicht zu ihrem Gemahl, zu Ihrem Volk zurückkehren?

Ich weiß nicht, was mein Vater, der Kaiser, über mich beschließen wird, sagte Marie Louise beklommen.

Ihm bin ich Gehorsam schuldig, er allein hat über meine Zukunft zu entscheiden.

Graf Montbrun trat dicht zu ihr heran. Majestät, flüsterte er, der Kaiser Napoleon sendet mich. Er hat mir und einigen Getreuen den Auftrag gegeben, ihm die Gemahlin, sei's mit Güte oder mit Gewalt zuzuführen. Majestät, ein Wort aus Ihrem Munde, ach, ich beschwöre Sie im Namen des Kaisers, der in sehnsuchtsvoller Angst diesem Worte entgegen harrt, sagen Sie dies eine Wort: ich will nach Frankreich, zu meinem Gemahl zurückkehren!

Ach, was hülfe es mir, wenn ich es sagte, rief Marie Louise bebend. Ich habe nicht die Kraft, meinen Willen durchzuführen. Ich bin eine Gefangene, deren Willen man gebrochen hat, die abhängig ist von dem Willen ihres Vaters. Ich kann nicht thun, was ich zu thun wünschte, ich habe keinen Willen, ich kann nur gehorchen, der Nothwendigkeit mich fügen, dem Zwange mich unterwerfen!

Ein leises Lächeln glitt über die Züge des Grafen hin. Ew. Majestät werden also der Nothwendigkeit sich fügen, sagte er leise. Es ist eine Nothwendigkeit, daß sie nach Paris zurückkehren. Sie wollen dem Zwange sich unterwerfen! Der Kaiser Napoleon wird seine

Gemahlin also zwingen, zu ihm zurückzukehren, und der Kaiser Franz kann alsdann seiner Tochter, der Erzherzogin Marie Louise, keine Vorwürfe machen, da sie nur gewaltsam gezwungen worden, dem Ruf des Kaisers zu folgen, wird er nicht sagen können, daß sie eine ungehorsame Tochter ist! Ew. Majestät sehen, daß ich den Sinn Ihrer Worte verstanden habe, und ich schwöre, daß ich darnach handeln werde! Der Kaiser hat befohlen, daß seine Gemahlin und sein Sohn zu ihm nach Paris kommen! Wohlan, seine Getreuen sind bereit, sie ihm zuzuführen, und —

Der Graf Neipperg reitet so eben in den Hof ein, rief die Gräfin Montesquiou, von dem Fenster herbeistürzend. Um Gotteswillen, Graf, kommen Sie!

Sie faßte die Hand des Grafen Montbrun und zog ihn hastig zu der Thür hin. Kehren Sie in mein Zimmer zurück und erwarten Sie mich dort! flüsterte sie, dann schloß sie die Thür hinter dem enteilenden Grafen und kehrte zu der Kaiserin zurück, die ganz erschöpft und zerbrochen wieder auf den Fauteuil zurückgesunken war.

Um Gotteswillen, Majestät, Fassung, flüsterte sie, lassen Sie den Grafen nicht ahnen, was hier vorgefallen ist, oder wir sind verloren.

Faffung, Faffung! murmelte Marie Louife. Ich
habe keine. Meine ganze Seele ist in Aufruhr! Aber
es ist wahr, er darf nichts ahnen, ich muß mich zu-
sammenraffen! Und ich will es! sagte sie, sich erhebend und hastig auf und abgehend. Gräfin, führen Sie
den Prinzen dort an den Spieltisch zurück, sagen Sie
ihm, daß er sich still verhalten, daß er nichts verrathen soll.

Gräfin Montesquiou zog den kleinen Prinzen nach
der Fensternische hin. Sire, flüsterte sie leise, wenn
Sie ein Wort von dem verrathen, was der Graf Montbrun erzählt hat, so wird man mich von Ihnen fort-
jagen und Ihnen eine andere Gouvernante geben.

Der Knabe sah sie mit einem raschen, verständniß-
vollen Blick an. Ich werde nichts verrathen, flüsterte
er, sei ruhig, liebe Ouiou, ich werde ganz still sein
und spielen.

V.

Herzog Franz.

Die Thür des Vorsaals öffnete sich und der Lakai meldete den General Grafen Neipperg. Marie Louise trat ihm lächelnd entgegen, und reichte ihm ihre Hand dar, die er an seine Lippen drückte.

Sie kommen spät, General, sagte sie, ich erwartete Sie schon lange zu unserm Spazierritt.

Graf Neipperg dankte ihr mit einem flammenden Blick für dies schmeichelhafte Wort, und Marie Louise, erröthend und verwirrt, ließ ganz unwillkürlich den Blick zu der Fensternische hinschweifen, in welcher die Gräfin mit dem Prinzen sich befand.

Ach, rief Graf Neipperg, da ist ja unser kleiner Herzog Franz!

Und mit lebhaften Schritten eilte er zu dem Prinzen hin.

Ich habe die Ehre, den Herzog Franz von Reichstadt zu begrüßen, sagte er, sich tief verneigend.

Der Knabe hob sein Haupt langsam von dem Spielzeug empor, schüttelte die Locken, welche über seine
Wangen gefallen waren, zurück und blickte mit seinen
großen blauen Augen erstaunt zu dem Grafen empor.

Wer ist der Herzog Franz von Reichstadt? fragte er.

Nun, sagte Graf Neipperg lächelnd, wissen Ew. Hoheit noch nicht Ihren eigenen Namen? Sie sind der
Herzog Franz!

Nein, das ist nicht mein Name! rief der Prinz lebhaft. Ich heiße Napoleon und bin der König von Rom.

Ach, Sie reden da von den schönen Mährchen, mit
denen Ihre Amme Sie früher in Schlaf gesungen hat,
mein Prinz, sagte Graf Neipperg lächelnd. „Es war
einmal ein kleiner König von Rom, und der wohnte
mit einem großen Kaiser in einem wundervollen Palast,
der von lauter Menschenschädeln erbaut war.“ Nicht
wahr, Herzog Franz, so fing Ihr Mährchen an? Aber
jetzt wollen Sie keine Mährchen mehr hören, denn Sie
sind jetzt ein gar vornehmer Herr geworden, ein Herzog,
und zu den Ammenmährchen lachen Sie, denn Sie sind
schon so alt und verständig, daß Sie an keine Mährchen
mehr glauben. Im Traum und im Mährchen nannte

man Sie Napoleon, jetzt sind Sie aufgewacht und Sie
wissen, daß Sie, gleich Ihrem Herrn Großvater, Franz
heißen, nicht wahr, mein kleiner Herzog?

Nein, mein Herr, sagte der Prinz, und seine weichen,
kindlichen Züge nahmen einen trotzigen, ernsten Ausdruck
an, und in seinen großen blauen Augen brannte ein
Strahl von dem Feuergeist seines Vaters. Nein, mein
Herr, wiederholte er noch einmal, ich heiße nicht Franz,
sondern Napoleon, wie mein Vater, der Kaiser von
Frankreich!

Graf Neipperg zuckte zusammen und wandte den
verwunderten, fragenden Blick auf Marie Louise hin.
Sie schlug vor diesem Blick die Augen nieder und er-
röthete.

Wie, gnädigste Frau, fragte er, Sie haben noch
nicht die Gnade gehabt, dem Prinzen zu sagen, daß
Se. Majestät der Kaiser Ihren Wunsch erfüllt und
seinem Enkel seinen eigenen Namen gegeben hat?

Nein, flüsterte Marie Louise, es ist wahr, ich habe
das vergessen, ich glaubte nicht, daß es damit solche
Eile hätte.

Der Graf seufzte tief auf. — Marie Louise hörte
diesen Seufzer, und rasch emporschauend begegnete ihr
Auge dem traurigen, flehenden Blick des Grafen.

Frau Gräfin Montesquiou, sagte sie heftig und rasch, ich habe Ihnen mitzutheilen, daß Se. Majestät, mein Vater, mir auf meine Bitte die Erlaubniß ertheilt hat, meinem Sohn, statt des Namens Napoleon, einen andern zu wählen, und daß er mir gnädigst gestattet, ihm seinen eigenen Namen zu geben. Mein Sohn, der Herzog von Reichstadt, heißt also von heute an Franz und —

Nein, nein, rief der Prinz von seinem Stuhl auf- springend und hastig mit den Füßen stampfend, ich heiße nicht Franz, ich will mich nicht so nennen lassen. Ich heiße Napoleon!

Du heißt Franz, sagte Marie Louise, welche fühlte, daß der Blick des Grafen Neipperg auf ihr ruhte, Frau Gräfin, es ist mein ernster Wille, daß der Prinz fortan nur mit dem Namen Franz bezeichnet werde. Sie haben davon in meinem Namen die sämmtliche Dienerschaft zu benachrichtigen, und Sorge zu tragen, daß vor allen Dingen der Prinz selber sich meinem Befehl und Willen unterwerfe und es seinem Gedächtniß einpräge, daß er Franz heißt! Und jetzt, Gräfin, führen Sie den Herzog in sein Zimmer.

Kommen Sie, flüsterte die Gräfin mit von Thränen erstickter Stimme, kommen Sie!

Sie nahm die Hand des Prinzen und führte ihn, der ganz betäubt, ganz überwältigt schien von dem Schlag, der sein armes, kleines Herz getroffen, nach der Thür hin.

Aber auf einmal riß der Prinz sich ungestüm von ihr los, und sich umwendend, schritt er gerade zu seiner Mutter hin. Sein liebliches Antlitz war bleich und hatte in seinem tiefen, strengen Ernst einen Ausdruck weit über seine Jahre hinaus, seine Augen, die von keiner Thräne mehr befeuchtet waren, schossen flammende Blitze.

Ew. Majestät, sagte er trotzig, seine Arme über der Brust zusammenschlagend, und das Haupt stolz zurückwerfend, Ew. Majestät melde ich, daß ich nicht gehorchen werde, es mir nicht einprägen werde, daß man mir jetzt einen andern Namen geben will und daß ich niemals auf diesen andern Namen hören werde. Ich heiße nicht Franz, wie der Herr Kaiser von Oesterreich, sondern ich heiße Napoleon, wie mein lieber Vater, der Kaiser von Frankreich.

Um Gotteswillen, Sire, was thun Sie, rief die Gräfin, Sie wagen es —

Madame, sagte Marie Louise kalt, man muß gestehen, daß Sie Ihrem Zögling wunderbare Begriffe

von Gehorsam und Bescheidenheit beigebracht haben,
und daß es vielleicht rathsam wäre, dafür zu sorgen,
ihm andere Begriffe zu geben! Führen Sie den Herzog
Franz fort! —

Sire, oh Sire, was haben Sie gethan, flüsterte
die Gräfin, als sie mit dem Prinzen in ihr Gemach
eintrat. Sie haben die Kaiserin erzürnt, Sie haben
Ihrer Frau Mutter getrotzt.

Ich will aber nicht Franz heißen, rief der Prinz
heftig. Wagen Sie es nicht, mich so zu nennen, Ma=
dame. Ah, da ist der Herr Graf Montbrun, rief er,
den Grafen gewahrend, der eben aus der Fensternische
hervortrat. Herr Graf, Sie haben uns erzählt, daß
mein Papa wieder in Paris ist. Ach, ich bitte
Sie, schreiben Sie meinem lieben Papa, er soll mir
schnell seine Lanciers herschicken und mich abholen lassen.
Und er soll mir meinen Wagen mitschicken und meine
Pagen. Ich will hier nicht mehr bleiben! Ich will
nach Paris! Ich will wieder in den Tuilerieen bei
meinem lieben Papa Kaiser wohnen.

Möchten Sie das wirklich, Sire? fragte Montbrun,
sich zu dem Knaben niederneigend.

Ja, das möchte ich, rief der Prinz freudig. Ich
möchte es so gern, daß ich Demjenigen, der mich wieder

zu meinem Vater brächte, so lieb, ach so lieb haben und ihm Alles schenken wollte, was ich habe.

Montbrun wandte seinen forschenden Blick auf die Gräfin hin. Darf ich ihn vorbereiten? fragte er.

Thun Sie es, sagte sie. Die Dinge sind jetzt so weit gekommen, daß wir Alles wagen müssen, und keine Zeit mehr zu verlieren haben. Ich fürchte, man wird mir den Prinzen entreißen; die drohenden Worte, welche die Kaiserin so eben an mich richtete, haben mir die Absicht ihrer Zwingherren verrathen.

Was geschehen soll, muß heute oder morgen ge= schehen, denn übermorgen möchte es zu spät sein, möchte man den Prinzen strengern Wächtern übergeben haben.

Sie würden mich also lieb haben, wenn ich Sie zu Ihrem Vater, dem Kaiser Napoleon zurückführte? fragte Graf Montbrun.

Der Prinz warf statt aller Antwort seine beiden Arme um den Hals des Grafen, und das Gesicht an seiner Schulter verbergend, brach er in lautes Wei= nen aus.

Oh ich bitte, bitte, bringen Sie mich zu meinem Papa Kaiser, schluchzte er.

Nun wohl, ich will es. Der Kaiser hat mir be= fohlen, daß ich ihm seinen kleinen König von Rom zurückführe, und jetzt, Sire, merken Sie wohl auf, was Sie thun müssen, damit wir von hier entfliehen können.

Oh, sprechen Sie, ich will mir Alles wohl merken, sagte der Prinz, mit seinen langen Locken die Thränen aus seinen Augen forttrocknend.

Morgen Nacht entführe ich Sie von hier, mein Prinz.

Morgen schon! flüsterte der Prinz und ein Lächeln verklärte sein Antlitz.

Sie müssen nur heute und morgen recht artig, sanft und vergnügt sein. Sie müssen lachen, wenn man Sie Franz nennt, und niemals müssen Sie von Ihrem Vater sprechen.

Ich werde es nicht thun, sagte der Knabe, ich werde nur an ihn denken! Was habe ich weiter zu thun?

Weiter nichts, als morgen Nacht nicht erschrecken, was auch geschehen möge, und wenn selbst Feuer in dem Schloß entstände, sondern ruhig und ohne zu schreien den Männern folgen, welche kommen werden, Sie zu retten und von hier fortzuführen, keinen Laut von sich zu geben, sondern Alles das zu thun, was man von Ihnen erbitten wird.

291

Sie werden also nicht selbst kommen mich von hier fortzuholen?

Nein, Sire, aber ich werde Ihnen einen treuen Freund senden, und der wird Sie zuerst zu einer Dame führen, welche Sie sehr liebt, und bei der Sie einen Tag verborgen bleiben. Am andern Abend komme ich dann, Sie abzuholen, und mit Ihnen nach Frankreich abzureisen.

Nach Frankreich! Zu meinem Papa, flüsterte der Knabe, in die Hände klatschend. Und meine Mama?

Wir werden an der französischen Grenze wieder mit ihr zusammentreffen, und mit der Kaiserin werden Sie in Paris anlangen! Aber jetzt, Sire, bitte ich Sie, wollen Sie mir gestatten, einige Worte mit der Frau Gräfin im Geheim zu sprechen.

Oh, ich werde gar nichts hören, ich werde mit meinen Soldaten spielen, und meine Regimenter marschiren lassen, rief der Prinz von dannen hüpfend.

Graf Montbrun trat mit der Gräfin Montesquiou in die Fensternische.

Morgen Nacht also, Gräfin, morgen muß es geschehen, flüsterte er. Sie sagten selbst, wir haben keine Zeit mehr zu verlieren.

19*

Und sind Sie überzeugt, daß Ihr Plan gelingen
wird? fragte die Gräfin.

Ja, ich bin davon überzeugt, sagte Montbrun. Es
ist Alles wohl überlegt und vorbereitet. Wir haben
Monate lang mit diesem Plan uns beschäftigt, und
Sie wissen wohl, daß wir von Paris her die mächtigste
Hülfe haben. Der Herzog von Otranto, dem es ge=
lungen, sich wirklich wieder zum Polizeiminister Napo=
leons emporzuschwingen, setzt alle Hebel in Bewegung
um uns hülfreich zu sein, denn er denkt an seine eigene
Zukunft. Ist der König von Rom wieder in Paris,
so ist, selbst auf den Fall, daß der Kaiser stirbt, oder
besiegt wird, die Regentschaftsfrage gesichert, und
Fouché hofft sich dann die Zügel der Regierung zu
sichern. Fouché hat im Geheim mit dem Fürsten
Metternich über die Flucht des Prinzen verhandelt,
und er versichert, daß man uns keine allzugroße Schwie=
rigkeiten in den Weg legen wird. Man wird nicht
helfen, aber man wird geschehen lassen.

Trauen Sie um's Himmels willen weder den Wor=
ten Fouché's, noch den Worten Metternich's. Das sind
zweischneidige Schwerter, welche immer verletzen und
verwunden können, wenn man es am wenigsten ver=
muthet! Verlassen Sie sich auf Niemand anders, als

auf sich selber, und handeln Sie immer so, als ob
Sie hier nur die größte Feindschaft, das glühendste
und wachsamste Bestreben Ihren Fluchtversuch zu hin=
dern, vermuthen müßten!

Ich habe das auch gethan. Ich und meine Freunde
haben es daher sorgsam vermieden, Fouché oder seinen
Creaturen genau den Tag der Flucht zu sagen, oder
ihre unmittelbare Beihülfe zu beanspruchen. Niemand
als die getreuesten Bundesgenossen werden bei der
Flucht thätig sein. Herr von Narbonne wird den
Prinzen von hier entführen, und er wird ihn, um alle
Verfolgungen der Polizei zu vereiteln, zuerst nach
Wien bringen. Dort wird er im Hause einer Dame,
auf deren Treue und Verschwiegenheit wir zählen
können, und die vor jeder Nachstellung der Polizei
durch ihre Verhältnisse gesichert ist, die Nacht zubringen,
und am andern Morgen wird sie mit dem, in ein
Mädchen verkleideten Prinzen, mit guten und unver=
dächtigen Pässen versehen, Wien verlassen, mit dem
Prinzen bis nach Straßburg fahren, wo wir sie er=
warten.

Und Sie sind sicher, daß Sie dieser Dame trauen
können? fragte die Gräfin. Bedenken Sie wohl, daß
ich einst in die Hände des Kaisers geschworen habe,

den König von Rom zu behüten und zu bewachen,
und ihn keinen fremden Händen zu überlassen. Wenn
ich diesem Schwur also jetzt zuwider handele, so muß
ich sicher sein, daß der Prinz solchen Händen übergeben
wird, die ihn sicher behüten werden. Ich frage Sie
also, kraft meines Amtes als Gouvernante des Königs
von Rom, wie heißt und wer ist die Dame, welcher
Sie den Prinzen anvertrauen wollen?

Nun, ich will Ihnen eine offene und rückhaltlose
Antwort geben, Gräfin. Diese Dame heißt Friederike
Hähnel, und sie ist die Freundin des Staatskanzlers
von Hardenberg. Bei ihr wird man daher nicht den
Sohn des Kaisers suchen, sie allein ist im Stande ihn
sicher und ungefährdet von hier fortzuführen, und sie
allein konnte durch den mächtigen Gönner der ihr zur
Seite steht, und der freilich nichts ahnt von den Plä=
nen der Freundin, zu einer Reise nach Frankreich Pässe
erhalten, die man sonst Jedermann verweigern würde.

Aber wie kommt es, daß diese Dame, die Freun=
din eines dem Kaiser Napoleon feindlichen Staats=
mannes, sich so sehr für das Schicksal des Königs
von Rom interessirt, daß sie sogar ihre eigene Existenz
und Stellung für ihn in Gefahr bringt?

Das, Gräfin, sollte eigentlich mein Geheimniß

sein, aber ich halte mich in meinem Gewissen ver=
pflichtet, Ihnen die volle Wahrheit zu sagen, um Sie
ganz zufrieden zu stellen. Diese Dame also, Friederike
Hähnel, liebt mich, und aus Liebe zu mir fördert sie
meine Pläne, ist sie mir hülfreich und nimmt Theil
an meinen Complotten. Gräfin, wäre der Zweck nicht
ein heiliger und großer, so wären Sie berechtigt mich
einen Verbrecher zu nennen, denn ich habe wissent=
lich und mit kalter Ueberlegung ein Herz verführt,
ich hintergehe und betrüge eine große und starke Liebe,
die bereit ist, mir Alles zu opfern, und die ich doch
nur zu meinen Speculationen mißbraucht habe.

Und sie, diese Friederike Hähnel, sie mißtrauet
Ihnen nicht? Sie glaubt an Ihre Liebe?

Ja, sie glaubt an meine Liebe, und deshalb geht
sie auf alle meine Pläne ein. Sie hat mit wunder=
barer Energie und Klugheit alle Vorbereitungen geleitet,
für Alles gesorgt, Alles bedacht. Sie hat Alles ein=
geleitet und ersonnen, ihr Kopf ist unerschöpflich in
Hülfsquellen und Vorschlägen gewesen, und ohne sie,
die so unverdächtig erscheint, wären wir sicher nicht
zum Ziel gelangt. Sie ist daher wohl geeignet, den
Prinzen bei sich aufzunehmen, und ihn nach Frankreich
zu geleiten! Ah, sie hofft dort meine Gemahlin zu

werben, und statt deffen werde ich ihr dort mein Ver=
brechen bekennen, und ihr gestehen müssen, daß ich ihre
große und starke Liebe nur als das Werkzeug benutzt
habe für meine Pläne, daß sie mir nur helfen sollte,
den Prinzen und die Kaiserin zu befreien.

Sie weiß also auch um die Entführung der Kai=
serin?

Ja, sie weiß darum, und sie hat auch hierzu Alles
vorbereitet. Sie hat, als bedürfe sie das für sich zu
einem Maskenball, einen eleganten Herrenanzug anfer=
tigen lassen, sie hat Alles für die Toilette Nothwen=
dige beschafft, selbst den Reisekoffer für die Kaiserin
gepackt, und in ihrer Equipage wird der König von Rom
von hier nach Wien fahren.

Aber ich begreife noch immer nicht, wie Sie es
anfangen wollen, die Kaiserin zu dieser Flucht zu be=
wegen.

Ich werde sie dazu zwingen, rief Graf Montbrun
lächelnd, denn sie will ja den Anschein haben, gezwun=
gen worden zu sein, um ihre Rolle als gehorsame
Tochter nicht zu gefährden. Sie sagt ja, daß sie keinen
eigenen Willen hat; wir werden also für sie einen
Willen haben, und ihre Worte verriethen mir, daß sie
es also wünscht. — Sie wissen jetzt Alles, Gräfin.

Bereiten Sie alſo Alles vor, und wenn Sie dort drü=
ben die Feuerzeichen aus den Fenſtern der Kaiſerin
hervorleuchten ſehen, ſo öffnen Sie das Fenſter von
dem Schlafzimmer des Prinzen, und laſſen die Strick=
leiter herunter. Das iſt Alles, was nöthig iſt.

Nein, ſeufzte die Gräfin, was nöthig iſt, das iſt
der Schutz Gottes! Oh, möge er Ihrem gefährlichen
und gewagten Unternehmen zur Seite ſtehen, und die
Kaiſerin und den König von Rom behüten!

Bereiten Sie also Alles vor, und wenn Sie dort drüben die Feuerzeichen aus den Fenstern der Kaiserin
hervorleuchten sehen, so öffnen Sie das Fenster von
dem Schlafzimmer des Prinzen, und lassen die Strickleiter herunter. Das ist Alles, was nöthig ist.

Nein, seufzte die Gräfin, was nöthig ist, das ist
der Schutz Gottes! Oh, möge er Ihrem gefährlichen
und gewagten Unternehmen zur Seite stehen, und die
Kaiserin und den König von Rom behüten!

---

m

mit

appte
Thür,

les gut
und ich
chschlüssel

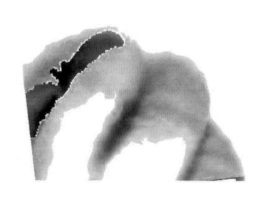

VI.

Die Flucht.

Die Nacht des dreißigsten März war hereingebrochen, eine finstere, dunkle Regennacht. Kein Stern stand am Himmel, und nicht mit einem einzigen Lichtstrahl ver= mochte der Mond die Wolken zu durchbringen, die schwer und grollend den ganzen Horizont überhingen, und die Erde wie mit schwarzen Schleiern überschatteten.

Die Lichter im Schlosse zu Schönbrunn waren längst schon erloschen, die Bewohner des Schlosses waren längst schon zur Ruhe gegangen. Der Regen, der gegen die Fenster plätscherte, störte die Schlafenden nicht, der Sturm, der durch die großen beschnittenen Alleen des Parks pfiff, und zuweilen wie mit macht= vollem Finger, gegen die Pforten und die Fenster klirrte, weckte doch Niemand aus dem ersten, erquicklichen Schlummer.

Aber er überdeckte das Geräusch zweier heranrollen=
der Wagen, und der Regen, welcher den Boden auf=
geweicht hatte, machte das Geräusch der Räder noch
unhörbarer.

Der eine der Wagen hielt diesseits des Schlosses
neben der kleinen Pforte, die in den Park führte, und
der zweite Wagen fuhr hinüber, nach der anderen Seite
des Schlosses, fuhr vorsichtig und langsam dort um
den Flügel des Schlosses herum, und hielt neben der
kleinen Seitenpforte an, die seit lange unbenutzt und
ungeöffnet, von den Bewohnern des Schlosses fast ganz
vergessen war. Ein Mann stieg aus diesem zweiten
Wagen hervor, und vorsichtig und geräuschlos die
Wagenthür schließend, trat er zu dem Kutscher hin.

In einer Viertelstunde, hoffe ich, wird Alles gethan
sein, flüsterte er. Leben Sie wohl bis dahin.

Leben Sie wohl, Graf, und der Himmel sei mit
Ihnen, flüsterte der Kutscher.

Der Graf schlich leise zu der Pforte hin, tappte
vorsichtig mit den Händen nach dem Griff der Thür,
und öffnete sie.

Oh, flüsterte er leise, die Gräfin hat Alles gut
vorbereitet. Sie hat die Thür aufgeschlossen, und ich
habe nicht einmal nöthig von meinem Nachschlüssel

300

Gebrauch zu machen. Aber wenn ich wiederkomme, werde ich die Thür verschließen.

Er drückte leise die Thür hinter sich zu, und stand jetzt innerhalb des Schlosses auf einem kleinen mit Backsteinen ausgelegten Flur.

Nur noch einmal die Lection überlegt, damit kein Irrthum vorfällt, flüsterte der Graf in sich hinein. Das Programm lautet so: „Einmal auf dem Flur stehend, wendet man sich links, geht zwanzig Schritte seitwärts und befindet sich dann vor einer kleinen Treppe. Diese Treppe, welche funfzig Stufen hoch ist, geht man hinauf und befindet sich auf einem Seiten= corridor des obern Stockwerks. Zwei Schritte links machend, steht man vor einer Thür, welche so künstlich in die Bretterwand eingelassen ist, daß sie dem Auge des Uneingeweihten nicht zu erkennen ist, und daß Nie= mand der jetzt im Schloße Anwesenden von ihrer Existenz weiß. Selbst die Kaiserin Marie Louise kennt nicht das Geheimniß dieser Thür, und sie ahnt nicht, daß ihr eigener Gemahl, als er in Schönbrunn resi= dirte, diese Thür heimlich hier anbringen ließ, um unbemerkt das Schloß betreten und verlassen zu können. Auch Diejenigen, welche Marie Louise in Schönbrunn bewachen, kennen diese Thür nicht. Es ist ein Ge=

heimniß, das der Kaiser von Elba aus dem Baron
von Ménéval hat melden laſſen, und das uns jetzt
ſehr nützlich iſt. Denn dieſe Thür führt gerade in das
Toilettenzimmer der Kaiſerin. Die Thür alſo befindet
ſich zwölf Schritte links von der Treppe. Mit der
Hand über die Wand fahrend, wird man da einen
kleinen Nagel, der wie von ungefähr dort eingeſchlagen
iſt, entdecken. An dieſen Nagel drückt man, und die
Thür geht auf. Man iſt jetzt im Toilettenzimmer der
Kaiſerin, geht gerade aus, zwanzig Schritt, und befindet ſich dann vor der Thür, welche in das Schlaf-
gemach der Kaiſerin führt. Die Kaiſerin ſchläft allein,
aber die Thür nach dem nächſten Zimmer iſt geöffnet
und dort ſchlafen ihre beiden Kammerfrauen. Sie
gehören zu den Unſrigen, und ſie ſind angewieſen, ſich
nicht auszukleiden. Sie werden das Zeichen des Feuers
erwarten, und dann in das Zimmer der Kaiſerin ſtürzen.
Alles Andere, fuhr der Graf aufathmend fort, alles
Andere wird ſich finden. Hätte die Kaiſerin nicht
durchaus gezwungen, und wider ihren Willen fortgeführt ſein wollen, ſo hätten wir die läſtige Geſchichte
mit dem Feuer gar nicht nöthig gehabt. Es wäre nur
nöthig geweſen, die geheime Thür zu öffnen, und ſie
hinunter zu geleiten. Aber ſie hat nicht den Muth,

ihrem Vater zu trotzen, und will sich sichern für die
Möglichkeit des Mißlingens. Nun wohl denn, sei es
so! Auf, an's Werk!

Und der Graf schlich mit zwanzig wohlgezählten
Schritten nach der kleinen Treppe hin.

Während dies auf dem rechten Flügel des Schlosses
sich begab, hielt der Wagen, welcher an dem linken
Flügel vorgefahren war, noch immer neben der kleinen
Gartenpforte.

Ein Mann war ausgestiegen, und vorsichtig und
leise hatte er die Pforte aufgeschlossen. Das Heulen
des Sturmes hatte das Knarren der eisernen Thür
übertönt, und der aufgeweichte Boden machte seine
Schritte unhörbar. Hastig schlüpfte er an der Mauer
entlang bis zu dem vierten Fenster des Parterre's.
Hier blieb er stehen, und schaute empor zu dem Fen=
ster da oben, welches, das einzige an der bunklen Reihe,
von einem matten Lichtschimmer erhellt war.

Das Schlafzimmer des Prinzen, murmelte der
Mann. Die Gräfin wacht, und wartet auf das Zei=
chen. Er blieb stehen, und lauschte, immer die Augen
nach dem obern Fenster gewandt.

Plötzlich hörte man in der Ferne lautes Geschrei,
ein heller Lichtschein, von der andern Seite des Schlosses

ausströmend, blitzte durch die Nacht, und Feuer! Feuer! hörte man erstickte Stimmen rufen.

Jetzt ist das Zeichen gegeben, murmelte der Fremde, und — ha, da öffnet sich das Fenster und die Strick= leiter kommt!

Er streckte der luftigen seidenen Leiter, die sich zu ihm hernieder ließ, seine beiden Arme entgegen, faßte sie jetzt, und befestigte die unteren Enden an einem in der Mauer wie zufällig angebrachten eisernen Haken.

Nun kletterte er rasch und gewandt wie eine Katze die Leiter hinauf. Nun stand er am offenen Fenster.

Jetzt! sagte er leise. Wo ist der Prinz?

Hier bin ich! flüsterte der Knabe, der von den Hän= den der Gräfin gehalten auf dem Fensterbrett stand. Hier bin ich, mein Herr!

Wollen Sie mit mir kommen, Prinz?

Ja, mein Herr! Aber noch einen Kuß meiner lieben Duiou! Adieu, adieu!

Er küßte sie innig, und die Gräfin, ihn unter Thrä= nen an ihr Herz drückend, flüsterte: Gott segne Sie, Sire, Gott behüte Sie!

Sie reichte den Knaben hinaus. Halten Sie ihn sicher, Herr von Narbonne, flüsterte sie, gehen Sie vor= sichtig, oh, um des Himmels willen —

Herr von Narbonne hörte sie nicht mehr. Er schlüpfte behend, mit der einen Hand den Knaben fest an seine Brust drückend, mit der andern an der Strickleiter sich anklammernd, die luftigen Stufen hinunter.

Fürchten Sie sich, Sire? flüsterte er, während er hinabstieg.

Nein, mein Herr, ich fürchte mich nicht, sagte der Knabe. Ich weiß, daß ich zu meinem Papa gehe!

Jetzt hatten sie den Boden erreicht; nun mit hastigen Schritten sprang Herr von Narbonne, den Knaben im Arm haltend, vorwärts nach der Pforte hin, hinein in den Wagen.

Vorwärts, jetzt vorwärts! So rasch die Pferde jagen können!

Der Wagen rollte von dannen; Niemand hörte es, Niemand war auf diesem Flügel des Schlosses, Jedermann war hinüber geeilt nach dem andern Flügel des Schlosses, Jedermann wollte dort helfen, retten, denn der Ruf: Feuer! Feuer! hatte das ganze Haus erweckt, und nur nach den brennenden Zimmern war die Aufmerksamkeit hingelenkt.

Der Wagen rollte von dannen nach Wien hin und darin saß der kleine König von Rom, und je schneller der Wagen fuhr, desto strahlender ward sein Lächeln.

Ach, wie rasch das geht, jubelte er, in die Hände
klatschend. Nicht wahr, nun werde ich bald bei meinem
lieben Papa sein?

Ach, Sire, so bald noch nicht. Es ist sehr weit
von Wien nach Paris.

Aber ich werde hinkommen, rief der Prinz. Ich
werde meinen Papa Kaiser wiedersehen, er wird wieder
mit mir spielen und mit mir lachen und singen. Ich
liebe ihn so sehr, meinen guten Papa. Oh sagen
Sie, ich werde doch gewiß zu ihm fahren? Sie brin=
gen mich nicht anderswo hin? Sie halten Wort, Sie
führen mich zu meinem Papa?

Ja, ich halte Wort! Sehen Sie nur, Prinz, da
fahren wir in das Außenthor von Wien ein. Jetzt nur
noch einige Straßen und wir sind vor dem Hause der
Dame angelangt, bei welcher Sie diese Nacht schlafen
und mit der Sie morgen nach Paris abreisen werden.

Ach, morgen reise ich nach Paris, jubelte der Prinz.
Und in Paris erwartet mich mein Papa, und in Paris
werde ich in den Tuilerieen wohnen, und da werde ich
wieder der König von Rom sein, und ich werde meine
Pagen wieder haben, und alle Menschen werden mich
wieder lieb haben, und Alle werden freundlich zu mir
sein, und Niemand, oh Niemand, wird mich wieder

Franz nennen. Oh sagen Sie, mein Herr, ist das
nicht ein sehr häßlicher Name, Franz?

Es ist wahr, der Name Napoleon ist schöner, sagte
Herr von Narbonne lächelnd, und Sie sind sicher, daß
man Sie in Paris niemals anders nennen wird, besonders — Aber halt, was ist das, wir fahren in eine
falsche Straße ein — Kutscher, wir müssen rechts fahren,
rechts —

Herr von Narbonne sprang empor und riß das
vordere Wagenfenster auf und legte seine Hand auf die
Schulter des Wagenführers.

Sie haben einen falschen Weg eingeschlagen, hören
Sie doch!

Aber der Kutscher hörte nicht, er hieb auf die Pferde
ein, und fuhr in schnellerem Trabe vorwärts durch
die von den flackernden Laternen matt erleuchteten
Straßen.

Ich sage Ihnen, Kutscher, Sie haben einen falschen
Weg eingeschlagen, rief Narbonne, dem Kutscher die
Hand auf die Schulter legend und ihn heftig rüttelnd,
Sie fahren in die Straße nach dem Burgthor hinauf,
und Sie müssen rechts einbiegen, um nach dem
Kärnthnerthor zu kommen.

Der Kutscher, ohne sich umzuwenden, ohne ein Wort

zu erwidern, hieb wieder auf die Pferde ein, und don=
nernd rollte der Wagen über das Pflaster dahin.

Mein Gott, mein Gott, was bedeutet dies? mur=
melte Narbonne, einen Moment wie betäubt in den
Wagen zurücksinkend.

Herr von Narbonne, fragte der Prinz, leise wei=
nend, ach, sagen Sie, werden wir nun doch nicht zu
meinem Papa kommen? Will der böse Kutscher uns
nicht dahin fahren?

Er soll uns dahin fahren, sagte Narbonne ent=
schlossen, wieder von dem Sitz emporspringend und wie=
der dem Kutscher sich zuwendend.

Hören Sie, sagte er leise und rasch, Sie schlagen
jetzt den Weg ein, den ich Ihnen angegeben, oder ich
schieße Sie nieder.

Und indem er so sprach, hörte man ganz deutlich,
wie er den Hahn seiner Pistole aufzog.

In demselben Moment hielt der Kutscher mit ener=
gischer Kraft seine Pferde mitten im Lauf an und
sprang von seinem Sitz nieder auf den Boden.

Erstaunt blickte Herr von Narbonne aus dem Seiten=
fenster des Wagens. Sie befanden sich jetzt mitten in
der großen, durch den Volksgarten dahin führenden
Straße. Tiefe Oede und Stille herrschte rings umher.

20*

308

nur hier und da warf eine Laterne einen trüben Schein
auf die aufgeweichte, schmutzglitzernde Straße und hüllte
dicht daneben wieder Alles in tiefere Dunkelheit ein.

Kutscher! rief Herr von Narbonne, Kutscher, wo
sind Sie?

Keine Antwort erfolgte. Herr von Narbonne riß
den Schlag des Wagens auf und sprang hinaus. In
demselben Moment packten ihn von beiden Seiten
vier mächtige Arme und rissen ihn von dem Wa=
gen fort.

Herr von Narbonne! schrie der Prinz angstvoll, von
dem Sitz aufspringend und im Begriff, aus dem Wagen
zu stürzen.

Eine kräftige Hand schob ihn zurück, und ein Mann
stieg zu ihm in den Wagen.

Sind Sie es, Herr von Narbonne? fragte Napoleon angstvoll, und als der Mann nicht antwortete,
schrie er laut und angstvoll: Herr von Narbonne!
Kommen Sie her zu mir, Herr von Narbonne!

Seine laute jammernde Stimme schallte weithin über
den Platz und erreichte das Ohr Narbonne's, der eben,
von den vier Männern an beiden Armen gehalten, in
einen an der andern Seite des Weges stehenden Wa=
gen geschoben ward.

Herr von Narbonne! rief Napoleon mit lauterer, flehenderer Stimme.

Hier! — Ich —

Eine schwere Hand legte sich auf Narbonne's geöffnete Lippen. Kein Wort, oder Sie sind des Todes, sagte eine drohende Stimme dicht neben seinem Ohr. Verhalten Sie Sich ruhig und Ihnen wird nichts geschehen.

Eben ward die Thür des Wagens, in welchem sich der Prinz befand, heftig zugeschlagen und der Wagen rollte von dannen.

Sie sehen, sagte die Stimme neben dem Herrn von Narbonne, Ihr Plan ist vereitelt, der Prinzenraub ist mißlungen. Die Polizei war von Allem unterrichtet, aber sie ließ die Flucht geschehen, um Beweise gegen die Hauptschuldigen zu haben. Aber wir wollen dieses Abenteuer verborgen halten, und deshalb, mein Herr, wird man, anstatt Sie zu strafen und Ihnen den Prozeß zu machen, Sie nur ohne Aufenthalt aus den Kaiserstaaten entfernen und an der französischen Grenze absetzen. Vorwärts, Kutscher!

Der Wagen rollte wieder dem Burgthor zu und führte den vor Zorn und Verzweiflung weinenden Herrn von Narbonne von dannen.

Während Jener die Stadt verließ, fuhr der Wagen in welchem sich der kleine Napoleon befand, immer rascher vorwärts.

Mein Herr, sagte der Prinz mit tonloser, bebender Stimme, warum sprechen Sie nicht mit mir? Warum sagen Sie mir nicht, ob Sie der Herr von Narbonne sind? Ach, ich bitte Sie, sagen Sie es mir doch! Ich ängstige mich so sehr, ich —

Der Wagen hielt, goldbetreßte Lakayen öffneten den Schlag, eine Dame stand neben dem Wagen und streckte dem Prinzen ihre beiden Arme entgegen.

Er ließ es geschehen, daß man ihn aus dem Wagen hob, daß die fremde Dame ihn in ihre Arme nahm und durch das hohe, lichtstrahlende Portal über den Flur und die Stiegen hinauftrug. Er war ganz betäubt, ganz ermattet von Angst und Entsetzen. Sein Kopf hing matt und kraftlos über den Arm der Dame hin, seine kleine Gestalt war schwer und bewegungslos, wie die einer Leiche. Lakayen mit brennenden Armleuchtern schritten voran über den Corridor, Lakayen und Diener folgten. Jetzt ward eine hohe Flügelthür geöffnet und man trat in eine Reihe glänzend erleuchteter Zimmer ein.

Die Dame ließ den Prinzen sorgfältig aus ihren

Armen auf einen Fauteuil niedergleiten und kniete dann vor ihm nieder, um mit sorgsamem Blick ihn zu betrachten.

Der kleine Napoleon schaute sie an mit weitoffenen Augen, seine Wangen waren kalt und bleich, seine Lippen bebten.

Oh, fürchten Sie Sich nicht, sagte die Dame zärtlich, sehen Sie nicht so traurig aus, Herzog, Niemand zürnt mit Ihnen, Jedermann liebt Sie, und gleich wird Se. Majestät, Ihr Herr Großvater kommen, um —

Ein Zittern flog durch die Glieder des Knaben hin und er richtete sich haftig empor. Mein Großvater wird kommen, sagte er angstvoll. Aber wo bin ich denn? Sind Sie denn nicht die liebe freundliche Dame, bei der ich die Nacht bleiben soll und die morgen mit mir nach Paris zu meinem Papa fahren wird?

Nein, mein lieber kleiner Herzog, sagte die Dame, das Alles war nur ein böser Traum. Sie sind hier, — aber da kommt Se. Majestät der Kaiser.

Sie erhob sich rasch von ihren Knieen und verneigte sich dann tief vor dem Kaiser, der soeben in der Thür des nächsten Zimmers erschien.

Der Prinz blieb ruhig auf seinem Lehnstuhl sitzen

und starrte mit entsetzten Blicken seinem Großvater ent=
gegen.

Kaiser Franz näherte sich dem Kinde mit lächelndem,
unbefangenem Gesicht und reichte ihm seine Hand dar.

Guten Abend, mein kleiner Herzog, sagte er heiter.
Hast durchaus eine Reise machen wollen, kleiner Franz?
Und noch dazu zur Nachtzeit? Nun schau, hast jetzt
Deinen Spaß gehabt und bist gereist von Schönbrunn
nach Wien. Und hier in Wien sollst Du halt bleiben,
mein Kind, und sollst hier in der Burg bei mir, bei
Deinem Großvater wohnen. Da wird's Dir schon
besser gefallen als da draußen in Schönbrunn, nicht
wahr, mein kleiner Franz?

Der Knabe schaute mit traurigen, thränenschweren
Blicken zu ihm empor und schüttelte leise sein Haupt.

Wir wollen Dich hier Alle recht lieb haben, fuhr
der Kaiser gutmüthig fort, aber Du mußt uns dafür
auch halt wieder lieb haben. Besonders mußt Du
recht freundlich, artig und gehorsam sein gegen Deine
neue Gouvernante. Sieh da, mein kleiner Franz, diese
Dame hier, die Frau Generalin von Mitrowska, das
ist Deine neue Gouvernante, und die wird von jetzt
an immer bei Dir bleiben und wird Dich unterrichten
und für Dich sorgen. Heiß die Frau Generalin will=

313

kommen, kleiner Franz, gieb ihr die Hand und fag' ihr, daß Du ihr immer recht gehorfam fein willst.

Der Prinz regte fich nicht — er ftarrte zu dem Kaifer empor und zwei einzelne, glänzende Thränen rollten langfam über feine Wangen nieder.

———

VII.

Die Rache.

Feuer! Feuer! Das war der Ruf gewesen, der auf
einmal die Bewohner des Schlosses von Schönbrunn
aus dem ersten Schlummer erweckt hatte. Feuer in
den Gemächern der Kaiserin.

In dem Schlafzimmer der Kammerfrauen war es
ausgebrochen; die beiden Frauen waren von dem hellen
Lichtschein erwacht, sie hatten vor allen Dingen die
Kaiserin geweckt, waren ihr behülflich gewesen, sich rasch
und eilig anzukleiden und waren dann von dannen gestürzt, um die Schlafenden zu wecken und Hülfe herbei
zu rufen.

Marie Louise war also einen Moment allein geblieben. Entsetzt hatte sie dem Zimmer der Kammerfrauen sich genähert, um zu entfliehen, aber die hellen

Flammen, die ihr von den brennenden Vorhängen ent=
gegenschlugen, schreckten sie zurück.

Außer sich, bleich und zitternd, flog sie jetzt durch
ihr Schlafzimmer hin, der andern Thür zu, und trat
durch dieselbe in ihr Toilettenzimmer hinein. Dieses
Zimmer war dunkel, nur das Feuer aus dem nahen
Gemach warf einen röthlichen Schein durch dasselbe,
und Marie Louise, geblendet und geängstigt von diesem
Schein, schlug mit einem lauten Aechzen ihre Hände
vor ihr Angesicht.

Fürchten Ew. Majestät nichts, sagte neben ihr eine
leise, männliche Stimme, ich errette Ew. Majestät aus
den Flammen!

Zur selben Zeit fühlte sie sich von zwei kräftigen
Armen emporgehoben, und ehe sie noch Kraft gefunden
zu einem Schrei, einem Hülferuf, stürzte der, welcher
sie trug, mit ihr vorwärts; die Wand schien sich vor
ihm aufzuthun, und er sprang hindurch, und er rannte,
die entsetzte, halb ohnmächtige Kaiserin im Arm, vor=
wärts, eine Treppe hinunter.

Marie Louise fühlte ihre Sinne schwinden, ein
seltsames Klingen und Sausen war vor ihren Ohren,
wie schillernde Sterne blitzte es vor ihren Augen, sie
wollte sich sträuben, aber ihre Glieder versagten ihr den

Dienst, sie wollte um Hülfe schreien, aber das Ent=
setzen hatte ihre Zunge gelähmt, sie sank regungslos
zusammen.

Sie ist ohnmächtig, und das war in ihrer Situation
das Beste, was sie thun konnte, sagte Graf Montbrun
zu sich selber, indem er mit seiner schönen Last durch
das Seitenthor des Schlosses hinaustrat und sich dem
Wagen näherte.

Sind Sie es, Graf? flüsterte der Kutscher, der von
seinem vordern Sitz niedergestiegen war, und neben dem
offenen Wagenschlag stand.

Ja, ich bin es, Baron, sagte der Graf, helfen Sie
mir, die Kaiserin in den Wagen zu heben.

Vorsichtig ward die Kaiserin auf dem Vorbersitz des
Wagens gebettet, Graf Montbrun nahm auf dem
Rücksitz Platz, der Kutscher schwang sich wieder auf den
Bock und vorwärts ging es jetzt in rastloser Eile, vor=
wärts die Straße hinunter, hinein in das Dickicht des
Waldes.

Die Kaiserin lag noch immer bewußtlos da. All=
mälig schien die schaukelnde Bewegung des Wagens
und die Nachtluft, die aus den geöffneten Wagenfen=
stern herein strömte, sie aus ihrer Betäubung zu er=
wecken. Ein leises Zucken ging durch ihre Gestalt

hin, dann schlug sie die Augen auf und richtete sich empor.

Alles dunkel, murmelte sie, und doch meinte ich Feuer gesehen zu haben, Feuer in meinem Zimmer, in — Mein Gott, wo bin ich? rief sie erschreckt, jetzt erst zum vollen Bewußtsein zurückkehrend, wohin fährt man mich? Wer ist da vor mir? Wer sind Sie?

Majestät, Ihr treuester und ergebenster Diener, der Graf Montbrun.

Montbrun! rief Marie Louise entsetzt, und wie kommen Sie hierher in meinen Wagen? Mein Gott, was geschieht denn mit mir? Wie kam ich in den Wagen? Was bedeutet es, daß Sie neben mir sind? Oh, mir ist Alles wie ein wüster Traum, mein Kopf schwindelt, mein Herz klopft zum Ersticken! Ich frage Sie, was bedeutet dies Alles? Wohin führt man mich?

Majestät, dahin wo allein der Platz meiner erhabenen Kaiserin sein kann, nach Frankreich! Nach Paris!

Nach Paris! schrie Marie Louise entsetzt. Und mein Vater hat seine Einwilligung gegeben?

Nein, Majestät. Aber der Kaiser Napoleon hatte mir befohlen ihm die Gemahlin und den Sohn zuzu=

führen, und ich hatte geschworen, dem Befehl meines erhabenen Herrn zu genügen, um jeden Preis, sei's mit List oder mit Gewalt.

Sie haben mich entführt, rief Marie Louise, von ihrem Sitz aufspringend, und eine Bewegung machend, als wolle sie die Wagenthür öffnen, um hinaus zu springen.

Aber die Thür gab dem Druck ihrer Hand nicht nach, und mit einem tiefen Seufzer sank Marie Louise wieder in die Kissen zurück.

Ja, sagte Graf Montbrun, ich habe es gewagt, Ew. Majestät zu entführen, und ich hoffe, daß Ew. Majestät mit mir zufrieden sind, und daß ich Ihre Worte richtig gedeutet habe.

Welche Worte? fragte Marie Louise verwundert. Was habe ich denn gesagt?

Sie haben geruht, mir zu verstehen zu geben, daß Ew. Majestät nicht zu handeln, keinen Willen zu haben wagten, daß Sie Sr. Majestät Ihrem Herrn Vater nicht trotzen, sondern nur dem Zwang nachgeben dürften. Ich habe also Zwang angewandt, um Ew. Majestät aus den Banden zu befreien, mit welchen man Sie zurückhielt. Ich habe Alles so vorbereitet, daß, wenn mein Plan mißlang, wenn er jetzt noch scheitern sollte,

Ew. Majestät, indem Sie zu dem Kaiser von Oester=
reich zurückkehrten, ihm feierlich schwören könnten, nichts
von diesem Unternehmen gewußt zu haben, sondern
mit Gewalt entführt worden zu sein. Ew. Majestät
würden dann erzählen, daß eine frevelnde Hand Feuer
in dem Zimmer ihrer Kammerfrauen angelegt, daß
Diejenigen, welche Sie entführt, die Verwirrung, die
sie selber hervorgerufen, benutzend, durch eine geheime
Thür in Ihr Toilettenzimmer gedrungen, Sie mit
Gewalt fortgeführt hätten, daß Niemand auf Ihren
Hülferuf geachtet, daß Niemand das Fortrollen des
Wagens gehört habe, weil Jedermann nur mit dem
Feuer beschäftigt gewesen wäre. Das könnten Ew. Ma=
jestät sagen, wenn der Fluchtversuch mißlungen wäre,
und es würde Ihnen in den Augen des Kaisers Franz
als Entschuldigung dienen. Aber Gott wird nicht so
grausam sein, die Wünsche des Kaisers Napoleon, des
ganzen, französischen Volkes, und wie ich hoffe, auch
die Wünsche Eurer Majestät zu vereiteln, Gott wird
es zulassen, daß Ew. Majestät wieder zu Ihrem Ge=
mahl zurückkehren, um mit dem Kaiser wieder den
Thron von Frankreich zu theilen, und dem französischen
Volk, das Ihnen mit aller Sehnsucht der Liebe ent=
gegenjauchzt, wieder den Segen der Liebe und des

Friedens zu bringen, und Frankreich mit Oesterreich, mit Deutschland zu versöhnen.

Aber es ist unmöglich, daß Ihr verwegener Plan gelingt, rief Marie Louise, die Hände ringend. Es ist unmöglich, daß Sie mich aus den österreichischen Staaten fortführen, ohne entdeckt zu werden. Mein Gott, in dem nächsten Ort schon kann man uns an= halten, mich erkennen, oder mich mit Gewalt zur Rück= kehr zwingen. Oh, welche Schmach, welche Demüthigung kann, als eine flüchtige Verbrecherin zurückkehren zu müssen!

Der Himmel, wird nicht wollen, daß Ew. Majestät von solchem Unglück bedroht werde, sagte Montbrun feierlich. Alle Vorkehrungen sind getroffen, Alles ist wohl durchdacht und wohl überlegt. Ueberall auf dem ganzen Wege liegen Relais bereit, unsere Pässe sind in vollkommener Ordnung, und es hängt nur von Ew. Majestät ab, jedes Erkennen unmöglich zu machen, und sich vor jeder Entdeckung zu sichern.

Wie? das hängt von mir ab? fragte Marie Louise.

Ja, von Eurer Majestät. Der Paß, den ich bei mir führe, lautet auf zwei Personen, auf zwei Männer. Eure Majestät müssen die Gnade haben, eine Verkleidung anzulegen, sich in Männerkleidung zu hüllen.

Ach, als ob es so leicht sein würde, die zu erhalten, rief Marie Louise.

Majestät, es ist Alles vorbereitet, hier in dem Kasten des Wagens steht ein Koffer, der Alles enthält, was zur Toilette Ew. Majestät erforderlich ist, und bemerken Sie nur, wir fahren jetzt in einen kleinen Seitenweg ein. Ew. Majestät erinnern sich des kleinen Pavillons im Walde von Schönbrun? Er ist jetzt einsam und unbemerkt, und daher ganz geeignet, Ew. Majestät als Toilettenzimmer zu dienen.

Oh mein Gott, murmelte Marie Louise in sich hinein, es ist also kein Entrinnen mehr, ich muß —

Der Wagen hielt vor dem einsamen Häuschen an, der Graf öffnete den Schlag und sprang hinaus, um der Kaiserin beim Aussteigen behülflich zu sein.

Seufzend und zitternd verließ Marie Louise den Wagen und trat in das Haus ein. Niemand hieß sie willkommen, Niemand trat ihr entgegen, aber das Zimmer, welches der Graf jetzt öffnete, war erleuchtet und wohnlich eingerichtet, als hätten unsichtbare Geister, die Ankunft der Prinzessin vorherschauend, Alles zu ihrem Empfange bereitet. In der Mitte des kleinen runden Gemachs befand sich ein Tisch, auf welchem auf hohen Armleuchtern dicke Wachskerzen brannten, daneben stand eine Schale mit Früchten und Backwerk, und unfern davon hing an der Wand ein hoher Spiegel, zu dessen beiden Seiten auf Wandleuchtern Kerzen brannten.

Geruhen Ew. Majestät hier einzutreten, sagte Graf Montbrun, wir werden sogleich den Koffer bringen.

Er ging hinaus und schloß die Thür. Marie Louise war allein. Mit scheuer Angst blickte sie im Zimmer umher, ja, sie war allein, ganz allein! Niemand da, der sich ihrer erbarmen, der sie erretten konnte. Sie war der Gewalt dieses Mannes hingegeben, der sie entführte, um sie zu ihrem Gemahl zurückzubringen. Wie sie das dachte, schauderte sie in sich zusammen, und ihre Wangen erbleichten.

Die Thür öffnete sich wieder, der Graf trug den Koffer herein, und sich tief vor der Kaiserin verneigend, sagte er: Ew. Majestät bitte ich nur um die Gnade, Ihre Toilette zu beeilen, damit wir weiter fahren können.

Aber, mein Herr, rief Marie Louise, nach Kraft, nach einem festen Entschlusse ringend, wer sagt Ihnen denn, daß ich weiter fahren will, daß ich diese aben=

teuerliche Flucht, zu der Sie mich wieder mein Willen zwingen wollen, auch unternehmen will?

Ew. Majestät werden Sich gnädigst erinnern, daß der Kaiser, Ihr Gemahl, mir befohlen hat, ihm die Gemahlin zurückzuführen, sagte der Graf mit ruhiger Entschlossenheit, und daß ich geschworen habe, seinem Befehl zu genügen. Der Kaiser von Frankreich ruft seine Gemahlin, er fordert von ihr die Treue, die sie ihm vor dem Altar Gottes gelobt hat, er fordert, daß sie zu ihm zurückkehre.

Aber ich kann nicht, rief Marie Louise außer sich, bebend vor Angst. Ich habe meinem Vater geschworen, ihm gehorsam zu sein, nicht ohne seine Einwilligung irgend eine Botschaft des Kaisers anzunehmen, und jetzt will man mich mit Gewalt zu ihm zurückführen, jetzt will man mich zwingen —

Niemand wird es wagen, Ew. Majestät zwingen zu wollen, rief eine machtvolle Stimme hinter ihnen.

Marie Louise stieß einen Freudenschrei aus und wandte sich um.

Dort, in der geöffneten Thür, dort stand eine hohe männliche Gestalt. Ein langer Mantel umhüllte sie, ein großer breitkrämpiger Hut bedeckte sein Haupt und beschattete sein Gesicht.

21*

Aber Louise erkannte ihn doch. Neipperg! Graf
Neipperg! rief sie mit einem lauten Jubelton, und
außer sich, aller Ueberlegung, aller Rücksicht vergessend,
nur fühlend, daß Er da sei, daß Er sie erretten und
beschützen werde, sprang sie vorwärts und warf sich
in die geöffneten Arme des Grafen.

Retten Sie mich, flüsterte sie, oh dulden Sie es
nicht, daß man mich von hier fortführt.

Nein, ich werde das nicht dulden, sagte der Graf,
sie innig an sich drückend, man hat es gewagt, ein unwürdiges Spiel mit Ew. Majestät zu treiben, aber es
ist zu Ende, und Niemand soll Ew. Majestät zwingen
zu einem Schritt, den Sie nicht freiwillig thun
wollen!

Das heißt, sagte Montbrun, sich bleich und mit
düsterer Stirn nähernd, das heißt, Sie, Herr Graf
Neipperg, wollen es verhindern, daß die Kaiserin einen
freiwilligen Schritt thue? Sie wollen sie zwingen,
umzukehren.

Nein, sagte Graf Neipperg würdevoll, ich will, daß
die Kaiserin freie Wahl habe. Hätte ich das nicht gewollt, so wäre es mir ein Leichtes gewesen, den Fluchtversuch zu hindern, denn ich kannte ihn seit acht Tagen
schon, ich wußte um Alles. Aber ich ließ Sie Ihren

Plan ruhig ausführen, und, — verzeihen Sie es mir, Sie so überlistet zu haben, Herr Graf Montbrun, — ich war der Kutscher, der Sie hierher fuhr. Während Sie in das Schloß von Schönbrunn gingen, um Feuer anzulegen, und die erschreckte Fürstin zu entführen, nahm ich die Stelle Ihres von mir längst bestochenen Kutschers, nahm er meine Stelle hinter dem Mauerpfeiler ein, hinter dem ich Ihr Kommen erwartet hatte. Sie sehen also, es wäre mir ein Leichtes gewesen, Ihre Pläne zu durchkreuzen. Ich hätte nur nöthig gehabt, die Polizei zu benachrichtigen. Indeß, ich wollte der Kaiserin die Wahl überlassen, sie selber sollte über ihre Zukunft entscheiden, sie allein! Deshalb ließ ich Alles geschehen, deshalb begleitete ich Sie hierher. Es muß endlich Alles klar und entschieden werden. Der Kaiser Napoleon soll nicht sagen, daß man seine Gemahlin mit Gewalt zurückhält. Sie, Herr Graf Montbrun, werden ihm entweder die Gemahlin zuführen, oder Sie werden zu ihm gehen, und ihm sagen, daß es ihr freier Wille war, nicht zu ihm zurückzukehren.

Und jetzt, fuhr er fort, von der Kaiserin zurücktretend, und sich tief vor ihr verneigend, jetzt lege ich die Entscheidung in die Hände Ew. Majestät. Wir sind hier allein, zwei Ehrenmänner, Beide bereit dem Willen

und Befehl Ew. Majestät zu gehorchen, Beide, so ver=
schieden auch unsere Wege sind, einig in dem Gefühl
des Gehorsams und der Ehrfurcht, die wir Ew. Ma=
jestät, der Dame schulden, die ich die Tochter meines
Kaisers, die Graf Montbrun die Gemahlin seines
Kaisers nennt. Ich schwöre also hier, und Gott hört
meinen Schwur, daß ich mich dem Willen Ew. Ma=
jestät unterwerfe, daß ich, wie auch Ihre Entscheidung
ausfallen möge, schweigend und gehorsam mich den Be=
fehlen der Kaiserin unterordnen will. Herr Graf Mont=
brun, wollen auch Sie das schwören?

Ja, sagte Montbrun feierlich, ich schwöre, gleich
dem Grafen Neipperg, mich schweigend und gehorsam
den Befehlen der Kaiserin unterzuordnen, Ihrem Willen
mich zu unterwerfen, wie auch die Entscheidung aus=
fallen möge!

Nun, wohlan denn, jetzt mögen Ew. Majestät Ihren
Willen kund thun, rief Graf Neipperg. Wollen Sie
dem Ruf des Kaisers Napoleon folgen, wollen Sie
nach Frankreich, zu Ihrem Gemahl zurückkehren? Sa=
gen Sie es, und ich trete ehrfurchtsvoll bei Seite!
Ew. Majestät legen Ihre Verkleidung an, und fahren
mit dem Grafen Montbrun weiter, und Niemand wird
Ihre Flucht aufhalten, denn Graf Montbrun hat alle

Vorbereitungen gut getroffen, auf allen Stationen stehen
die Relais bereit, und ich selbst werde bemüht sein,
Diejenigen, welche Sie verfolgen möchten, auf falsche
Wege zu leiten, bis Sie die französische Grenze über=
schritten haben. — Wollen aber Ew. Majestät nicht
nach Frankreich gehen, wollen Sie freiwillig der Kaiser=
krone, welche Ihrer in Frankreich wartet, entsagen,
wollen Sie statt Kaiserin von Frankreich nur die
Herzogin von Parma sein, dann sagen Sie es, und
Graf Montbrun wird allein nach Paris gehen, und er
wird dem Kaiser Napoleon melden, daß Marie Louise
die Bande zerrissen hat, welche sie an ihn knüpfen, daß
sie sich weigert, ihn als ihren Gemahl anzuerkennen,
daß sie sich weigert, die Kaiserin von Frankreich zu
heißen, und nur noch die Herzogin von Parma, die
Tochter des Kaisers Franz, die deutsche Prinzessin
sein will. Sagen Sie es, und der Graf Montbrun
wird es nicht hindern, daß Ew. Majestät mit mir die=
ses Haus verlassen, ich werde Sie wieder zurückfahren
nach Schönbrunn, und unbemerkt, von der Nacht ge=
schützt, werden Sie auf demselben Wege, auf dem
Sie das Schloß verlassen, wieder in dasselbe zurück=
kehren. — Ew. Majestät, wir warten auf Ihre Ent=
scheidung!

Eine Pause trat ein. Athemlos, mit hochklopfen=
dem Herzen, bleich vor innerer Aufregung standen die
beiden Männer der Kaiserin gegenüber, sie beide an=
schauend mit flammenden Blicken voll Unruhe und
Pein.

Jetzt hob Marie Louise langsam ihr Haupt empor,
jetzt schritt sie vorwärts, und mit lauter, fast freudiger
Stimme sagte sie: Herr Graf Neipperg, führen Sie
mich nach Schönbrunn zurück. Ich entsage der Kaiser=
krone von Frankreich, ich will nur noch die Herzogin
von Parma sein.

Graf Neipperg stieß einen Freudenschrei aus, und
auf seine Kniee niedersinkend, preßte er die dargereichte
Hand der Kaiserin an seine Lippen.

Graf Montbrun, sagte Marie Louise, ihr erröthen=
des Antlitz dem Grafen zuwendend, der todesbleich, mit
schmerzbewegten Zügen an der Wand lehnte, Graf
Montbrun, kehren Sie nach Paris zurück, bringen Sie
dem Kaiser meine Grüße, sagen Sie ihm, daß ich nie=
mals den Vater meines Sohnes vergessen, niemals auf=
hören werde für ihn zu beten, daß mein Herz und
meine Pflicht mir aber verbietet, zu ihm zurück zu kehren.
Leben Sie wohl, Herr Graf Montbrun. Sie aber,
General Neipperg, geben Sie mir Ihren Arm und

führen Sie mich zu meinem Wagen, um mit mir nach Schönbrunn zurückzukehren.

Erlauben mir Ew. Majestät nur, dem Grafen Montbrun noch ein Wort zu sagen, bat General Neipperg. Er näherte sich dem Grafen, zog aus seinem Busen einen Brief hervor und reichte ihn dem Grafen dar.

Herr Graf Montbrun, sagte er, ich bin Ihnen noch schuldig, Ihnen eine Aufklärung zu geben, Ihnen zu sagen, durch Wen mir Ihr Entführungsplan verrathen ward und wer mir die Mittel in die Hand gab, ihn zu vereiteln. Diese Aufklärung finden Sie in diesem Brief. Er kommt von einer Dame, die Ihnen wohl bekannt ist, er kommt von Friederike Hähnel! — Jetzt möge Ew. Majestät die Gnade haben, meinen Arm an= zunehmen und mir zu gestatten, Sie nach Schönbrunn zurückzufahren. Das Abenteuer dieser Nacht wird in Schweigen und Geheimniß begraben werden, denn Niemand, außer uns, kennt die geheime Thür des Toilettenzimmers, und durch diese werden Ew. Ma= jestät in Ihre Gemächer zurückkehren, noch ehe der Morgen dämmert!

Marie Louise, mit einem zärtlichen Blick zu ihm aufschauend, nahm seinen Arm und verließ mit dem Grafen das Gemach.

Montbrun schaute ihnen mit düstern Blicken nach, in sich versunken, verloren in die finstern Gedanken, welche seine Seele bewegten und ihn mit Verzweiflung und Zorn erfüllten. Jetzt, als er das Rollen des sich entfernenden Wagens vernahm, stampfte er wild mit dem Fuß auf den Boden und schleuderte einen flam= menden Zornesblick zum Himmel empor.

Alles verloren! Alles umsonst! sagte er zähneknir= schend. Die Arbeit und Mühe eines halben Jahres vernichtet in Einem Moment, und mit leeren Händen muß ich zu dem Kaiser zurückkehren, kann ihm kein Zeugniß geben meiner Ergebenheit, meiner Thätigkeit, kann von ihm keinen Lohn, keinen Dank fordern, son= dern werde nur mit finsterm Zornesblick, mit einem Lächeln der Verachtung empfangen werden. Oh, mein Gott, habe ich denn für all' meine Treue, meine Mühe eine solche Strafe verdient? — Aber der Brief! Der Brief soll mir Aufklärung geben, sagte mir der Graf Neipperg. Er soll mir sagen, wer mich verrieth. Wehe, wehe über ihn!

Er griff nach dem Brief, den er vorher mit einer verächtlichen Bewegung auf den Tisch geschleudert hatte und riß ihn auseinander.

Ja, sagte er, ihn anschauend, es ist ihre Hand=

ſchrift. Dieſer Brief iſt wirklich von Friederike Hähnel.
Und ſie, ſie ſollte mich verrathen haben? Nein, nein,
das iſt unmöglich, das — ach, leſen wir doch den
Brief!

Er warf ſich auf einen Stuhl neben dem Tiſch
nieder, zog den Armleuchter näher zu ſich heran und
las den Brief, der alſo lautete:

„Sie haben mich getäuſcht und hintergangen! Sie
haben mit meinem Herzen ein elendes und unwürdiges
Spiel getrieben, und meine Liebe zu einem Werkzeug
Ihrer Pläne gemacht. Ich habe Sie geliebt, grenzenlos,
unausſprechlich; doch das iſt lange her, und klingt nur
noch in mir nach wie die Ammenmährchen meiner Kind=
heit, die ich jetzt belächele, weil ich ſo klug geworden
bin, zu wiſſen, daß ſie niemals eine Wahrheit werden
können. Sie haben mich klug gemacht, und ich will
Ihnen jetzt einen Beweis meiner Klugheit geben. —
Auf jenem Feſt beim Baron Arnſtein, wo Sie mit
Ihrer Gemahlin zuſammen trafen, belauſchte ich Ihr
Geſpräch. Ich ſtand hinter dem Bosquet, als Sie
Ihrer zärtlichen Ehehälfte die Verſicherung gaben, daß
Sie Friederike Hähnel durchaus nicht liebten, daß ſie
nur ein Werkzeug in Ihren Händen ſei, als Sie ihr
mit lachendem Munde erzählten, daß Sie mich betrö=

gen, und zu Ihrer Rechtfertigung hinzusetzten, auch ich
betröge Sie, denn ich liebte nicht Sie, sondern Ihren
glänzenden Namen allein. Sie sagten damals: „es
kommt nur darauf an, wer seinen Zweck erreicht, und
wer von uns Beiden zuletzt der Betrogene sein wird."
Diese Worte habe ich mir seitdem täglich wiederholt,
mir täglich geschworen, daß Sie zuletzt der Betrogene
sein sollten! Jetzt habe ich mein Ziel erreicht, und
— Sie sind der Betrogene! Sie hatten mich verrathen in dem, was einer Frau das Höchste ist, in meiner Liebe, — ich habe Sie dafür verrathen in dem,
was Ihnen das Höchste dünkte, — in Ihrem Ehr-
geiz! Sie wollten dem Kaiser Napoleon wichtige
Dienste leisten, damit er Sie dafür mit Ehrenstellen, Orden und Aemtern belohne. Sie wollten
ihm die Gemahlin und den Sohn zuführen, und
Sie machten mich zu der Vertrauten Ihrer Pläne!
Ich unterstützte und förderte sie, ich half Ihnen mit
thätigster Zuvorkommenheit, und als die Zeit gekommen, da verrieth ich Sie und Ihre Pläne an den
Grafen Neipperg. Ja, mein Herr Marquis Bar-
bassou, mein lieber zärtlicher Cousin, ja, mein Herr
Graf Montbrun, ich habe Sie verrathen! In der
Stunde, in welcher Sie dies lesen, sind alle Ihre so

flug berechneten, mit so viel Mühe, Geld und Zeitver=
schwendung angelegten Pläne vereitelt. Der kleine Kö=
nig von Rom, statt bei mir zu sein, ist jetzt in der
Kaiserburg bei seinem Großvater, dem Kaiser Franz,
und der wird ihn wohl vor jedem erneuertem Flucht=
versuch zu sichern wissen. Die Herzogin von Parma,
die Sie als Kaiserin nach Frankreich zurückführen woll=
ten, hat ohne Zweifel die romantische Reisekleidung ver=
schmäht, die wir ihr mit so viel Zuvorkommenheit hat=
ten bereiten lassen, und ist nach Schönbrunn zurückge=
kehrt, begleitet von einem Manne, der ihr den Kaiser
Napoleon ersetzen wird. Sie sind allein in der Wald=
hütte, Sie lesen meinen Brief. Ist es Ihnen nicht,
als sähen Sie das vor Bosheit strahlende Antlitz, die
vor Verachtung und Zorn blitzenden Augen Ihrer lie=
ben Cousine neben sich, hören Sie nicht durch die öde
Stille, die Sie, den überlisteten Verräther, umgiebt,
das laute höhnische Lachen, mit dem ich Sie anschaue?
Sehen Sie nicht, wie ich mit wilden Sprüngen in
meinem Zimmer umherfliege, und mit rasender Lust,
gleich den Feuergeistern in Gluck's Armide den Tanz
der Rache tanze? Ja, mein lieber Cousin, ich tanze,
ich lache und singe, denn ich bin gerächt. Sie wollten
mein Herz zertreten, aber es war eine Natter, die sich

aufrichtete und Sie in die Ferse stach. Ich hoffe, daß es schmerzt, und daß Sie ewig davon hinken werden. Leben Sie wohl, theurer Cousin, und gedenken Sie zu= weilen Ihrer schönen Cousine

Frieberike Hähnel."

Sie hat recht gethan, sagte Graf Montbrun, den Brief langsam zusammenfaltend und in seinen Busen steckend. Ja, sie hat recht gethan, und mir ist mein Recht geworden. Ich war an ihr zum Verräther ge= worden, und Gott hat deßhalb meinen Arm verworfen; da ich mit unreinen Waffen kämpfte, durfte ich nicht siegen. Und so will ich denn meine Strafe erdulden, und will hingehen zu Napoleon und ihm sagen, daß ich ein Meineidiger bin, der seinen Schwur nicht gehalten hat. Möge Er mich strafen, oder mich entsündigen, und mir verzeihen! Fort jetzt, hinaus in die Nacht!

Er blies die Lichter aus, und schritt durch die Dun= kelheit hinaus in den öden, schweigenden und finstern Wald.

VIII.

Der Abschied.

Der Congreß, welcher trotz der drohenden Gewitter=
stürme, die sich rings am Horizont erhoben, noch im=
mer in Wien tagte, der Congreß beschäftigte sich inbeß
jetzt nicht mehr mit dem allgemeinen Frieden, sondern
mit dem allgemeinen Krieg, und da man jetzt zu diesem
Krieg wieder der Hülfe der Völker, der tapfern Arme,
und der offenen Kassen bedurfte, so beschäftigte man
sich auch ein wenig mit dem Glück und der Befriedi=
gung der Völker. Statt wie bisher nur die Schen=
kungen an „Seelen" und Ländern zu berathen, welche
man den Fürsten zuerkennen wollte, überlegte und be=
rieth man jetzt die Versprechungen an Freiheit und
Selbstständigkeit, die man jetzt den Völkern machen
mußte, um ihren Enthusiasmus aufzustacheln, und ihren
Kriegsmuth anzufeuern, machten alle Diplomaten jetzt

Entwürfe zu Verfassungs-Urkunden, welche die deutschen Fürsten ihren Völkern als freie Liebesgabe darbringen wollten.

Aber vor allen Dingen kam es doch darauf an, sich feierlich und einstimmig gegen Napoleon zu erklären und Frankreich, dem neuerstandenen Kaiserreich, einen Kampf auf Tod und Leben anzukündigen.

Alle europäischen Mächte gaben in seltener Uebereinstimmung diese feierliche und einstimmige Erklärung ab. Alle ihre Stimmen zu Einer vereinend thaten sie Napoleon in die Acht, erklärten sie Frankreich den Krieg, wenn es den geächteten Napoleon als seinen Kaiser anerkenne. Diese Kriegserklärung vom zwölften Mai 1815, das war das Donnerwort, welches Frankreich aus seinem Freudentaumel, aus seiner Wiedersehenslust aufschreckte, welches alle Völker Europa's zu den Waffen rief.

Ganz Europa rüstete sich, ganz Europa erhob das Schwert gegen Einen Mann, aber dieser Eine Mann hatte früher ganz Europa unter seine Füße getreten und vor ihm hatten alle diese Fürsten einst sich gebeugt, die jetzt wider ihn rüsteten. Sie rüsteten mit Verträgen, mit dem Schwerdt und mit dem Wort. Oesterreich, Rußland und Preußen erneuerten ihre Allianz mit

England, das ihnen Subsidien zu zahlen sich verpflich=
tete. Alle deutschen kleineren Fürsten verpflichteten sich,
ihre Contingente an Linientruppen und Landwehr zur
großen Hauptarmee zu senden. Rußland bot drei große
Armeecorps auf, die in Eilmärschen durch Ungarn und
Schlesien vorrücken sollten, Preußen organisirte mit
energischer Thatkraft zwei Armeen, die eine in den
Niederlanden, die andere am Rhein, Oesterreich formirte
ein Heer am Rhein, ein anderes in Italien. England
schiffte seine Truppen nach den Niederlanden über, Spa=
nien zog seine Regimenter zu einer Armee zusammen
und mehr als eine halbe Million Soldaten setzte sich
in Bereitschaft, um von allen Seiten Frankreich anzu=
greifen.

Die erste Folge dieser Kriegserklärung war, daß alle
Franzosen, welche sich in Wien befanden, sich zur schleu=
nigen Abreise anschicken mußten. Herr von Talleyrand
hatte längst schon sein Haus geschlossen und verließ
jetzt mit seinem ganzen Gesandtschaftspersonal die Haupt=
stadt Oesterreichs, in welcher er so lange als mächtiges
Congreßmitglied eine so bedeutende Rolle gespielt. Aber
auch alle die Franzosen, welche bisher den kleinen Hof=
staat Marie Louisens gebildet und zu ihrer nächsten
Umgebung gehört hatten, bekamen jetzt den Befehl, die

öfterreichifchen Kaiferftaaten fofort zu verlaffen und in dem Dienft der Herzogin von Parma ihren deutfchen Nachfolgern zu weichen.

Die Gräfin Montesquiou hatte gleich an dem näch= ften Tage nach den vereitelten Fluchtverfuchen ihre Stelle niederlegen und fich von der Kaiferin Marie Louife beurlauben müffen. Die Kaiferin hatte fie mit kalter Ruhe empfangen, ohne auch nur mit einem Wort der Begebenheiten jener fchreckensvollen Nacht zu geben= ken. Marie Louife war unbemerkt, noch bevor der Tag graute, wieder nach Schönbrunn zurückgekehrt, und von Graf Neipperg geleitet war fie durch die geheime von Niemand gekannte Thür in ihre Gemächer gelangt. Sie fchien auch von Niemanden vermißt zu fein, denn Nie= mand war erftaunt, die Kaiferin am Morgen in ihrem Toilettenzimmer auf dem Divan ruhend zu finden, und als Marie Louife ihren Kammerfrauen erzählte, daß fie fich vor dem Feuer in dies Zimmer gerettet, um vor Störungen gefichert zu fein, die Thür deffelben ver= fchloffen und dann die ganze Nacht hindurch auf dem Divan ruhig gefchlafen habe, fchienen fie davon durch= aus nicht überrafcht, fondern äußerten nur ihre glühende Freude, daß ihre Herrin nicht auf lange in ihrer Nacht= ruhe geftört worden.

Auch von der Flucht des Prinzen Napoleon, den jetzt Niemand mehr König von Rom zu nennen wagte, verbreiteten sich nur einige dunkele unbestimmte Gerüchte, aber Niemand wußte mit Bestimmtheit etwas darüber zu sagen. Nur das wußte man, daß der Prinz jetzt für immer in Wien in der Kaiserburg wohne, daß er eine deutsche Gouvernante habe und daß die Gräfin Montesquiou trotz ihres innigen Flehens nicht die Erlaubniß erhalten habe, vor ihrer Abreise den Prinzen noch einmal zu sehen und ihm Lebewohl zu sagen.

Auch die andern Franzosen aus dem Hofstaat Marie Louisens, wie gesagt, mußten Wien verlassen, selbst der Privat-Secretair der Kaiserin, der Baron von Méneval war von dieser strengen Maßregel nicht ausgeschlossen. Aber ihm hatte man die Gunst gewährt, die man der Gräfin Montesquiou versagt hatte, ihm sollte es verstattet werden, von dem Herzog von Reichstadt Abschied zu nehmen.

Am Tage seiner Abreise, am sechsundzwanzigsten Mai sollte Baron Meneval also in der Kaiserburg den jungen Prinzen zum letzten Mal sehen, und dort auch, in den Gemächern ihres Sohnes wollte Marie Louise ihrem frühern Geheimsecretair ihr letztes Lebewohl sagen.

22*

Aber dieses letzte Lebewohl der einstigen Kaiserin
war ebenso kalt und ruhig, wie das, welches sie von
der Gräfin Montesquiou genommen. Sie dankte dem
Baron für seine treuen Dienste, sie gab ihm ein kost=
bares Geschenk als Andenken, aber sie that das ohne
ein Zeichen innerer Aufregung und Theilnahme. Sie
fragte gar nicht wohin der Baron gehen wolle, sie
erwähnte gar nicht des Kaisers Napoleon, und als
Méneval es dennoch wagte, ihr zu erzählen, daß er
nach Paris, als er von dem Kaiser sprach, und von
dem Schmerz den er empfinden würde, nicht einmal
einen Brief von seiner Gemahlin zu erhalten, schien
Marie Louise kaum auf seine Worte zu hören, sondern
lauschte mit halb abgewandtem Haupt auf die Töne
der Musik, die aus dem anstoßenden Gemach zu ihr
herrauschten. Und diese Töne schienen einen wunder=
baren Zauber auf sie zu üben, denn Marie Louise
schrak in sich zusammen bei dem Beginn der Musik,
eine tiefe Röthe überflog ihre Wangen, und ihre Augen
leuchteten in feurigem, zärtlichen Glanz.

Oh, Majestät, sagte Méneval jetzt leise und hastig,
oh, Majestät, ich beschwöre Sie, lassen Sie mich
nicht ganz ohne Botschaft zu dem Kaiser zurückkehren.
Geben Sie mir zum Mindesten einen Gruß, ein

Wort der Hoffnung für ihn mit. Beauftragen Sie
mich —

Herr von Méneval, unterbrach ihn Marie Louise,
es thut mir Leid, Ihnen jetzt Lebewohl sagen zu
müssen. Aber ich habe dem Grafen Neipperg ver=
sprochen, mir von ihm eine neue Symphonie Beethovens
vorspielen zu lassen, und Sie hören wohl, der Graf
erwartet mich schon am Clavier, das er so meisterhaft
schön zu spielen versteht. Leben Sie also wohl, Herr
von Méneval. Dort in jenem Zimmer finden Sie
meinen Sohn, den Herzog Franz!

Sie deutete mit der Hand nach der geöffneten
Thür des Nebenzimmers, nickte leicht mit dem Kopf
und wandte sich dann ab um mit raschen Schritten
nach der verschlossenen Thür jenseits des Salons hin=
zugehen.

Der Baron schauete ihr mit traurigen Blicken
nach, bis die schöne jugendliche Gestalt hinter der
Thür des Musikzimmers verschwunden war; ein schwerer
Seufzer entrang sich seiner Brust, und als er sich dann
dem Zimmer des Prinzen zuwandte, flüsterte er leise:
Armer Kaiser! Seine Gemahlin betrachtet sich schon
als seine Wittwe, die ihm einen Nachfolger geben darf!

Der Prinz saß, als Herr von Méneval zu ihm

eintrat, vor seinem Spieltisch. Aber nicht wie sonst ordnete er mit Jubel und lachendem Frohsinn seine Soldaten, nicht wie sonst glänzte sein Auge, glühten seine Wangen wie holde Maienrosen. Still und schweigend saß er da, das Köpfchen vornüber geneigt, blickte er gleichgültig auf seine zerstreut umher liegenden Regimenter hin, und nur wie in Zerstreuung wühlten seine kleinen weißen Hände zwischen dem Spielzeug umher.

Hoheit, sagte Frau von Mitrowska, welche mit der neuen Kammerfrau neben dem Spieltisch stand, Hoheit, da ist der Herr Baron von Méneval, welcher Ihnen Lebewohl sagen möchte. Wollen Sie ihn nicht willkommen heißen?

Das Kind hob seine Augen langsam empor, und blickte den Baron an, ohne ihn zu grüßen, ohne ihn, wie es schien, zu kennen. Sonst war er ihm stets jauchzend entgegen gehüpft, und hatte ihn mit lieblicher Geschwätzigkeit willkommen geheißen, heute stand er nur, als die Gouvernante ihn dazu aufforderte, von seinem Stuhl auf, und dem Baron zwei Schritte entgegentretend, reichte er ihm zögernd, und einen mißtrauischen ängstlichen Blick auf Frau von Mitrowska werfend die Hand dar.

Sie wollen abreisen, mein Herr? fragte er mit leiser bebender Stimme.

Ja, Sire, ich will abreisen, sagte der Baron, die kleine Hand an seine Lippen drückend, und sie dann zwischen seinen beiden Händen fest haltend, ja Sire, ich will abreisen, und ich bitte Sie, mir zu sagen, ob Sie nichts zu bestellen haben? Ich kehre jetzt nach Paris zu Ihrem Herrn Vater dem Kaiser Napoleon zurück. Sire, haben Sie mir gar keine Aufträge für Ihren Herrn Vater zu geben?

Der kleine Knabe hob seine Augen mit einem traurigen langen Blick zu ihm empor, aber er sagte kein Wort; langsam und unmerklich das Haupt schüttelnd, machte er seine Hand aus der des Barons los, und zog sich, schweigend und still dahin schleichend, in eine entfernte Fensternische zurück.

Der Herzog ist heute nicht ganz wohl, glaube ich, sagte Frau von Mitrowska unbefangen, er ist sonst immer außerordentlich heiter und vergnügt und scherzt und lacht den ganzen Tag.

Ja, Madame, das war sonst seine liebliche Art, sagte Baron Méneval seufzend. Ich muß mich jetzt beurlauben. Gestatten Sie mir, daß ich zu dem Prinzen hingehe, und ihm einen Kuß zum letzten Lebewohl gebe?

Oh, Herr Baron, welche Frage, rief Frau von Mitrowska lächelnd, nehmen Sie Ihren Abschied ganz wie
es Ihrem Herzen und dem Belieben des Prinzen an-
gemessen ist.

Der Baron eilte nach der Fensternische hin, in
welcher der Prinz stand, der aus der Ferne mit mißtrauischen Blicken zu den Sprechenden hinüber geschaut
hatte.

Sire, sagte Méneval, und seine Augen füllten sich
mit Thränen, wie er auf das kleine, ernste, bleiche
Antlitz des Knaben hinblickte, Sire, ich reise wirklich
zu Ihrem Vater, zu Ihrem Papa Kaiser. Wollen Sie
mir gar keine Grüße für ihn mitgeben?

Der Prinz zog mit beiden Händchen den Baron zu
sich heran, tief in die Fensternische hinein, und mit einem
rührenden, flehenden Ausdruck zu ihm aufschauend,
flüsterte er leise: Lieber Herr von Méneval, sagen Sie
ihm, daß ich ihn immer noch sehr lieb habe.*)

Sire, sagte der Baron mit vor Rührung erstickter
Stimme, man hat mir erlaubt, Sie zum Abschied um-
armen zu dürfen. Wollen Sie es mir gestatten?

---

*) Des Prinzen eigene Worte. Siehe: Méneval: Mémoires.
IV. S. 230.

Der kleine Knabe breitete seine beiden Arme aus, und flog mit einem süßen, schmerzlichen Lächeln an die Brust des Barons. Mit einer glühenden Innigkeit küßte er ihm die Augen, die Lippen, die Stirn, und bei jedem Kusse flüsterte er: Grüßen Sie meinen Papa, sagen Sie ihm, daß ich ihn so lieb, ach, so lieb habe, und daß ich ihn nie vergessen werde.

Franz! Franz! rief aus dem Nebengemach die Stimme der Kaiserin.

Der Knabe zuckte zusammen, das Lächeln erblaßte auf seinen Lippen. Sie hören wohl, Herr von Méne= val, flüsterte er traurig, ich heiße nun doch Franz! Leben Sie wohl!

Er grüßte ihn mit einem trüben Blick, und trat einige Schritte aus der Fensternische vorwärts. Plötz= lich wandte er sich um, kehrte hastig zu dem Baron zurück, und ihn mit einem flehenden Blick ansehend, flüsterte er: sagen Sie es meinem Papa nicht, daß sie mich hier Franz nennen. Es würde ihm weh thun!

Franz! rief die Stimme seiner Mutter abermals.

Ich komme schon, sagte das Kind traurig, indem es hastig nach dem andern Zimmer eilte.

Herr von Méneval blickte ihm nach, bis die kleine

zierliche Gestalt verschwunden war, dann schlug er seine Hände vor sein Angesicht und weinte laut. —

An demselben Tage, und um dieselbe Stunde fand in einem andern Gemach der Kaiserburg noch ein zweiter Abschied statt. Es war in dem Cabinet des Kaisers Franz, und der Kaiser Alexander und der König Friedrich Wilhelm waren es, welche ihrem Bundes= genossen, dem Kaiser Franz, ihr letztes Lebewohl sagten.

Hand in Hand standen die drei Monarchen in der Mitte des Zimmers, und schauten einander an mit Blicken fester, ernster Entschlossenheit.

So ziehen wir denn wieder aus zu erneuertem Blut= vergießen, sagte Alexander mit leiser, bebender Stimme. Die glücklichen Tage unsers schönen Beisammenseins sind vorüber, und auf's Neue wird Krieg und Ver= derben das arme noch von so viel Wunden blutende Europa durchheulen, auf's Neue werden Tausende blü= hender kräftiger Männer hingeopfert werden durch die Schuld dieses Würgeengels, den Gott zum zweitenmal zur Strafe unserer Sünden auf uns gehetzt hat. Aber dies Mal dürfen wir nicht eher ruhen, als bis wir ihn ganz und für immer vernichtet haben. Ich wenig= stens habe auf das Evangelium geschworen, die Waffen

nicht niederzulegen, so lange Napoleon Herr von Frank=
reich ist, sondern zu kämpfen bis zu seinem völligen und
unwiderbringlichen Untergang.*)

Und ich schwöre hier in die Hände der Majestäten,
daß auch ich mit aller meiner Macht diesen Mann be=
kämpfen will, der so lange Europa beunruhigt hat, sagte
Kaiser Franz. Auch ich schwöre, daß ich den Krieg nur
dann als beendet betrachten will, wenn Bonaparte ent=
weder gefangen oder todt ist.

Ich schwöre, wie Sie Beide geschworen haben, sagte
der König Friedrich Wilhelm. Krieg, unversöhnlicher
Krieg dem ehrgeizigen Tyrannen, durch dessen Schuld
auf's Neue das Blut unserer braven Soldaten wird
vergossen werden. Auf sein Haupt komme die Schuld
alles Unglücks, das Er allein jetzt wieder über Europa
gebracht hat. Gott hat uns ausersehen, ihn zu strafen,
und unsere unglücklichen Völker endlich von ihm zu
befreien.

Ja, unsere unglücklichen Völker wollen wir endlich
befreien von diesem Schreckniß, rief Alexander begeistert,
wir wollen ihnen endlich die Ruhe und den Frieden
wiedergeben, und heimkehrend mit unsern Siegesfahnen

*) Méneval. IV. S. 166.

wollen wir den Völkern, die wir die unsern nennen, zum Dank für ihre edle Treue und ihre tapfern Thaten, das Glück, die Freiheit und die Gerechtigkeit bringen. Die Thrannei sei verjagt mit dem Thrannen Bonaparte, und unser Stolz soll es sein, als freie Fürsten über freie Völker zu regieren. Sie haben, gleich allen deutschen Fürsten, Ihren Völkern eine Verfassung verheißen. Sie werden Ihr Wort erfüllen, wie ich es meinem neu erworbenen Königreich Polen erfüllen werde. Möge mich Gott den Tag sehen lassen, wo auch mein eigenes geliebtes Vaterland, mein Rußland, so weit heran gereift ist, daß ich auch ihm die Wohlthat einer Verfassung gewähren, daß ich auch meinen angestammten Völkern, wie Sie den Ihren, sagen kann: „Ihr habt auf dem Schlachtfeld Euch die Manneswürde und die Freiheit der Selbstbestimmung erkämpft, und ich gebe Euch dafür eine Verfassung, wie sie freien Männern geziemt." Aber das steht noch in weiter Ferne, und das Nächste nur wollen wir jetzt bedenken. Das Nächste ist: Krieg gegen Napoleon! Unversöhnliche Feindschaft dem Störer des Weltfriedens! Krieg bis zur Vernichtung!

Ja, so sei es, riefen die beiden Monarchen. Bonaparte hat es so gewollt, ihm werde sein Wille!

Und nun, meine Freunde, meine Bundesgenossen, rief Alexander mit Thränen in den Augen. Eine letzte Umarmung. Ein letzter Kuß! Unsere Armeen erwarten uns! Leben Sie wohl! Auf dem Schlachtfeld oder in Paris sehen wir uns wieder!

Sie hielten sich lange umschlungen, dann nickten sie einander den letzten Gruß zu.

In Paris sehen wir uns wieder, sagten sie Alle drei, und Hand in Hand durchschritten sie die Gemächer, gingen sie hinunter bis zu den bereit stehenden Equi= pagen der beiden Monarchen Alexander und Friedrich Wilhelm, die jetzt Wien verließen, um sich zu ihren Armeen zu begeben.

Ende des dritten Theils.

Druck von G. Gutbschmitt & Co. in Berlin, Lindenstr. 81.

Google

Druck:
Customized Business Services GmbH
im Auftrag der KNV-Gruppe
Ferdinand-Jühlke-Str. 7
99095 Erfurt